本草品汇精要 4

北京市 2018 年度优秀古籍
整理出版选题扶持入选项目

〔明〕刘文泰 等／撰
曹 晖／校注

北京科学技术出版社

图书在版编目（CIP）数据

本草品汇精要．4 /（明）刘文泰等撰；曹晖校注．—北京：北京科学技术出版社，2019.10

ISBN 978-7-5714-0219-8

Ⅰ．①本… Ⅱ．①刘… ②曹… Ⅲ．①本草—中国—明代 ②《本草品汇精要》—研究 Ⅳ．① R281.3

中国版本图书馆 CIP 数据核字（2019）第 047809 号

本草品汇精要4

校　　注：曹　晖
责任编辑：侍　伟　李兆弟　董桂红　吕　艳
责任校对：贾　荣
责任印制：李　茗
封面设计：蒋宏工作室
图文制作：樊润琴
出 版 人：曾庆宇
出版发行：北京科学技术出版社
社　　址：北京西直门南大街16号
邮政编码：100035
电话传真：0086-10-66135495（总编室）
0086-10-66113227（发行部）　0086-10-66161952（发行部传真）
电子信箱：bjkj@bjkjpress.com
网　　址：www.bkydw.cn
经　　销：新华书店
印　　刷：北京捷迅佳彩印刷有限公司
开　　本：787mm × 1092mm　1/16
字　　数：480千字
印　　张：40
版　　次：2019年10月第1版
印　　次：2019年10月第1次印刷
ISBN 978-7-5714-0219-8/R · 2610

定　　价：980.00元

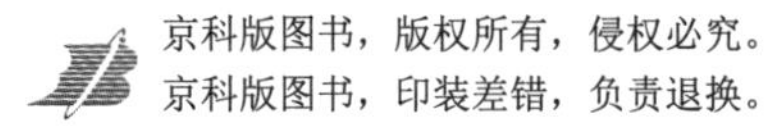

目录

本草品汇精要卷之二十六

本草品汇精要卷之二十七

本草品汇精要卷之二十八

本草品汇精要卷之二十九

本草品汇精要卷之三十

本草品汇精要卷之三十一

本草品汇精要卷之三十二

本草品汇精要卷之三十三

本草品汇精要卷之三十四

本草品汇精要

·卷之二十四·

兽部 中品

七种 神农本经 朱字

六种 名医别录 黑字

一种 唐本先附 注云唐附

一种 今补

四种 陈藏器余

已上总一十九种，内四种今增图

鹿茸骨、角、髓、肾、肉附　　麋脂角、肉、骨、茸附，自下品今移并增图

白胶鹿角霜附，自上品今移并增图

羖羊角髓、胆、肺、心、肾、齿、肉、骨、屎附　　羊乳自上品今移

牡狗阴茎胆、心、脑、齿、骨、蹄、血、肉附，今增图

羚羊角　　犀角　　虎骨膏、爪、肉附

兔头骨脑、肝、肉附　　笔头灰唐附，今增图

狸骨肉、阴茎、猫附　　獐骨肉、髓附

豹肉貊附　　狮子屎毛附，今补

四种陈藏器余

犊子脐屎　　灵猫阴[1]　　震肉

狒狒

① 阴：原无，据正文药名补。

本草品汇精要卷之二十四

兽部中品

○ 毛虫

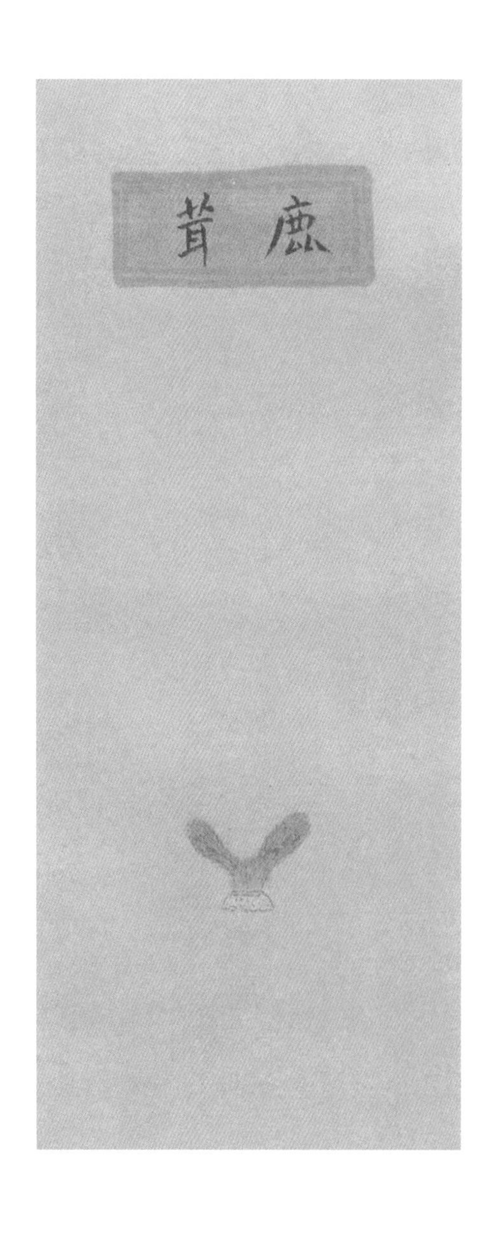

鹿茸

附角、骨、髓、肉、肾

俱无毒

鹿茸出神农本经。主漏下，恶血，寒热，惊痫，益气强志，生齿不老。○角，主恶疮，痈肿，逐邪恶气，留血在阴中。以上朱字神农本经。鹿茸，疗虚劳洒洒如疟，羸瘦，四肢酸疼，腰脊痛，小便利，泄精，溺血，破留血在腹，散石淋，痈肿，骨中热，疽痒。〇骨，味甘，微热，无毒。主安胎下气，杀鬼精物，不可近阴，令痿。久服耐老。〇角，味咸，微温，无毒。主除小腹血急痛，腰脊痛，折伤，恶血，益气。〇髓，味甘，温。主丈夫、女子伤中，绝脉，筋急痛，咳逆，以酒和服之，良。〇肾，平。主补肾气。〇肉，温。补中，强五脏，益气力。生者疗口僻，割薄之。以上黑字名医所录。

地〔图经曰〕旧不载所出州土，今有山林处皆有之。于四月角欲生时取之，以其形如小紫茄者为上，或以茄茸太嫩，血气犹未全具，不若以分歧如马鞍者为有力。《月令》云：夏至一阴生，鹿角解；冬至一阳生，麋角解。麋即鹿之大者也，各随时解落。然麋茸利补阳，鹿茸利补阴，今人类用之，殆疏矣。麋、鹿角自生至坚完，无两月之久，大者二十余斤，其坚如石。凡骨之类成长，无速于此，虽草木至易生，亦无能及之，岂可与凡骨为比也。

时〔生〕夏至后生。〔采〕初生时取茸，七月取角。

收 阴干及火干者大好。

色 紫。

味 甘、酸。

性 温，收。

气 气厚于味，阳也。

臭 膻。

主 助阳气，壮筋骨。

助 骨，麻勃为之使。鹿角，杜仲为之使。

制〔衍义曰〕凡使，先以薄酥涂匀，于烈焰中急灼之。若不先以酥涂，恐火伤茸，俟毛净微炙入药用。

治〔疗〕〔唐本注云〕头，止消渴，煎之可作胶，服之弥善。○筋，主劳损，续绝。○髓脂，主痈肿死肌，温中，四肢不随。○头，通腠理。○角，主猫鬼，中恶，心腹疰痛。○血，主狂犬伤，鼻衄，折伤。○齿，治留血，滞气及鼠瘘，心腹痛。〔日华子云〕鹿茸，破瘀血，杀鬼精，安胎下气。○角，以火炙热，熨小儿重舌，鹅口疮。○生肉，治偏风，左患右贴，右患左贴。○头肉，治烦懑多梦。〔孟诜云〕头肉，止消渴，治夜梦见鬼。○蹄肉，治脚膝疼痛。〔别录云〕溺，利五脏，调血脉。○筋，疗骨鲠，以鹿筋渍之，索紧，令大如弹丸，持筋端吞之，候至鲠处，徐徐引之，鲠著筋出之。○角，烧灰以水涂，治竹木刺入肉皮中，不过一夕而出。〔补〕〔日华子云〕茸，补虚羸。○肾，益中气，安五脏，壮阳气。○肉，益气力，助五脏。

合治 茸，酥炙为末，空心合酒服方寸匕，补男子腰肾虚冷，脚膝无力，夜梦鬼交，精溢自出，女人崩中漏血，赤白带下，并治之。○角剉[①]为屑，合白蜜五升，淹之，微火熬令小变，暴干，捣筛细末，三指一撮，合酒服之，令人轻身益气，强骨髓，补绝伤，及妇人夜梦鬼交。○角烧灰，合酒调服方寸匕，日三夜一，治女子胞中余血不尽，欲死者，立效。○角烧灰为末，合小豆汁和涂重舌下，日三度，瘥。○鹿髓合地黄汁煎作膏，填骨髓，壮筋骨，止呕吐。○合蜜煮服，壮阳气，令人有子。○生肉合生椒同捣傅，治中风口偏不正，如口正，速除之。○血和酒服之，治肺痿吐血，及崩中带下。○血和酒服之，充气血，止饥渴。○肾一对，去脂膜，切，浸豉汁中，入粳米二合和，煮粥入五味之法调和，空腹食之，治肾气虚损，耳聋。○角一具，酥炙令焦，捣筛细末，合酒服方寸匕，治肾消，小便数。○角烧末，合苦酒调涂，治蠼螋尿疮。○生角剉捣细末，合人乳调一字服，治小儿疟疾，先发时服之。○角为细末，合酒调三指撮，治男女善梦鬼交及恍惚者。○角烧为末，和猪脂，傅丹毒，恶疮。○角为细末二三方寸匕，合葱豉汤服之，治胎死腹中，立出。○蹄四只，焊洗如法，熟煮取肉，内豉汁中，著五味煮熟，空腹服之，治诸风，脚膝疼痛不可践地。○角屑二大两，熬令微黄，捣末，合酒一盏，调服方寸匕，治肾脏虚冷，腰脊痛如锥刺。○角末和猪脂膏涂之，治人面目卒得赤黑丹，似疥状，如不急治，遍身即死。○角一枚，长五寸，合酒二升，烧角赤，

① 剉：原作“错”，据科本改。

内酒中浸一宿，饮之，治卒腰痛。○茸不限多少，涂酥炙紫色，为末，合酒调下一钱匕，治腰膝疼痛。○角灰和酢涂之，治马鞍疮。○角烧末，合豉汁方寸匕，日三服，渐加至三钱匕，疗烦闷腹痛，蓄血不尽。○角屑熬令黄赤，研酒服方寸匕，日五六服，治腰痛。○角五寸烧赤，内酒一大升中浸之，冷，又烧赤又浸，如此数过，细研，空心合酒调服方寸匕，治妊娠卒腰痛。

禁 不可嗅其气，能伤人鼻。○五月勿食鹿肉，能伤人。

解 鹿肉能解诸药毒。

赝 麋[1] 茸为伪。

---

① 麋：原作“麻”，据印本改。

○ 毛虫

麋脂

附角、肉、骨、茸

俱无毒　胎生 ①

麋脂出神农本经。主痈肿，恶疮，死肌，寒风湿痹，四肢拘缓不收，风头肿气，通腠理。以上朱字神农本经。**柔皮肤，不可近阴，令痿。○角主痹，止血，益气力。**以上黑字名医所录。

① 胎生：原无，据罗马本补。

名 官脂、遁脂。

地〔陶隐居云〕生南山山谷及淮海边，今海陵间最多。千百为群，多牝少牡。人言：一牡辄交十余牝，交毕即死。其脂堕土中，经年，人得之方好，名曰遁脂。麋性乃尔淫佚，不应痿人阴，一方言不可近阴，令阴不痿，此乃有理。〔唐本注云〕麋茸服之，功力胜鹿茸，煮为胶，亦胜白胶。言游牝毕即死者，此亦虚传，遍问山泽人，不闻游牝因致死者。〔别录云〕按《礼记·月令》仲夏鹿角解，仲冬麋角解。《日华子》谓：麋角夏至解，误矣。疏曰：据熊氏云：鹿是山兽，夏至得阴而解角。麋是泽兽，故冬至得阳气而解角。今以麋为阴兽，情淫而游泽，冬至阴方退，故解角，从阴退之象。鹿是阳兽，情淫而游山，夏至得阴而解角，从阳退之象也。

用 脂、肉、骨、茸。

味 辛。

性 温，散。

气 气厚于味，阳也。

臭 膻。

主 补虚损，益阳道。

反 畏大黄。

治〔疗〕〔日华子云〕治风气。〔孟诜云〕茸作粉服，治丈夫冷气及风，筋骨疼痛。〔别录云〕脂，治年少气盛，面生皰疮，涂之即瘥。〔补〕〔日华子云〕角，添精补髓，益气血，暖腰膝，悦色，壮阳及治腰膝不仁，补一切血病。〔孟诜云〕肉，益五脏不足气。○骨，补虚劳。

合治 骨煮汁，酿酒饮之，令人肥白，美颜色。〇角，截五寸，破炙令黄香。为末合酒，空腹调服三钱匕，补虚劳，填骨髓及卒心痛。〇茸作粉，合浆水调涂面，令不皱，光华可爱。〇茸五两，去毛，涂酥炙微黄，为末，合清酒二升于银锅中慢火熬成膏，瓷器盛。每服半匙，温水调下，空心或食前服之，治老人骨髓虚竭，甚验。

禁 肉多食，令人弱房及发脚气。

忌 肉不与雉肉同食，及与虾、生菜、梅、李果实同食，皆病人。

白胶

附鹿角霜　俱无毒

熬炼成

白胶出神农本经。主伤中劳绝，腰痛，羸瘦，补中益气，妇人血闭，无子，止痛，安胎。久服轻身，延年。以上朱字神农本经。**疗吐血下血，崩中不止，四肢酸疼，多汗，淋露，折[1]跌[2]伤损，煮鹿角作之。**以上黑字名医所录。

① 折：原注“音舌”。
② 跌：原注“音迭”。

名 鹿角胶、黄明胶。

地〔雷公云〕鹿出云中山，捕得取其角。须全载者并锯长三寸许，以物盛于急水中浸之一百日满，出。用刀削去粗皮一重了，拭去水垢令净，然后用酽醋煮七日，旋旋添醋，勿令火歇。戌时不用著火，只从子时至戌时也。日足，其角白色，软如粉，即细捣作粉，却，以无灰酒煮其胶，削了，重研，节过用。每修事十两，以无灰酒一镒煎干为度也。〔谨按[①]〕今熬胶之法：采鹿年岁久、其角坚好新鲜全具者，先用本鹿天灵盖及皮同裹之，安室竹篮盛于长流水中浸三七，漉出，清水洗去垢秽，以大锅一口，用桑木篦子安锅底内，却，用桑皮铺于篦子上，层层铺角，注长流水八分，再旋旋添水煮一日，候角软，乘热削去粗皮。每角十斤，用人参、茯苓各四两，楮实子八两，仍于锅内如前安桑木篦，勿令着锅底，篦子上铺桑白皮一层，却，将鹿角层层铺，注长流水八分，以人参、茯苓、楮实子用夏布袋盛之，同入锅内，下用桑柴火，再旋旋添水慢煮至三日夜或五日夜、七日夜，候角内虚白漉出，角则成霜矣。却，将原煮角汁水再用细绢袋滤过，于银器内盛之。以重汤锅内微火慢慢熬至稠粘、黄黑色者即成胶也。

收 阴干。

用 明净者佳。

色 黄黑。

味 甘。

性 平，缓。

气 气厚于味，阳也。

---

① 谨按：原无，据义例补。

臭 腥。

主 补中益气。

助 得火良。

反 畏大黄。

治〔疗〕〔药性论云〕能安胎，去冷气，止吐血及漏下赤白。〔别录云〕傅疮肿四边，中心留一孔，其肿即起头而自开也。○凡肿已溃、未溃者，以胶一片，水渍令软纳纳然，随肿大小贴，当头上开一孔，若已溃还合者，脓当被胶急撮之，脓皆出尽。未有脓者，脓当自消矣。○胶三两，水二升，煮取一升四合，分二服，治尿血。○胶，水煎令稀稠得所，待冷，涂汤火疮。〔补〕〔药性论云〕主男子肾脏气衰，劳损，妇人服之令有子。

合治 以胶炙令半焦，为末一钱匕，合人参末二钱匕，薄豉汤一盏八分，葱少许，入铫子煎一二沸服，治咳嗽不瘥者，每呷三五口，其嗽渐止。○胶一两，切作小片子，炙令黄，合新绵一两，烧作灰，细研，每服一钱匕，新米饮调下，临卧服之，治吐血、咯血，立效。○干胶三两，炙，捣细末，合酒二升，温服，治虚劳，尿精。○胶，炙，捣为末，合酒服方寸匕，日三服，补虚劳，益髓，长肌，悦颜色，令人肥健。○胶二两，合酒煮消尽，顿服之，治妊娠卒下血。○胶，慢火炙为末，合酒调服一钱，疗小儿面上疮，豆子瘢已出者，服之无瘢，未出者服之，泻下。

○ 毛虫

羖羊角

无毒　附髓、胆、肺、心、肾、齿、肉、骨、屎　胎生

羖羊角出神农本经。主青盲，明目，杀疥虫，止寒泄，辟恶鬼、虎狼，止惊悸。久服安心，益气，轻身。以上朱字神农本经。疗百节中结气，风头痛及蛊毒，吐血，妇人产后余痛。烧之，杀鬼魅，辟虎狼。○羊髓，味甘，温，无毒。主男女伤中，阴气不足，利血脉，益经气，以酒服之。○青羊胆，主青盲，

明目。○羊肺，补肺，主咳嗽。○羊心，主忧恚，膈气。○羊肾，补肾气，益精髓。○羊齿，主小儿羊痫寒热，三月三日取。○羊肉，味甘，大热，无毒。主缓中，字乳余疾及头脑大风，汗出，虚劳，寒冷，补中益气，安心止惊。○羊骨，热，主虚劳，寒中，羸瘦。○羊屎，燔之，主小儿泄痢，肠鸣，惊痫。以上黑字名医所录。

地〔图经曰〕羖羊即青羝羊也，亦谓之羱羊。出河西川谷，今河东、陕西及近都州郡皆有之。羊之种类亦多。然有灰褐及黑白色者，毛长尺余。北人引大羊，多以此为群首。齿、骨及五脏各有主疾之功，其角入药，唯以青羝羊为佳，余不堪用。取时勿令中湿，湿则有毒也。

时〔生〕无时。〔采〕无时。

收 阴干，勿令中湿。

用 角、髓、胆、肺、心、肾、齿、肉、骨、屎。

色 青白。

味 咸、苦。

性 温。一云：微寒。

气 气薄味厚，阴中之阳。

臭 膻。

主 明目，止惊。

助 菟丝子为之使。

制 凡使，烧灰存性用，或镑屑用之。

治〔疗〕〔唐本注云〕屎，煮汤灌下，治大人、小儿腹中诸疾，疳湿，大小便不通，烧之熏鼻，治中恶，心腹刺痛，及熏诸疮，中毒，痔瘘。○肝，治肝脏风，虚热目赤，暗无所见，子肝生食七枚，神效。○头，疗风眩，瘦疾及小儿惊痫。○血，主女人中风，血虚闷及产后血晕闷欲绝者，生饮一升即活。〔药性论云〕青羊肝，明目。○胆，点眼中，治赤障白膜，风泪。〔日华子云〕牯羊角，退热及治山瘴、溪毒，烧之，祛蛇。○肉，治脑风及大风。○头，治骨蒸，脑热，头眩，明目，小儿惊痫。○脂，治游风并黑皯。○牯羊粪，烧灰治聤耳并罯刺。〔孟诜云〕肉，治风眩，瘦病，小儿惊痫。○角，烧灰，治鬼气下血。〔别录云〕角烧灰，治鬼气及漏下，恶血。○头肉，主缓中，汗出虚劳，安心止惊及治热风眩，疫疾，丈夫五劳骨热。○肝，治目赤暗痛及热病后失明者，以青羊肝或子肝薄切，水浸贴之，极效，生子肝吞之尤妙。○肚，盛水令满，系两头熟煮开，取水顿服之，疗尿床即瘥。○眼睛，暴干，为末傅目赤及翳，甚效。○粪，烧灰，淋取汁洗之，治发不生，三日一洗，不过十度即生。○肉，不经水，取鲜者贴被打头青肿处，瘥。○新羊血，乘热饮二升，治卒惊悸，九窍血出，立止。○肉，如作脯法，炙令香及热，拓白秃疮不过三四日，瘥。○胆，治热病后失明，旦暮各一傅之，效。○肥羊肉、肥脂及诸般肥肉，食之，裹出误吞钉并箭、金、针、钱等物。○新羊血一盏，饮之三两服，治产后余血攻心，或下血不止，心闷，面青，身冷，气欲绝者，妙。〔补〕〔日华子云〕肾，补虚，耳聋阴弱，壮阳，益胃，止小便，虚损盗汗。○肉，开胃肥健。〔陈藏器云〕羊五脏，补入五脏。〔孟诜云〕肚，主补胃，小便数。〔别录云〕角，安心益气。○头肉，补胃虚损及丈夫五劳骨热。○肚，补胃病虚损，小便数，止虚汗。

合治 羖羊角烧灰，合酒调服，治产后恶血烦闷，及治小儿惊痫。○青羊胆合醋服之，治疳湿时行，热燥疮，良。○肺合小豆叶，煮食之，疗渴，止小便数。○肾合脂为羹，疗劳痢，甚效。○肾合蒜、薤食之，消癥瘕。○屎烧灰，合雁肪涂头，生发。○毛合醋煮之，裹脚，治转筋。○屎内鲫鱼腹中，瓦缶固济烧灰，以涂髭发，令易生而黑，甚效。○羊胃一枚，白术一升，并切，以水二斗，煮取九升，一服一升，日三服，治久病瘦羸，不生肌肉，水气在胁下，不能饮食，四肢烦热者，甚佳。○肉一斤，合当归四两，生姜五两，以水一斗二升，煮熟，取七升，去肉，内诸药煮取三升，一服七合，日三夜一，补虚劳不足，产后腹中激痛。○羖羊肝一斤，去脂膜，切薄片，以新瓦盆一个揩净，铺肝于盆中，置于炭火上，煿令脂汁尽，候极干，取决明子半斤，蓼子一合，炒令香，为末和肝，杵为末，以白蜜浆下方寸匕，食后食之，日三服，治目失明，极效。○熟羊头眼睛中白珠子二枚，于细石上和枣汁研之，取如小麻子大安眼睛上，仰卧，日夜各二，治常患眼痛涩不能视物，及看日光灯火不得者，不过三四度即瘥。○粪和雁膏，傅毛发落者，三宿即生。○羖羊角屑微炒，捣罗为末，不计时候，合温酒调下一钱匕，治心烦恍惚，腹中痛，或时闷绝而复甦，甚效。○干羊屎烧灰，合猪脂捣烂，治木刺入肉不得出，涂之立出。○羖羊角，烧为灰，研令极细，以鸡子清和涂，治面目身痒，得赤斑，或痒，或瘭子肿起，不即治之，日甚害人。○羖羊胆一枚，合酒二升，煮三沸，疗面多皯黯，如雀卵色，日三涂，效。○青羊肝合醋煮食之，治目暗，黄昏不见物。○羊肾一双，炮去脂，细切，于豉汁中合五味，米糅如常法，作羹食之，治劳损精竭。○白羊头一枚，煮熟切，于豉汁中合五味，调和食之，治脾胃气冷，食入口即吐出。○羖羊角烧为末，合酒服方寸匕，疗产后寒热，心闷极胀。○肉合生姜作汤，治寒疝，极效。

禁 白羊黑头者，食之令人患肠痈。○独角羊不可食。○六月食羊伤神。○心有孔者杀人。○热病后食之令人发热，困重致死。妊娠及宿有冷病人，亦勿多食。

解 蛊毒。

忌 肝不可与猪肉及梅子、小豆同食之，伤人心大病人。○头中髓发风，与酒服则迷人心，令人中风。

羊乳

羊乳补寒冷，虚乏。名医所录。

地〔陶隐居云〕羊乳实为补润，故北人多食皆肥健。〔唐本注云〕北人肥健，不啖咸腥，方土使然，何关饮乳？陶以未达，故屡有此言也。

时〔生〕无时。〔采〕无时。

收 瓷器收贮。

色 白。

味 甘。

性 温。

气 气厚于味，阳中之阴。

治〔疗〕〔药性论云〕润心肺，止消渴。〔日华子云〕利大肠，含疗口疮，小儿惊痫。〔孟诜云〕治卒心痛，温服之。〔别录云〕治蚰蜒入耳，以乳灌耳中，即化成水。○止小儿哕，以乳一升，煎减半分，五服，牛乳亦得。○治小儿舌肿，乳汁饮之，瘥。○止干呕，以乳一杯，空心饮之。○疗漆疮，以乳傅之。○治蜘蛛咬，遍身生丝，以乳一件饮之，及蜘蛛咬致人腹大如孕，饮不过数日而愈。〔补〕〔陶隐居云〕润肌肤，体肥健。〔陈藏器云〕补虚弱。〔别录云〕补虚劳，益精气。

合治 乳合脂作羹食，补肾虚，及治男子与女子中风，瘥。

○ 毛虫

牡狗阴茎

无毒 附胆、心、齿、骨、蹄、血、肉、脑 胎生

牡狗阴茎出神农本经。主伤中，阴痿不起，令强热大，生子，除女子带下十二疾。以上朱字神农本经。胆，苦，平，主明目，痂疡，恶疮。○心，主忧恚气，除邪。○脑，主头风痹，下部䘌疮，鼻中息肉。○齿，性平，主癫痫，寒热，卒风痱，伏日取之。○头骨，性平，主金疮，止血。○四脚蹄，性平，煮饮之，

下乳汁。○白狗血，味咸，性温，无毒，主癫疾发作。○肉，味咸、酸，温，主安五脏，补绝伤，轻身益气。○屎中骨，主寒热，小儿惊痫。以上黑字名医所录。

名 狗精。

地 〔陶隐居云〕旧不载所出州土，今处处有之，其肿脚上别有一悬蹄，人呼为犬者是也。白狗、乌狗皆入药用，惟正黄色者温补，余色者微补，为不及也。

时 〔采〕六月上伏取。

收 阴干百日。

用 阴茎、头、骨、胆、心、脑、齿、肉、四脚蹄、血、屎中骨。

味 咸。

性 平。

气 味厚于气，阴中之阳。

臭 腥。

主 强阴。

治 〔疗〕〔陶隐居云〕白狗骨，烧末，疗诸疮瘘及妒乳，痈肿。〔唐本注云〕骨，烧灰，主下痢，生肌，傅马疮。○乌狗血，主难产横生，血上抢心。○下颔骨，治小儿诸痫。○阴卵，烧灰，主妇人十二疾。○毛，主产难。○白狗粪，治疔疮。〔药性论云〕胆，治鼻齆及鼻中息肉。〔日华子云〕阴茎，治妇人阴痿。○胆，主扑损瘀血及刀箭疮。○心，疗狂犬咬，除邪气，风痹及鼻衄，下部疮。○齿，烧为末，汤调服，治小儿客忤。〔孟诜云〕胆，去肠中脓水。〔别录云〕胆汁，注目中，治眼痒急赤涩。○头骨，烧烟，熏治附骨疽及鱼眼疮。○黄狗皮，炙，裹腰痛处，取暖澈为度。○白犬骨，烧研为末，以水服方寸匕，治产后烦闷，不能食。○骨，炙黄焦，捣为末，饮服方寸匕，日三服，治久下痢不止者，名休息痢。○猘犬咬人，即杀所咬犬，取脑傅之，后不复发。○白犬头，取热血一升饮之，治鬼击之病，卒着如刀刺状，胸胁腹内绞痛，不可抑按，或即吐血，衄血，下血，立效。○骨，煮汤磨头上，疗小儿桃、李鲠。○活狗胆，治左膝疮痒，华佗视之，以胆涂疮口，须臾，有虫若蛇从疮口出，长二三尺，病即愈。〔补〕〔陶隐居云〕黄狗肉，大补虚。〔日华子云〕阴茎，续绝阳。○头骨，烧灰，壮阳气。○血，安五脏。○肉，益胃气，暖腰膝，壮阳气，补虚劳，益气力。〔陈藏器云〕肉，益腰肾，起阳道。○骨，煎汁为粥，食之，令妇人有子。〔别录云〕阴茎，益髓。○肉，温五脏，补五劳七伤，填骨髓，大补气力，空腹食之佳。

合治 头骨烧灰为末，合干姜、莨菪焦炒见烟，为丸，治久痢及劳痢，以白饮空心下十丸，极效。○屎合腊月猪脂，傅瘘疮，及傅溪毒，疔肿。○肝合生姜、醋，作汤，治脚气攻心，服之当泄其邪，若大便不实者，勿服之。○胆合酒服之，明目。○胆半个合酒，治中伤因损，调服之，瘀血尽下。○头骨烧灰为末，每日空心合酒调服一钱匕，治妇人赤白带下。○狗牙烧灰，合酢，调傅马鞍疮。○毛细剪以胶烊，涂汤火烧疮，痛不可忍。○肉半斤，合米、盐、豉等煮粥，频食一两顿，治脾胃虚弱，肠中积冷，腹胀刺痛，神验。○肉一斤，细切，和米煮，食之，治水鼓胀，浮肿，作羹臛吃亦佳。

禁 狗肉不可炙食，恐成消渴疾。狗瘦者多是病，不堪食。诸犬春月目赤鼻燥，欲狂猘者，不宜食。妊娠不可食犬，食令儿无声。

自死，舌不出者，食之害人。九月勿食犬肉，能损神。

忌 不与蒜同食，食之损人。白狗血合白鸡肉、白鹅肝、白羊肝肉、乌鸡肉、蒲子羹等，病人皆不可食。

○ 毛虫

羚羊角

无毒　胎生

羚羊角出神农本经。主明目，益气，起阴，去恶血，注下，辟蛊毒，恶鬼，不祥，安心气，常不魇寐。久服强筋骨，轻身。以上朱字神农本经。**疗伤寒时气寒热，热在肌肤，温风注毒，伏在骨间，除邪气，惊梦狂越，僻谬及食噎不通，起阴，益气，利丈夫。**以上黑字名医所录。

地〔图经曰〕出石城山谷及华阴山，今秦、陇、龙、蜀、金、商诸州山中皆有之。其形似羊，色青而大，角细，长四五寸，至坚劲，多节，紧深锐，纹细而有挂痕者，真。其痕因羚羊夜宿不着地，以角挂木故也。或云：其角有纹疏大，长一二尺，似吴羊角，置耳边听之集集鸣者，皆非也。今取他角附耳，亦皆有声，不如挂痕一说尽矣。此亦多伪，不可不察，有獏齿伪佛牙诳俗，以此击之则碎。

时〔生〕无时。〔采〕无时。

收 用纸包裹，勿失元气。

用 角。

色 白。

味 咸、苦。

性 微寒。

气 气薄味厚，阴中之阳。

臭 膻。

主 清肝明目，除热镇惊。

制〔雷公云〕凡修事之时，勿令单用，不复有验，须要不拆元对，以绳缚之，将铁镑旋旋镑取用，勿令犯风，镑未尽处，须三重纸裹，恐力散也。镑了，捣细重筛，更研万匝了，入药用之更妙，免刮人肠也。

治〔疗〕〔唐本注云〕角，治溪毒及惊悸，烦闷，卧不安，心胸间恶气毒，瘰疬。○肉，治蛇咬，恶疮。〔药性论云〕角，烧末，治小儿惊痫及山瘴，能散恶血，并噎塞不通。〔孟诜云〕角，治中风筋挛，附骨疼痛，生磨水涂肿上及恶疮。〔别录云〕角，治伤寒热毒，下血及疝气，末服之即瘥。产后心闷不识人，汗出，烧末，以东流水服方寸匕，未瘥再服。又血气逆心，烦满胸胁痛及腹痛烦满，烧末，水服方寸匕。○角中骨，治小儿洞下痢，烧末，饮服方寸匕。

合治 角烧末，合酒服，治一切热毒风攻注，中恶，毒风卒死，昏乱不识人，散产后血冲心，烦闷。○角屑作末，合蜜服，治卒热闷及热毒痢并血痢。○角一枚，刮尖为末，合酒服方寸匕，令易产。○肉合五味子酒中，治中风，筋骨急强。

赝 山驴角、羱羊角为伪。

○ 毛虫

犀角

无毒　胎生

犀角出神农本经。主百毒，蛊疰，邪鬼，瘴气，除邪，不迷惑，魇寐。久服轻身，骏健。以上朱字神农本经。疗伤寒瘟疫，头痛，寒热，诸毒气。以上黑字名医所录。

名 通天犀、乌犀、南犀、川犀、分水犀、黄犀、毛犀、牯犀、胡帽犀、兕犀、黔犀、奴角、骇鸡犀、食角、堕罗犀。

地〔图经曰〕出永昌山谷及益州、南海者为上，黔、蜀者次之。其形似牛猪，首大腹卑脚，脚有三蹄，色黑，好食棘，其皮每孔三毛，顶生一角，或云有二角、三角者。生鼻上为食角，为奴角，为胡帽犀，在额为兕犀也。牯犀亦有二角，皆为毛犀。今人多传一角之说，此数种俱有粟纹，且犀无水、陆二种，并以精粗为贵贱川犀、南犀纹理皆细，乌犀有显纹，黄犀纹绝少，皆不及西番所出纹高，两脚显也。物像黄而外黑者为正透，物像黑而外黄者为倒透。通天犀生脑上千岁者长且锐，白星彻端，黄黑分明，有两脚，滑润，端能出气通神，故曰通天，人刻为鱼，衔入水中，开水三尺，故曰分水犀。以此盛米，鸡不敢啄，故曰骇鸡犀。

其纹理绝好者，有百物奇异之形。所以犀饮浊水，不欲形影照见故也。鹿取茸，犀取尖，其精锐之力在于此耳。

时〔生〕无时。〔采〕无时。

用 角。

色 黑。

味 苦、酸、咸。

性 寒，泄。

气 气薄味厚，阴中之阳。

臭 朽。

主 镇心神，解大热。

助 松脂为之使。

反 恶雚菌、雷丸。

制〔雷公云〕凡修治之时，镑其屑入臼中，捣令细，再入钵中，研万匝，方入药中用之。《归田录》云：近人气久则易碎。

治〔疗〕〔唐本注云〕犀肉，治诸蛊，蛇兽咬毒。〔药性论云〕犀角，辟邪精鬼魅，中恶毒气，散风毒，及治发背，痈疽，疮肿，化脓水并时疾，热如火，烦闷，毒入心中，狂言妄语。〔日华子云〕犀角，治心烦，止惊退热，消痰，镇肝明目，解山瘴溪毒，并中风失音，热毒及时气发狂。〔海药云〕犀角，治风毒攻心，毷氉热闷，壅毒赤痢，小儿麸豆，风热惊痫。〔食疗云〕角，治赤痢，烧灰为末，和水服之。又卒中恶，心痛及热毒筋骨，中风，心风，烦闷，治小儿惊热，以水磨汁服之。○肉，治瘴气百毒，蛊疰邪鬼，除客热头痛，及五痔，及诸血痢。〔别录云〕雉肉作臛食之吐下，用生犀角末，新汲水调服方寸匕，即瘥。又蠼螋尿疮，磨涂之。又小儿惊痫不知人，迷闷嚼舌，仰目，以犀角末半钱匕，和水服之。〔补〕〔日华子云〕犀角，安五脏，补虚劳。

禁 犀角妊娠勿服，能消胎气。肉不宜多食，若食过多，令人烦，即取麝香少许，和水服之即散。

解 角解诸饮食中毒及药毒，若服药过剂及中毒烦闷欲死者，以犀角烧末，水服方寸匕即瘥。又杀钩吻、鸩羽、蛇毒。

忌 盐。

○ 毛虫

虎骨

无毒　附膏、爪、肉

胎生

虎骨主除邪恶气，杀鬼疰毒，止惊悸，主恶疮，鼠瘘，头骨尤良。○膏，主狗啮疮。○爪，辟恶魅。○肉，味酸，平，无毒。主恶心欲呕，益气力。

名医所录。

地〔图经曰〕《本经》不载所出州土，今山林处多有之。骨用头及胫，色黄者佳，睛亦多伪，须自获者乃真。爪并指骨、毛存之，以系小儿臂，辟恶鬼。此数物，皆用雄虎者为胜。鹿、虎之类，凡是药箭射死者，不可入药，盖药毒浸渍骨肉间，犹能伤人也。〔陈藏器云〕虎威令人有威，带之临官者佳，无官反为人所憎。威有骨如乙字，长一寸，在胁两傍，破肉取之，尾端亦有，不如胁者。眼光，乃虎夜视，以一目放光，一目看物，猎人候而射之，弩箭才及目光随堕地得之如白石者是也。〔衍义曰〕头胫与脊骨入药，陈藏器所注乙骨之事，及射之目光堕地如白石之说，必得之于人，终不免其所诬也。人或问曰：风从虎，何也？风，木也。虎，金也。木受金制，焉得不从？故呼啸则风生，自然之道也。所以治风挛急，屈伸不得走注，癫疾惊痫，骨节风毒等，乃此义尔。

时〔生〕无时。〔采〕无时。

用 骨、牙、胆、爪、膏、肉、屎中骨、屎、眼睛、眼光。

色 黄白。

味 辛。

性 微热，散。

气 气之厚者，阳也。

臭 腥。

主 骨节痛风，癫疾惊痫。

制〔雷公云〕虎睛先于羊血中浸一宿，漉出，微微火上焙之，干捣成粉。虎骨去肉膜，涂酥炙令黄熟，研细入药用。

治〔疗〕〔陶隐居云〕虎头，作枕，辟恶魇。以置户上辟鬼。〇鼻，悬户上，令生男。〇骨，杂朱书符，辟邪。〇须，治齿痛。〇爪，悬小儿臂上，辟恶鬼。〔唐本注云〕屎，傅恶疮及鬼气。

○眼睛，治癫疾。○屎中骨，为屑治火疮。○牙，治丈夫阴疮及疽瘘。○鼻，除癫疾及小儿惊痫。○肉及皮，止疟。○骨，煮汁浴小儿，去疮疥，鬼疰，惊痫。○眼光，去惊邪，辟恶，镇心。○胆，治小儿惊痫。〔药性论云〕骨，治筋骨毒，风挛急，屈伸不得，走疰疼痛及尸疰，腹痛，温疟，并伤寒温气。〔日华子云〕睛，镇心及小儿惊啼，疳气，客忤。〔孟诜云〕肉，食之，辟三十六种精魅。○眼睛，治疟病，辟恶，小儿热，惊悸。○胆，治小儿疳痢，惊神不安，研水服之。○骨，煮汤浴，去骨节风毒。○膏，内下部，治五痔，下血。〔丹溪云〕虎骨，治瘘。〔别录云〕虎骨，治骨鲠，为末，水服方寸匕。又肛门凸出，烧末，水服方寸匕。又痢久下，经时不愈者，名休息，取虎骨炙令黄焦，捣末，饮服方寸匕，日三即愈。○虎睛，治小儿惊痫，掣疭，细研，水调，灌服之。○虎脂，以消令凝，每日三四次涂之，治小儿头疮不瘥。

合治 虎胫骨二大两，粗捣，熬黄，合羚羊角一大两屑，新芍药二大两，切细，三物以无灰酒浸之。春夏七日，秋冬倍之，每旦空腹饮一杯，治臂胫痛，不计深浅，皆效。冬中速要服，即以银器物盛，火炉中暖养之，三两日即可服。○虎腰脊骨一具，细剉，讫，又以斧于石上更捶碎，又取前两脚全骨，如前细捶之。两件并于铁床上，以大炭火匀炙，翻转，候待脂出甚，则投浓美无灰酒中，密封，春夏一七日，秋冬三七日，每日空腹随饮，性多则多饮，性少则少饮，未饭前三度温饮之，治腰脚不随，不拘年深年浅者，服此甚效。又方，以虎胫骨五六寸，净刮去肉膜等，涂酥炙令极黄熟，细捣，绢袋子盛以酒一斗，置袋子于瓷瓶中，然后以煻[1]火微煎，至七日后，任情饮之，当微利即瘥。○虎胫骨煮作汤浴之，或合醋浸，治腰膝急疼，筋骨风急痛。○虎骨合通草，煮汁，空腹服半升，覆盖卧，少时汗即出，治筋骨节急痛。○虎头骨一具，涂酥炙黄，捶碎，绢袋盛，合酒二斗，浸五宿，随性多少暖饮之，治历节风，百节疼痛，不可忍。○虎屎白者，以马屎和之，暴干，烧灰，傅治熛疽，著手足肩背，累累如米起，色白，刮之汁出，愈而复发者。○虎胫骨涂酥炙，合黑附子炮裂去皮脐，各一两，为末，每服温酒调下二钱匕，治白虎风走注疼痛，两膝热肿。○虎牙、虎头骨刮取末，合酒服方寸匕，治猘犬咬人，发狂如犬。○虎胫骨两节，合蜜二两，炙令赤，捣末，蒸饼糊丸，如桐子大，每服，清晨温酒下二十丸，治大肠痔漏，并脱肛。○虎头骨二两，捣碎，合猪脂一斤，熬以骨黄，取涂月蚀疮。○眼睛一只，为散，合竹沥调少许，治小儿夜啼。

禁 正月勿食虎肉。

解 杀犬咬毒。

忌 不可热食虎肉，恐伤齿。小儿齿生未足，不可与食，恐齿不生。

---

① 煻：原作“糖”，据科本改。

兔头骨

无毒　附脑、肝、肉

胎生

兔头骨主头眩痛，癫疾。〇骨，味甘，主热中消渴。〇脑，主冻疮。〇肝，主目暗。〇肉，味辛，平，无毒，主补中益气。名医所录。

名 玩月砂[1]。

地〔图经曰〕旧不著所出州土，今处处有之，为食品之珍。盖兔止有八窍，感气而生子，从口出，故妊娠禁食之。〔衍义曰〕兔有白毛者，全得金之气也，入药尤功。余兔至秋深时则可食，金气全也。才至春夏，其味变，取四脚肘后毛为逐食饲雕鹰，至次日却吐出，其意欲腹中逐尽脂肥，使饥急则捕逐速尔。

时〔生〕无时。〔采〕无时。

用 骨、肉、脑、肝。

色 白。

味 甘。

性 平。

气 气之薄者，阳中之阴。

臭 腥。

主 癫疾。

制 为末或烧灰用。

治〔疗〕〔图经曰〕髓及膏，治耳聋。○毛，煎汤，洗豌豆疮。烧灰，傅炙疮久不瘥者。○腊月兔头并皮毛，治天行呕吐不下食，烧令烟尽，擘破，作黑灰，捣罗之，以饮汁服方寸匕则下食，不瘥更服。烧之勿令火耗。〔唐本注云〕头皮，除鬼疰，毒气在皮中如针刺者及鼠瘘。○兔肉，治热气，湿痹。〔药性论云〕腊月兔，作酱食，去小儿豌豆疮。〔日华子云〕头骨和毛髓烧为丸，催生落胎，并产后余血不下。○兔骨，涂疮疥刺风及鬼疰。○肝，明目及治头旋，眼疼。○肉，止渴健脾。〔别录云〕兔脑，生涂手足皲裂

---

① 玩月砂：原注“屎名”。

成疮。○兔头骨，除消渴，饮水不知足，以一具，水煮取汁饮之。○腊月兔头，治发脑，发背及痈疽，热疖，恶疮，以细剉，入瓶内密封，惟久愈佳。涂帛上，厚封之，热痛傅之如冰，频换，瘥。及治产后阴下脱，烧兔头灰傅之。〔补〕〔陶隐居云〕兔肉，为羹，食之益人。〔日华子云〕肝，补劳。

合治 兔肝合决明子，作丸服之，明目及治丹石人上冲，眼暗不见物。○兔皮、毛同烧为灰，合酒服，治产后胞衣不出，余血抢心，胀欲死者。○骨合醋磨，傅久疥不瘥。○兔头烧灰，合酒服，治难产。○兔骨合大麦苗，煮汁服，治消渴，羸瘦，小便不禁。○兔皮烧令烟绝，为末，合酒服方寸匕，治妇人带下，以瘥为度。○月望夕取兔屎，内虾蟆腹中，合烧为灰，作末，傅大人、小儿卒得月蚀疮。○兔腹下白毛，烧胶涂于毛上，贴火疮已破者，待毛落即瘥。○腊月兔头脑髓一个，摊于纸上令匀，候干，剪作符子，于面上书生字一个，觉母阵痛时，用母钗子股上夹定，灯焰上烧灰，盏盛之，煎丁香，酒调下，能易产滑胎。○玩月砂不限多少，漫火熬令黄色，为末，每二钱入乳香半钱，空心温酒调下，治痔漏下血，疼痛不止，日三四服，瘥。

禁 兔肉妊娠不可食，食之令子唇缺，多食损人元气及阳事，绝人血脉。凡兔死眼合者，食之杀人。二月亦不宜食兔，能伤神。

忌 不可与白鸡肉同食，令人面色痿黄。与獭肉食之，令人病遁尸。与姜、橘同食，令人卒患心痛，不可治。与干姜同食，成霍乱。

解 兔肉生吃，压丹石毒。

笔头灰

无毒

笔头灰主小便不通，小便数难，阴肿，中恶，脱肛，淋沥。烧灰，水服之。名医所录。

用 兔毫年久使乏者良。

性 微寒。

气 气之薄者，阳中之阴。

主 利小便。

治〔疗〕〔别录云〕治喉中肿痛，不得饮食，烧灰，浆饮下方寸匕。

合治烧灰合酒服，治男子交婚之夕茎痿。○败笔头一枚，烧灰，细研为末，合生藕汁一盏调下，能催生及难产。若产母虚弱及素有冷疾者，恐藕性冷动气，即于银器内重汤暖过服之，妙。

○ 毛虫

狸骨

无毒　附阴茎、猫　胎生

狸骨主风疰，尸疰，鬼疰，毒气在皮中，淫跃如针刺者，心腹痛走无常处，及鼠瘘，恶疮，头骨尤良。○肉，疗诸疰。○阴茎，主月水不通，男子阴㿗，烧之，以东流水服之。名医所录。

地〔图经曰〕《本经》不载所出州土，今处处有之。其形似猫，种类甚多，以虎斑纹者堪用，猫斑者不佳，皆当用头骨。南方一种香狸，人以作鲙，生若北地狐生法，其气甚香，微有麝气。邕州以南一种风狸，似兔而短，多栖息于高木，候风吹而过他木，其溺如乳，甚难取，人久养之，始可得也。〔衍义曰〕其形类猫，纹色有二，如连钱、如虎斑纹者，皆可入药，其肉味与狐不相远。江西一种牛尾狸，其尾如牛，人多糟食，未闻入药，宜当辨也。

时〔生〕无时。〔采〕无时。

用骨、肉、阴茎、粪、溺。

质类猫而有虎斑。

色黄、黑。

味甘。

性温，缓。

气气厚味薄，阳中之阴。

臭臊。

主尸疰，恶疮。

治〔疗〕〔图经曰〕肉及骨，治痔疾疼痛，可作羹臛食之，不可与酒同食。〔陶隐居云〕肉，治鼠瘘。〔唐本注云〕屎，烧灰，止寒热，鬼疟，发无时度。○风狸溺，除诸风。〔药性论云〕头骨炒为末，治噎病不进饮食。〔日华子云〕肉及头骨，祛游风。〔别录云〕狸头，治鼠瘘，鼠啮疮。○猫，治鼠瘘，肿核痛，已有疮口，脓血出者，取一物作羹如食法，空心服之，瘥。○猫屎，涂蝎螫人痛处不止。

合治狸头烧作灰，合酒二钱匕，治痔病及一切风，并尸疰，腹痛邪气。○骨炙，合麝香、雄黄为丸服，治痔及瘘疮。○狸头、蹄骨，并涂酥炙令黄，捣罗为散，每日空心合粥饮，调下一钱匕，治瘰疬肿硬疼痛，时久不瘥。

禁 正月勿食肉，食之伤神。

解 食野鸟肉中毒，烧骨灰服之。

○ 毛虫

獐骨

无毒　附肉、髓　胎生

獐骨主虚损，泄精。○肉，温，补益五脏。○髓，益气力，悦泽人面。名医所录。

地〔图经曰〕《本经》不载所出州土，今陂泽浅草中多有之，亦呼为麕。獐之类甚多，麕，其总名也，有有牙者，有无牙者，用之皆同，然其牙不能噬啮。崔豹《古今注》云：獐有牙而不能噬，鹿有角而不能触是也。其肉自八月已后至十一月以前，食之胜于羊肉，十二月至七月不宜食。道家以獐、鹿肉羞，为白脯食之，言其无禁忌者。盖野兽之中，惟獐、鹿生则不膻腥，又非辰属八卦，而兼能温补于人故也。

时〔生〕无时。〔采〕无时。

用 骨、肉、髓、脑。

色 黑黄。

味 甘。

性 微温。

气 气厚味薄，阳中之阴。

治〔疗〕〔别录云〕肉作臛，治乳无汁，与食之，勿令妇人知。〔补〕〔日华子云〕骨，补虚损，益精髓，悦颜色。○脐中香，治一切虚损。

合治 獐、鹿二肉，剖如厚脯，炙令热，拓淹瘤病，可三四易，搅痛出脓便愈。不除，更炙新肉用之，良。

禁 十二月至七月食之，动气。若瘦恶者食之，发痼疾。

忌 肉不可合鹄肉同食，成癥痼。

○ 毛虫

豹肉

无毒　附貊　胎生

豹肉主安五脏，补绝伤，轻身益气，久服利人。名医所录。

地〔图经曰〕《本经》不载所出州土，今河、洛、唐、郢间或有之。豹有数种，有赤豹，《诗》云：赤豹，黄罴。陆机《疏》云：尾赤而纹黑，谓之赤豹。有玄豹，《山海经》云：幽都之山，有玄虎、玄豹。有白豹，《尔雅》云：貘①，白豹也。郭璞注云：似熊，小头卑脚，黑白相驳，能舐食铜铁及竹，骨节强直，中实少髓。皮辟湿，人寝其皮，可以驱温疠。或曰：豹白色者，别名貘，古方鲜有用者。今黔、蜀中时有豹，象鼻，犀目，牛尾，虎足，土人鼎釜，多为所食，颇为山居之患。亦捕以为药，其齿、骨极坚，以刀斧椎煅铁皆碎，落火亦不能烧。人得之诈为佛牙、佛骨，以诳俚俗，唯羚羊角击之则碎。〔衍义曰〕毛赤黄，其纹黑如钱而中空，比比相次。此兽猛捷过虎，故能安五脏，续绝伤，轻身。又有土豹，毛更无纹，色亦不赤，其形亦小，此各自有种也。

时〔生〕无时。〔采〕无时。

用 肉、骨头、脂。

味 酸。

性 平。

气 味厚于气，阴中之阳。

臭 腥。

主 强志、益气。

治〔疗〕〔图经曰〕头骨，烧灰，淋汁，沐头，去风屑。○脂，可合生发药，朝涂而暮生。〔唐本注云〕豹，除鬼魅，邪神。〔补〕〔日华子云〕肉，壮筋骨，强志气，令人猛健。〔孟诜云〕肉，久食，

① 貘：原注“音与豹同”。

令人耐寒暑。〔食疗云〕肉，食之益人。

合治 豹鼻合狐鼻煮食之，治狐魅。

禁 正月食之伤神，多食令人性粗。

狮子屎

无毒　胎生

狮子屎烧之，去鬼气。服之，破宿血，杀虫。名医所录。

〔谨按〕《物理论》云：狮子名狻猊，为兽之长也。其形似虎，正黄色。有鬣，微紫，铜头铁额，钩爪锯齿，揻目跪足，目光如电，声吼如雷。尾端茸毛黑色，大如升，捻之中有钩向下，能食虎豹。其牝者形色不异，但无鬣耳。所产之地多畜之，因以名国，盖贤君德及幽远而出者也。然其品类不啻七十余种，今撒麻罕所贡驯养天柙者，色状正符《物理》所云。

名 狻猊。

时 〔采〕无时。

收 阴干。

用 屎、毛。

色 赤黑。

臭 臭。

治 〔疗〕毛，治鬼疰，囊盛佩之。

四种陈藏器余

犊子脐屎主卒九窍中出血，烧末，服之方寸匕。新生未食草者，预取之，黄犊为上。姚氏方人有九窍、四肢、指歧间血出，乃暴惊所为。取新生犊子未食草者脐屎，日干，烧末，水服方寸匕，日四五顿，瘥。又云：口鼻出血亦良。

灵猫阴味辛，温，无毒。主中恶，鬼气，飞尸，蛊毒，心腹卒痛，狂邪鬼神，如麝用之。功似麝，生南海山谷。如狸，自为牝牡，亦云蛉狸。《异物志》云：灵狸一体自为阴阳，刳其水道，连囊以酒洒，阴干，其气如麝，若杂真香。罕有别者，用之亦如麝焉。

震肉无毒。主小儿夜惊，大人因惊失心。亦作脯，与食之。此畜为天雷所霹雳者是。

狒狒[①]无毒。饮其血，令人见鬼也，亦堪染绯，发可为头髲[②]。出西南夷，如猴。宋孝建中，獠子以西波尸地，高城郡安西县主簿韦文礼进雌雄二头，宋帝曰：吾闻狒狒能负千钧，若既力如此，何能致之？彼土人丁銮进曰：狒狒见人喜笑，则上唇掩其目，人以钉钉著额，任其奔驰，候死而取之。发极长，可为头髲，血堪染靴，其毛一似猕猴，人面，红赤色，作人言马声[③]，善知生死。饮其血，

① 狒：原注“兽名也。亦作䨼。扶佛切”。
② 髲：原作“发”，据《证类本草》改。
③ 马声：原注“或作鸟声”。

使人见鬼。帝闻而欣然命工图之。亦出《山海经》。《尔雅》云：狒狒，如人，被发，迅走，食人。亦曰枭羊，彼俗亦谓之山都。郭景纯有赞[①]。脯带脂者，薄割，火上炙热，于人肉傅癣上，虫当入脯中，候其少顷，揭却，须臾更三五度，瘥。

本草品汇精要卷之二十四

① 有赞：原注“文繁不载”。

本草品汇精要

·卷之二十五·

兽部 下品

三种 神农本经 朱字

四种 名医别录 黑字

四种 唐本先附 注云唐附

三种 宋本先附 注云宋附

一种 唐慎微附

一种 今分条

二种 今补

五种 陈藏器余

已上总二十三种，内七种今增图

豚卵蹄、足、心、肾、胆、齿、膏、肉等附

狐阴茎五脏、肠、屎等附

獭肝肉、胆等附

猯膏唐附，肉、胞、貛、貉附，今增图

鼹[1]鼠

鼺[2]鼠

野猪黄唐附，今增图

豺皮唐附，今增图

狼原附豺下，今分条并增图

腽肭脐宋附，腽肭兽附

麂宋附，头骨附

野驼[3]宋附

猕猴唐慎微附，肉、头骨、手、屎、皮附，今增图

败鼓皮今增图

六畜毛蹄甲今增图

驴屎唐附，尿、乳、轴垢、肉、脂、头、皮、毛附

塔剌不花今补

毫猪膏[4]今补

五种陈藏器余

诸血

果然肉

狨兽

狼筋

诸肉有毒

---

① 鼹：原注“音偃”。

② 鼺：原注“音羸”。

③ 野驼：原作“野驼脂”，据正文药名标题改。

④ 膏：原无，据正文药名补。

本草品汇精要卷之二十五

兽部下品

○ 毛虫

豚卵

无毒　附蹄、心、肾、胆、齿、膏、肉等　胎生

豚卵出神农本经。主惊痫，癫疾，鬼疰，蛊毒，除寒热，奔豚，五癃，邪气，挛缩。○悬蹄，平，微寒，主五痔，伏热在肠，肠痈，内蚀。以上朱字神农本经。猪四足，小寒，主伤挞，诸败疮，下乳汁。○心，主惊邪，忧恚。○肾，冷，和理肾气，

通利膀胱。○胆，微寒，主伤寒，热渴。○肚，微温，主补中益气，止渴利。○齿，平，主小儿惊痫，五月五日取。○鬐膏，微寒，生发。○肪膏，主煎诸膏药。○豭猪肉，味酸，冷，疗狂病。○凡猪肉，味苦，主闭血脉，弱筋骨，虚人肌，不可久食，病人金疮者尤甚。○猪屎，寒，主寒热，黄疸，湿痹。○猪肤，味甘，寒，其气先入肾，能解少阴客热。以上黑字名医所录。

名 豚颠。

地〔图经曰〕猪乃水畜，为用最多。其细骨少筋多膏之物也。《本经》不载所出州土，今在处有之。按扬雄《方言》云：猪，燕、朝鲜之间谓之豭[①]，关东西谓之彘或谓之豕，南楚谓之豨[②]，其子谓豯[③]，吴扬之间谓之猪子。其实一种，今云豚卵，当是猪子也。《尔雅》云：彘，五尺为豟[④]，郭璞云：大豕为豟，今渔阳呼其大者为豟是也。

收 阴干，藏之勿令败。

味 甘。

性 温，缓。

气 气之厚者，阳也。

臭 腥。

① 豭：原注“古瑕切，牡豕也”。
② 豨：原注“音喜”。
③ 豯：原注“音奚，始生三月”。
④ 豟：原注“章移切”。

治〔疗〕〔图经曰〕肝，除冷泄，久滑赤白。○肾，消积滞。○骨髓，治扑损及恶疮。○四蹄，行妇人乳脉，滑肌肤，去寒热。○肪膏，傅诸恶疮，利血脉，解风热，润肺。○肠脏，除大小肠风热，宜食之。○胰，治肺气干胀，喘急，润五脏，去皱皰，皯黵。○胆，治骨热劳极及小儿五疳，杀虫。〔陶隐居云〕脂，润皮肤，去皲裂。○屎汁，治温毒热。〔唐本注云〕猪耳中垢，治蛇伤。○猪脑，治风眩，脑鸣及冻疮。○血，治奔豚，暴气，中风，头眩，淋沥。○乳汁，止小儿惊痫，天吊，大人猪鸡痫病。○乳头，治小儿惊痫及鬼毒，去来寒热，五癃。○五脏，治小儿惊痫，发汗。○十二月上亥日取肪脂内新瓦器中，埋亥地百日，治痈疽。○胆，治大便不通，以苇筒著胆缚一头，内下部入三寸，灌之，入腹立通。胆汁傅小儿头疮。○腊月猪脂，杀虫。久留不败猪黄，治金疮，血痢。○齿，烧灰，治蛇咬疮。〔日华子云〕心止惊痫，血癖邪气。○肚，止痢。○肾，治耳聋。○肉，治水银风，并掘土，土坑内恶气。○肠，止小便，治奔豚气及海外瘴气。○粪，治天行热病，蛊毒，黄疸，取东行牝猪者良。○窠内草，止小儿夜啼，安席下勿令母知。〔孟诜云〕肚，止暴痢，虚弱。○大猪头，去惊痫，五痔，下丹石。○肠，止虚渴，小便数。〔别录云〕母猪尾头血，治蛇入口，并入七孔中，滴口中，即出。○猪胆，治盲，取一枚，微火煎之，丸如黍米大，内眼中食顷，良。又煎汤，浴初生小儿，不生疮疥。○猪胆白皮，治翳如重者，取暴干，合作小绳子，如粗钗股大，烧灰待冷，便以灰点翳上，不过三五度，瘥。○肉肝，炙热，拓被打头青肿。○腊月猪脂，治漏疮，以纸沾取，内疮孔中，日五夜三易之。又治鼠瘘疮，瘰疬，取调涂之。○猪脂，治胞衣不出，腹满则杀人，但多服佳。及治五种黄疸、酒疸、黑疸、谷疸、女劳疸，身体四肢微肿，胸满不得汗，汗出如黄檗汁，由大汗卒入水所致。以一斤令温热，尽服之，日三当下，下则稍愈。○猪肝，治女子阴中苦痒，搔之痛闷，取炙热内阴中，虫著肝即出之。○腊月猪屎，烧灰，傅小儿白秃，发不生者。○猪脂，治蜈蚣、蚁子入耳，炙令香，掩耳孔，自出。○猪肪脂，治吹乳，恶寒壮热，以冷水浸拓之，热即易之，立效。○肉，烂煮取汁，洗豌豆疮。〔补〕〔图经曰〕心，养血不足及虚劣。○肺，能补肺，得火麻仁良。○肾，补虚壮气。○肚，治骨蒸劳热，血脉不行，补羸助气，四季宜食。〔日华子云〕肾，补水脏，暖腰膝，补膀胱。○肚，补虚损，杀劳虫。○肠，补下焦，生血。〔孟诜云〕大猪头，补虚乏气力。〔别录云〕肝，补肝气。

合治 肚酿黄糯米蒸捣为丸，治劳气并小儿疳蛔，黄瘦病。○肝切作生合姜、醋，空心服之。治脚气，当微泄，若先痢，即勿服。○猪胆合生姜汁，酽醋半合，治湿䘌病。下脓血不止，干呕，羸瘦，多睡，面黄者，灌谷道，手中急捻令醋气至咽喉乃放手，当下五色恶物及虫子。又合生姜、橘皮、诃梨勒、桃皮煮服，治瘦病，咳嗽。○猪胰合枣肉浸酒服之，治肺痿咳嗽及痃癖，羸瘦。○子肝一叶，薄批之，揾著煨熟诃子末中微火炙之，又揾炙尽，半两末空腹细嚼，陈米饮送下，治乳妇赤白下及冷劳，腹脏虚者。○脾合陈皮、红生姜、人参、葱白，切拍之，以陈米水煮如羹，去橘皮，空腹食之，治脾胃虚热。○猪蹄四枚，以水二斗煮取一半，去蹄，合土瓜根、通草、漏芦各三两，以汁煮取六升去滓，内葱白、豉如常，著少米煮作稀葱豉粥食之，治妇人无乳汁，食后或身体微热，少有汗出。乳未下，更三两剂，大有验。○猪胰酒：以猪胰一具，细切合青蒿叶相和，以无灰酒一大升微火揾之，乘热内猪胰、蒿叶中共暖，使消尽。又取桂心一小两，别捣为末，内酒中，每日平旦空腹取一小盏服之，午时、夜间各再一服，治冷痢久不瘥。此是脾气不足，暴冷入脾，舌上生疮，饮食无味，纵吃下还吐，小腹雷鸣，时时心闷，干皮细起，膝胫酸疼，两耳绝声，四肢沉重，渐瘦劣重，成鬼气及妇人血气不通，逆饭忧烦，常行无力，四肢不举，丈夫痃癖，两肋虚胀，变为水气，服之，皆效。忌热面、油腻等食。〇猪舌合五味，煮取汁饮，能健脾，补不足之气，令人能食。〇猪肤一斤，水一斗，煮取五升，去滓加白蜜一升、粉五合，熬香和匀相得，温分六服，治少阴病，下痢，咽痛，胸满，心烦。〇猪膏合羊屎，涂热毒病攻，手足肿，疼痛。〇猪脑髓著热酒中，洗手足皴裂，血出疼痛。若冬月冒涉冻凌，面目手足瘃坏及热疼痛，皆瘥。〇生猪肝一具，细切，合苦酒顿食之，勿用盐，治卒肿病，身面皆洪大。〇猪膏合芫花，涂疥疮。〇猪胆大如鸡子者，合热酒服，治大小便不通。〇豮猪肾一枚，以刀开去筋膜，入附子末一钱匕，以湿纸裹，煨熟，空心稍热食之，便饮酒一盏，多亦妙。治男子水脏虚惫，遗精，盗汗，夜梦鬼交者，效。〇猪蹄甲四十九个净洗，控干，每个甲内半夏、白矾各一字入罐子内，封闭勿令烟出，火煅通赤，去火细研，入麝香一钱匕，治咳嗽定喘化涎，每用一钱匕，糯米饮下，小儿半钱，至妙。〇猪肾一对，去脂膜，切枸杞叶半斤，用豉汁大盏半相和煮，作羹，入盐、椒、葱，空腹食之，治阴痿，羸瘦，精髓虚弱，四肢少力。〇猪肾造稀臛，以葱、豉、米如法食之，治产后虚劳，骨节疼痛，汗不出。〇母猪蹄两只，合通草六分，以绵裹和煮作羹食之，治痈疽及发背，或发乳房，初起微赤不急，治之即杀人。〇猪肝一斤，薄切于瓦上，曝令熟干，捣筛为末，煮白粥，布绞取汁，和众手丸如桐子大，空心饮下五十丸，日五服，治脾胃气虚，食即汗出及呕逆。○猪肾一对，研著胡椒、橘皮、盐、酱、椒末面，作馄饨吃之，治脾胃冷，呕逆，下痢，腰脐切痛。○猪肚一枚，净洗，以水五升，煮令烂熟，取二升已来，去肚着少豉，治消渴，日夜饮水数斗，小便数，瘦弱，渴即饮之。○猪肝一具，煮作羹，任意下饭，治水气胀满，浮肿。○猪肉，细切作䭔子，于猪脂中煎食之，治上气咳嗽，胸膈妨满，气喘。○猪胰一具，削薄竹筒，盛于煻火中，炮令熟，食上吃之，治一切肺病，咳嗽，脓血不止。○猪肝一具，细切，先布捩，更以醋洗蒜齑食之，治肿从足始，上入腹者，如食不尽，三两顿食亦可，或洗切作脔，着葱白、豉、姜、椒熟炙食之。亦治浮肿胀满，不下食心闷。○猪心一枚，切，于豉汁中煮，五味糁调和食之，治产后中风，血气惊邪，忧悸气逆。○猪乳汁三合，以绵缠浸，令儿吮之，虽多尤佳。治小儿惊痫，发动无时。○肝一具薄切，以水淘漉干，即以五味、酱、醋食之，清肝脏壅热，目赤碜痛兼明目，补肝气。

禁 白猪白蹄杂青者，不可食。○心不可多食，能耗心气。○肾虽补肾，令人少子，冬月不可食，损人真气，兼发虚壅。○肉久食令人虚肥，动风气。患疟人不宜食，食之必再发。

忌 心不与吴茱萸同食。○肺不与白花菜同食，令人气滞，发霍乱。○肉不可合牛肉同煮，食之令人生寸白虫。○膏忌乌梅。

解 肪膏解斑蝥、芫青、地胆、亭长等毒。肉压丹石毒，解热，杀药毒。焊猪汤解诸毒，虫魇。

狐阴茎

有毒　附五脏、肠、屎等

胎生

狐阴茎主女子绝产，阴痒，小儿阴颓，卵肿。〇五脏及肠，味苦，微寒，有毒，主蛊毒，寒热，小儿惊痫。〇雄狐屎，烧之辟恶。名医所录。

地〔图经曰〕旧本不著所出州郡。陶隐居注云：江东无狐，皆出北方及益州，今江南亦时有之，京洛尤多。形似黄狗，鼻尖尾大，亦似狸而黄，善能为魅，北土作鲙。生食之甚暖，雄狐粪、阴茎、五脏皆入药用。其屎在竹木间、石上，尖头、坚者是也。〔衍义曰〕即今皮兼毛为裘者是也。此兽多疑，极审听，人智出之以多疑审听而捕取，捕者多用置也。

时〔采〕无时。

用 阴茎、五脏、肉、头、尾、粪。

质 类狗而矮小。

味 甘。

性 微寒。

气 气之薄者，阳中之阴。

臭 腥。

主 辟邪恶，补虚损。

治〔疗〕〔图经曰〕肝，烧灰，治风。○雄狐胆，治卒暴亡未移时者，温水微研，灌入喉即活，须腊月收者佳。〔唐本注云〕狐肉及肠，作臛食之，治疥疮久不瘥者。○肠及头尾，治牛疫，烧灰和水灌之。〔日华子云〕狐肉，治恶疮疥。○肝，生服，祛狐魅。○雄狐尾，烧，辟恶。〔孟诜云〕狐肉，治五脏邪气及蛊毒，寒热，宜多服之。〔食疗云〕肉，炙食之，治小儿㿉卵肿。○头，烧，辟邪。○肠肚，作羹臛食之，治大人见鬼。〔别录云〕雄狐粪烧之，去瘟疫病。○狐屎，治一切恶瘘，中冷，息肉。用正月收者，不限多少，干末，食前新汲水下一钱匕。〔补〕〔日华子云〕狐肉，补虚损劳劣，煮炙食之。

合治 狐肉一片及五脏，治如食法。合豉汁中煮五味，和作羹或作粥炙食之，治惊痫，神思恍惚，语言错谬，歌笑无度及五脏积冷，蛊毒，寒热，并愈。如无豉汁，以骨汁或鲫鱼汁代之。○狐唇杵，和盐，封恶刺。○狐粪二升烧灰，合姜黄三两捣为末，空腹酒服方寸匕，日再服，治五种心痛及肝心痛，颜色苍苍如死灰状而喘息大者。○狐屎灰合腊月膏和，封恶刺。

○ 毛虫

獭肝

有毒　附肉、胆等　胎生

獭肝主鬼疰，蛊毒，却鱼鲠，止久嗽，烧服之。○肉，性寒，疗疫气，温病及牛马时行病，煮屎灌之亦良。名医所录。

名 水狗。

地〔图经曰〕旧不著所出州土，今江湖土穴间多有之，北土人亦驯养以为玩。《广雅》谓之水狗，然有两种，有獱[①]、獭。形大，头如马，身似蝙蝠。《淮南子》云：养池鱼者不畜獱、獭。许慎注云：猵，獭类也。入药当以取鱼祭天者是也。凡诸畜肝皆叶数定，惟此肝，一月一叶，十二月十二叶，其间又有退叶，用之须见形，乃可验，不尔，多伪也。〔衍义曰〕四足俱短，头与身尾皆扁，毛色若故紫帛，大者身与尾长三尺余，食鱼居水中，出水亦不死，亦能休于大木上，世谓之水獭。尝縻置大水瓮中，于其间旋转如风，水为之成旋垅起，四面高，中心凹下，观者骇目。皮，西戎将以饰毳服领袖，问之云：垢不着。如风霾翳目，即就袖口拭目中即出，又毛端果不著尘，亦一异也。或云：獭胆分杯尝试之，不验，惟涂于盏唇，但使酒稍高于盏面，分杯之事亦古今传误言也，不可不正之。肝用之有验。

时〔生〕无时。〔采〕无时。

用 肝、肉、胆、足、骨、屎、皮毛。

色 紫。

味 甘、咸。

性 微热。

气 气厚味薄，阳中之阴。

臭 腥。

主 虚劳咳嗽。

制 细研或烧灰用之。

---

① 獱：原注“音宾。獱，或作猵，音频”。

治〔疗〕〔图经曰〕肉，治妇人骨蒸热劳，血脉不行，荣卫虚满及女子经络不通，血热，大小肠秘涩。○肝，治传尸，劳极，四肢寒疟，虚汗客热，及产劳，冷劳并鬼疰，一门相染者，取肝一具，火炙，水服方寸匕。又治九十种蛊疰，传尸，骨蒸，伏连殗殜，诸鬼毒，疠疫等，俱妙。○足，治鱼骨鲠，项下爬之即下，亦煮汁饮之。○皮毛，治水癃病者，作褥及履屧著之，并煮汁服。○屎，治鱼脐疮。○胆，治眼翳黑花，飞蝇上下，视物不明。〔唐本注云〕四足，治手足皲裂。○屎，治驴马虫颡，细研，灌鼻中。〔药性论云〕肝，治上气，咳嗽，劳损疾，尸疰，瘦病。○骨，治呕哕不止。〔日华子云〕肉，治水气胀满，热毒风。〔孟诜云〕肝，下水胀，但热毒风虚胀，服之即瘥。若是冷气虚胀，勿食，食之虚肿益甚也。只治热，不治冷，不可一概用之。〔别录云〕肝，治鬼魅，为末，水服，日三服，瘥。及肠痔，大便常有血，烧服一钱匕。○獭皮，令母带，易产。〔补〕〔日华子云〕肝，补虚劳，并传尸劳疾。

合治 肝烧为灰，合酒服，治咳嗽。○水獭一个，用罐子内盐泥固济，放干，烧灰为末，以黄米煮粥，傅折伤处，摊水獭末一钱粥上糁，便用帛裹系，立止疼痛。

禁 男子不可多食其肉，食之，能消阳气。

忌 肉不可与兔肉同食。

○ 毛虫

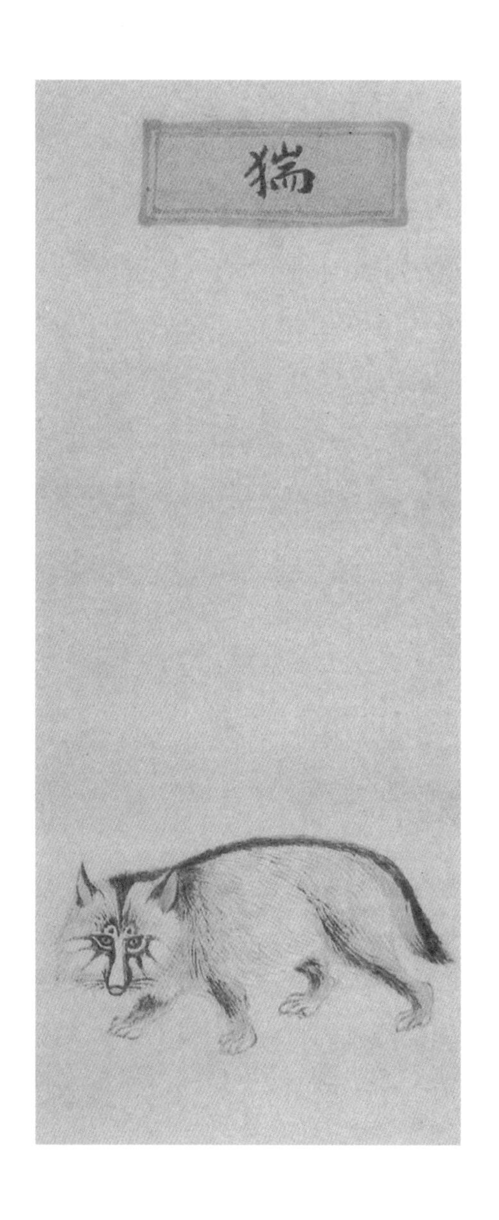

猯膏

无毒　附肉、胞、獾、貉

胎生

猯①膏主上气、乏气，咳逆，酒和三合服之，日二。又主马肺病，虫颡等病。〇肉，主久水胀不瘥，垂死者，作羹臛食之，下水，大效。〇胞，干之，汤磨如鸡卵许，空腹服，吐诸蛊毒。名医所录。

① 猯：原注“音湍”。

地〔图经曰[1]〕《本经》不载所出州土，今山林间或有之。〔衍义曰〕此兽肥矮，毛微灰色，头连脊毛一道黑，嘴尖尾短阔。野兽中猯肉最甘美，蒸食之，益瘦人。

收 瓷器盛之。

用 膏。

味 甘。

性 平，缓。

气 气厚于味，阳中之阴。

臭 腥。

治〔疗〕〔陈藏器云〕猯脂，杀马漏脊虫疮。○獾肉，主小儿疳瘦，啖之杀蛔虫。〔补〕〔衍义曰〕猯肉，益瘦人，长脂肉。○貉肉，主元脏虚劣及女子虚惫。

合治 脂销于酒中服，治传尸，鬼气，疰忤。○肉煮经宿露中，空心和酱食，治服丹石劳热，患赤白痢多时不瘥者。○骨炙末，合酒服三合，治上气咳嗽。○肉半斤，切，和粳米三合，水二升，合葱、椒、姜、豉作粥食之，治十种水，不瘥垂死者。○猯脂膏煎一合，和暖酒服，治肺痿，气急。

解 肉，服丹石人食之，良。

① 图经曰：原脱，按义例补。

鼹鼠

无毒　胎生

鼹[1]鼠主痈疽，诸瘘，蚀恶疮，阴𧏾，烂疮。

名医所录。

① 鼹：原注“音偃”。

名 鼢[①]鼠、隐鼠。

地〔图经曰〕旧不著所出州土，云在土中行者，今处处田垅间皆有之。《尔雅》鼠属，鼢鼠是其一。郭璞云：地中行者化为鴽[②]，皆为此也，其形类鼠而肥，多膏，色黑，口鼻尖大，常穿地行，旱岁则为田害。亦有一种鼹鼠，似牛而鼠首，足黑色，大者千斤，多伏于水，又能堰水放沫，出沧州及湖中。彼人取其肉食之，皮可作鞦鞜用，是二物同名也。〔陶隐居云〕其形如鼠大而无尾，黑色，长鼻甚强，常穿耕地中行，讨掘即得。今诸山林中有兽，大如水牛，形似猪，灰赤色，下脚似象，胸前、尾上皆白，有力而钝，亦名鼹鼠。人常取食之，肉似牛肉，多以作脯，其膏亦能主瘘，乃云此是鼠王。其精一滴落地，辄成一鼠，谷有鼠灾，年则多出，恐非虚耳。〔衍义曰〕鼹鼠，鼢鼠也。其毛色如鼠，今京畿田中甚多，脚绝短，但能行，尾长寸许，目极小，项尤短，兼易掘取或安竹弓射之，取以饲鹰。陶不合更引今诸山林中大如水牛，形似猪，灰赤色者，设使是鼠，则孰能见其溺精成鼠也。陶如此轻信，但真淳之士不以无稽之言为妄，今《经》云在土中行，则鼢鼠无疑矣。

时〔生〕无时。〔采〕五月取。

收 暴干。

用 肉、脂。

色 灰黑。

味 咸。

---

① 鼢：原注“扶粉切”。

② 鴽：原注“汝居切”。

性 软。

气 气薄味厚，阴中之阳。

臭 腥。

主 疮疡。

治〔疗〕〔图经曰〕肉，治风热久积，血脉不行，结成疮疽，食之可消去。小儿食之，杀蛔虫。〔陶隐居云〕肉，久食治疮疥，痔瘘。○膏，磨诸恶疮。

○ 毛虫

鼺鼠

胎生

鼺[1]鼠主堕胎，令产易。神农本经。

① 鼺：原注“音羸”。

名 飞生。

地〔图经曰〕鸓鼠即飞生鸟也，出山都平谷，今湖、岭间山中多有之。状如蝙蝠，大如鸱鸢。毛紫色暗，夜行。飞生，南人见之多以为怪，捕取其皮毛与产妇临蓐持之，令儿易生。〔衍义曰〕鸓鼠，《经》中不言性味，惟难产药中用之。其毛赤黑色，长尾，人捕得取皮为暖帽。但向下飞则可，不能致远，今关西山中甚有，毛极密。人谓之飞生也。

质 类蝙蝠而尾长。

色 紫。

性 微温。

气 气之厚者，阳也。

治〔疗〕〔图经曰〕妇人将产，烧末饮服之。

合治 取一枚，合槐子、故弩箭羽各十四枚，捣丸如桐子大，以酒服二丸，令孕妇易产。

野猪黄

无毒　胎生

野猪黄主金疮，止血，生肉，疗癫痫，水研如枣核，日二服，效。

名医所录。

地〔衍义曰〕京西界野猪甚多，形如家猪，但腹小脚长，毛色苍褐，作群行。猎人惟敢射取最后者，若射中前走者则群猪奔散伤人。其肉如马肉而赤，由冬月在林中食橡子故也。味甘美，腹软，尤胜家猪。黄在胆中，盖不常有，间得之，方亦少用。

时〔生〕无时。〔采〕无时。

收 瓷器密贮。

用 胆中黄。

色 黄。

味 辛、甘。

性 平，散。

气 气之薄者，阳中之阴。

臭 腥。

主 鬼疰，痫疾。

制 研细或水磨之。

治〔疗〕〔日华子云〕肉，治肠风泻血，炙食之，不过十顿，愈。○胆中黄，治鬼疰，痫疾及恶毒风，小儿疳气，客忤，天吊。○脂，悦颜色，除风肿毒及疮疥癣，用腊月陈者佳。〔孟诜云〕胆中黄，治疰病，研如水，服。○齿，烧作灰服，治蛇毒。○胆，治恶热毒邪气。〔衍义曰〕胆中黄，治小儿诸痫疾。〔食疗云〕脂，治妇人无乳。〔补〕〔孟诜云〕肉，补肌肤及五脏，不发风虚气。

合治 野猪膏炼令精细，以一匙和酒一盏，日三服，令妇人多乳。○外肾和皮烧灰存性，为末，合饮下，治崩中带下，并肠风泻血及血痢。○野猪肉二斤切，著五味炙，空心食之，治久痔，野鸡，下血不止，肛边痛，作羹食亦可。

禁 肉多食，令人虚肥微动风，青蹄者不可食。

〇 毛虫

豺皮

有毒　胎生

豺皮主冷痹，脚气。

熟之以缠病上，即瘥。

名医所录。

地〔谨按〕《埤雅》云：其形似狗而长尾，白颊，高前广后，其色黄，季秋取兽，四面陈之，以祀其先，世谓之豺祭兽，以报本，故先王候之以田。《礼记》所谓豺祭兽，然后田猎是也。俗云：豺群噬虎，言其猛捷，且众可以窘虎也。《本经》不载所出州土，今在处山林或有之。

时〔生〕无时。〔采〕无时。

用 皮。

色 黄。

性 热。

气 气之厚者，阳也。

臭 腥。

制 煮汁或烧灰用。

治〔疗〕〔图经曰〕皮，烧灰，傅䘌齿疮。

合治 豺皮煮汁饮或烧灰合酒服，治疳痢，腹中诸疮。

禁 肉不可食，消人脂，损人精神，软脚骨，能瘦人。

○ 毛虫

狼

无毒　胎生

狼肉主补益五脏，厚肠胃，填精髓，腹有冷积者，宜食之，味胜狐、犬肉。○喉嗉皮，熟成皮条，勒头，去头痛。○皮，熟作番皮，大暖。○尾，带马胸膛前，辟邪，令马不惊。○牙，带之辟邪。名医所录[①]。

---

① 名医所录：原作“今补”，据目录，“狼”系从“豺皮”下新分条药，故据义例改。

〔谨按〕《埤雅》云：其形大如狗，青色，作声诸窍皆沸。盖今训狐，鸣则亦后窍应之，豺祭狼卜，又善逐兽，皆兽之有才智者，故豺从才，狼从良是也。俚语曰：狼卜食，狼将远逐食，必先倒立以卜所向，故今猎人遇狼辄喜，盖狼之所向兽之所在也。而灵智有如此。其粪烧之，烟直而聚，虽风吹之不斜，故古今烽火用者，亦取其直聚而不散也。

时〔生〕无时。〔采〕无时。

用 肉、皮、牙、尾、喉嗉皮。

味 咸。

性 热。

气 气厚味薄，阳中之阴。

臭 腥。

治〔疗〕〔别录云〕狼粪灰，傅瘰疬疮。○屎中骨，烧末，服如黍米许，止小儿夜啼。

合治 狼结喉曝干，杵末入半钱于饭内食之，治噎病。

○ 毛虫

膃肭脐

无毒 附膃肭兽[①] 胎生

膃肭脐主鬼气，尸疰，梦与鬼交，鬼魅，狐魅，心腹痛，中恶邪气，宿血结块，痃癖，羸瘦等。名医所录。

① 兽：原作“脐”，据目录改。

地〔图经曰〕出西戎，今东海傍亦有之。云是新罗国海狗肾，旧说是骨肭兽。似狐而大，长尾，其皮上自有肉黄毛，三茎共一穴，今沧州所图乃是鱼类而豕首，两足，其脐红紫色，上有紫斑点，全不相类。每遇日出时即浮水面，以弓矢而采之，取其外肾，医家用之。欲验其真，置睡犬傍，其犬忽惊跳若狂者为佳。兼耐收蓄，置密器中，常湿润如新。《异鱼图》云：试腽肭脐者，于腊月冲风处，置盂水浸之，不冻者为真也。〔衍义曰〕腽肭脐今出登、莱州。《药性论》以谓是海内狗外肾，《日华子》又谓之兽，今观其状，非狗非兽，亦非鱼也。但前即似兽，尾即似鱼，其身有短密淡青白毛，腹胁下全白，仍相间于淡青白毛，上有深青黑点，久则色复淡，皮厚且韧，如牛皮。边将多取以饰鞍鞯。其脐治脐腹积冷，精衰，脾肾劳，极有功不待别试也。似狐长尾之说，盖今人多不识也。

收 阴干。

用 外肾。

色 红紫。

味 辛、甘。

性 大热。

气 气之厚者，阳也。

臭 臊。

主 助阳气，除积冷。

制〔雷公云〕凡使，先须细认，其伪者多，而海中有兽号曰水乌龙，海人采得杀，取肾将入药中，修合恐有误。其物自殊，凡一对外有两重薄皮裹丸，气肉核皮上自有肉，黄毛，三茎共一穴，年年癧湿常如新，兼将于睡犬蹑足置于犬头，其犬蓦惊如狂即是真也。若用，须酒浸一日后，以纸裹微微火上炙令香，细剉，单捣用之。

治〔疗〕〔药性论云〕治男子宿癥，气块，积冷，羸瘦，肾精衰损，渐成肾劳，瘦悴。〔日华子云〕破癥结，止惊狂，痫疾及心腹疼，破宿血。〔衍义曰〕治脐腹积冷，精衰，脾肾劳极。〔海药云〕治五劳七伤，阴痿少力，肾气衰弱，虚损，背膊劳闷，面黑，精冷。〔补〕〔日华子云〕补中，益肾气，暖腰膝，助阳气。

○ 毛虫

麂

无毒　附头骨　胎生

麂[1]主五痔病，炼出以姜、醋进之，大有效。○头骨为灰饮下，主飞尸。名医所录。

① 麂：原注“音纪”。

地〔图经曰〕出东南山谷，今山林处处皆有之，及均、房、湘、汉间尤多，实獐类也。《尔雅》：麕[①]，大麢；旄毛，狗足。《释》曰：麢，亦獐也。旄毛，猱[②]长毛也。大獐，毛长。狗足者名曰麕。南人往往食其肉，然坚韧不及獐味美，其皮作履，舄胜于众皮。头亦入药用。又有一种类麕而更大，名麖[③]，不堪药用。《山海经》曰：女几之山，其兽多麖，麕是此。〔衍义曰〕麂，獐之属，又小于獐，但口两边有长牙，好斗则用其牙，皮为第一，无出其右者，然多牙伤痕。四方皆有，山深处则颇多，其声如击破钹也。

时〔生〕无时。〔采〕无时。

用 肉、头骨。

色 黄。

味 甘。

性 平，缓。

气 气厚于味，阳中之阴。

臭 香。

禁 多食能动痼疾，妊娠不可服及发疮疥、癣疖。

---

① 麕：原注“与麞同”。

② 猱：原注“音猱”。

③ 麖：原注“音京”。

野驼

无毒　胎生

野驼脂主顽痹，风瘙，恶疮，毒肿，死肌，筋皮挛缩，踠损筋骨，火炙磨之，取热气入肉。又以和米粉作煎饼食之，疗痔，勿令病人知。名医所录。

地〔图经曰〕出塞北、河西，今惟西北番界有之。此中尽人家畜养生息者，其脂在两峰肉间，入药家驼亦可，然不及野者为佳耳。〔衍义曰〕生西北界等处，家生者峰蹄最精，人多煮熟糟食之。〔谨按〕《埤雅》云：驼卧腹不着地，屈足漏明能行千里，背有肉鞍如峰，长颈高脚善负，知泉脉所在，遇处辄停不行，其粪直上如狼烟，亦知风候也。段氏云：其毛褥温厚暖于狐貉[1]，极堪御寒，遇夏退毛，至尽乃能避热，故古者冬取皮于狐类而裘成，夏取毛于驼类而褐成也。其峰脂味甚美而脆，故为八珍之一，盖功用钟于此也。

用 脂、毛、蹄甲、粪。

色 黄白。

味 甘。

性 温。

气 气之厚者，阳也。

主 壮筋骨，润肌肤。

治〔疗〕〔图经曰〕治风下气。〔唐本注云〕骆驼毛蹄甲，治妇人赤白带下最善。〔衍义曰[2]〕粪，为干末搐鼻中，治鼻衄。

合治 颔下毛，烧灰取半鸡子大合酒服，治痔疮。

---

① 貉：原注“何各切”。

② 衍义曰：原文“义曰”，据义例改。

○ 毛虫

猕猴

无毒　附肉、头骨、手、屎、皮　胎生

猕猴肉主诸风劳，酿酒弥佳。〇头骨，主瘴疟，作汤治小儿则辟惊鬼魅，寒热。〇手，主小儿惊痫，口噤。〇屎，主蜘蛛咬。〇肉，为脯，主久疟。〇皮，主马疫气。名医所录。

地〔别录云〕出贵州，诸山林间皆有之。此物有数种，都名寓属，取色黄、尾长、面赤者佳，若人家养者，肉及粪并不主病，为其食息杂违其本真故也。〔抱朴子云〕猕猴，寿八百岁即变为猨猨，寿五百岁变为玃玃，寿一千岁变为蟾蜍。

用 肉、头骨、手、屎、皮。

色 黄。

味 酸。

性 平，收。

气 气之薄者，阳中之阴。

合治 头骨一枚，烧灰为末，空心合温酒服一钱匕，治鬼疟，进退不定，临发再服，瘥。

败鼓皮

败鼓皮主中蛊毒。名医所录。

地〔衍义曰〕败鼓皮处处有之，以黄牛皮为胜。今不言是何皮，盖亦以驴、马皮为之者。唐韩退之所谓牛溲马勃，败鼓之皮，俱收并蓄，待用无遗者。今用处亦少，尤好煎胶，专用牛皮始可入药。

用 黄牛皮者为胜。

色 黄白。

性 平。

气 气之薄者，阳中之阴。

臭 腥。

制 烧灰作末用。

合治 败鼓皮广五寸，长一尺，合蔷薇根五寸，如足拇指大，剉，以水一升，酒三升，煮取一升服之，治蛊、下蛊有效。○败鼓皮烧作末，合酒服方寸匕，治中蛊毒，须臾，当呼蛊姓名，令本蛊主呼取蛊名即瘥，亦治小儿五种蛊毒。

六畜毛蹄甲

有毒

六畜毛蹄甲主鬼疰，蛊毒，寒热惊痫，癫痓，狂走。骆驼毛尤良。神农本经。

地〔陶隐居云〕处处有之，六畜谓马、牛、羊、猪、狗、鸡也，驴、骡亦其类，骆驼方家并少用，且马、牛、羊、鸡、猪、狗毛蹄亦以各出其身之品类中，而所主疗则皆同也。

味 咸。

性 平，软。

气 味厚于气，阴中之阳。

驴屎

附[1]尿、乳、轴垢、肉、脂、头、皮、毛

驴屎熬之主熨风肿，瘘疮。○屎汁，主心腹卒痛，诸疰忤。○尿，主癥癖，胃反吐不止，牙齿痛，水毒。○牝驴尿，主燥水。○駁驴尿，主湿水，一服五合，良。燥水者，画体成字，湿水者，不成字。○乳，甘，冷，主小儿热急黄等，多服使痢。○尾下轴垢，主疟，水洗取汁，和面如弹丸二枚作烧饼，疟未发前食一枚至发时食一枚，疗疟无久新，发无期者。名医所录。

地〔蜀本云〕驴色类多，以乌者为胜，今河南、山、陕、北地多有之。〔日华子云〕驴肉凉，无毒，解心烦，止风狂，酿酒，治一切风。〔衍义曰〕驴肉食之动风，脂肥尤甚，屡试屡验。《日华子》乃以止风狂，治一切风，未可凭也。煎胶用黑驴皮，取其发散耳，仍须乌者。用乌之意如用乌鸡子、乌蛇、乌鸦之类，其物虽治风，然更取其水色，盖以制其热，则生风之义也。

① 附：原在“毛”后，据义例移于此。

用 屎、乳、肉、脂、头、皮、毛及轴垢。

色 黑。

主 去风毒，安心气。

治〔疗〕〔日华子云〕驴乳，治小儿痫，客忤，天吊，风疾。○驴肉，解心烦，止风狂。○脂，傅恶疮疥及风肿。○驴头，煮汁，洗头风，风屑。○皮，煎胶食，治一切风并鼻洪，吐血，肠风痢及崩中带下。〔陈藏器云〕黑驴溺及乳并治蜘蛛咬，以物盛浸之，疮亦取驴溺处臭泥傅之。○驴乳，治蚰蜒入耳，灌耳中，即消成水。〔孟诜云〕驴骨，煮作汤，浴渍身，治历节风。○煮头汁令服二三升，治多年消渴，瘥。○皮，覆患疟人，良。〔食疗云〕驴乳，三升热服之，治卒心痛连腰脐痛。〔别录云〕驴溺，热服二合，日三，治反胃吐食，稍有毒，服时不可过多。○驴蹄硬处削下者，治饮酒过度欲至穿肠，以水浓煮汁冷饮之，瘥。○驴耳中垢，傅蝎螫。○黑驴乳，食后暖服三大合，治心热风痫。

合治 驴头挦去毛，煮汁以渍曲酝酒食之，去大风。○生脂和生椒熟捣，绵裹塞耳中，治积年耳聋。○皮和毛煎令作胶，合酒服，治一切风毒，骨节痛，呻吟不止者。○脂和乌梅为丸，如桐子大，治多年疟，未发时服三十丸。○以毛一斤炒令黄，投一斗酒中，渍三日，空心细细饮使醉，衣覆卧，取汗，明日更依前服，治头中一切风，忌陈仓米、麦、面。○驴肉酿酒服之，治一切风。○驴驹衣烧灰合酒服之，能断酒。○驴脂合石盐和匀，注两眦，治眼中瘀肉。○脂和盐，傅身体手足肿。○乌驴头一枚，挦洗如法，蒸熟细切于豉汁内煮，着五味调点少酥食之，治中风头眩，心肺浮热，手足无力，筋骨烦疼，言语似涩，一身动摇。○乌驴皮一张挦洗如法，蒸熟切于豉汁中煮，和五味再煮，空心食之，治中风，手足不随，骨节烦疼，心躁，口面㖞斜。○驴肉一斤，切于豉汁内，煮五味食之，治风狂，忧愁不乐，能安心气。○驴蹄不计多少，烧灰研，以生油和傅于头骨缝上，治小儿解颅不合。○驴头煮熟，合姜齑啖之，治黄疸病。

禁 驴肉不宜多食，多食动风，脂肥尤甚。及患眼疾者不宜食肉，食之丧明。

○ 毛虫

塔剌不花

无毒　胎生

塔剌不花主野鸡，瘘疮，煮食之宜人。○头骨，去下颏肉，令齿全活，小儿无睡，悬之头边即令得睡。

今补。

名 土拨鼠。

地 生山后草泽中，北人掘取以食，虽肥煮则无油，汤无味，其皮番则不湿透而甚暖也。

时 〔生〕无时。〔采〕无时。

用 肉、头骨。

味 甘。

性 缓。

气 气之薄者，阳中之阴。

臭 腥。

禁 多食难克化，微动气。

○ 毛虫

豪猪膏

豪猪膏利大肠。今补[1]。

① 今补：原作“名医所录”，据目录改。

地〔图经曰〕出陕、洛，江东诸山中并有之，鬣间有毫如箭，能射人。肉味甘美，其膏不可多食。

时〔生〕无时。〔采〕冬月取者良。

收 瓷器密贮。

用 膏。

色 白。

味 甘。

性 缓。

气 气之薄者，阳中之阴。

臭 腥。

禁 膏多食，发风气及令人虚羸。

五种陈藏器余

诸血味甘，平。主补人身血不足，或因患血枯，皮上肤起，面无颜色者，皆不足也，并生饮之。又解诸药毒、菌毒，止渴，除丹毒，去烦热。食筋令人多力。

果然肉味咸，无毒。主疟瘴寒热，煮食之。亦剉其皮为褥。似猴，人面，毛如苍鸭，肋边堪作褥。《南州异物志》云：交州有果然兽，其名自呼如猿，白质黑纹，尾长过其头，鼻孔向天，雨以尾塞鼻孔，毛温而细。《尔雅》：蜼，仰鼻而长尾。郭《注》与此相似也。

狨兽无毒。主五野鸡病，取其脂傅疮。亦食其血肉，亦剉其皮。积久野鸡病皆瘥也。似猴而大，毛长，黄赤色，生山南山谷中，人将其皮作鞍褥。

狼筋如织络袋子，似筋胶所作，大小如鸭卵，人有犯盗者，熏之，当脚挛缩，因之获贼也。或云：是狼胜下筋。又云：虫所作，未知孰是，狼大如狗，苍色，鸣声诸孔皆涕[1]。

诸肉有毒兽歧尾杀人。鹿豹纹杀人。羊心有孔杀人。马蹄夜目，五月以后食之杀人。犬悬蹄，肉有毒杀人，不可食。米瓮中肉杀人。漏沾脯杀人。肉中有[2]星如米

① 涕：原作“沸”，据《证类本草》改。
② 有：原作“不”，据《证类本草》改。

杀人。羊脯，三月以后，有虫如马尾，有毒杀人。脯曝不燥，火烧不动，入腹不消，久置黍米瓮中，令人气闭。白马鞍下肉，食之损人五脏。马及鹿膳白不可食。乳酪及大酢和食，令人为血痢。驴、马、兔肉，妊娠不可食。乳酪煎鱼脍、瓜和食，立患霍乱。猪、牛肉和食，令人患寸白虫。诸肉煮熟不敛水，食之成瘕。食兔肉，食干姜，令人霍乱。市得野中脯，多有射罔毒。食诸肉过度，还饮肉汁即消，食脑立销。

本草品汇精要卷之二十五

本草品汇精要

·卷之二十六·

禽部上品

二种	神农本经 朱字
二种	名医别录 黑字
一种	唐本先附 注云唐附
五[1]种	今分条
一种	今移
九种	陈藏器余

已上总二十[2]种，内八种今增图

---

① 五：原作"四"，据总目改。
② 二十：原作"十九"，据总目改。

丹雄鸡头、肪、肠、膍胵、屎白、翮羽附

白雄鸡今分条并增图　乌雄鸡今分条并增图

黑雌鸡今分条并增图　黄雌鸡今分条并增图

鸡子[1]今分条　白鹅膏毛、肉、卵、苍鹅附，今增图

鹜肪白鸭屎、家鸭附，今增图　鹧鸪唐附

雁肪今增图　鱼狗自陈藏器今移并增图

九种陈藏器余

鹂[2]　鹨[3]　阳乌

凤凰台　鸀鳿鸟[4]　巧妇鸟

英鸡　鸵[5]鸟屎　䴔䴖

① 鸡子：此后原衍“白”字，据总目删。原作《本经》药，此作新分条药，未计入《本经》药味数中。

② 鹂：此后原衍“瑁”字，据正文药名删。

③ 鹨：此后原衍“蝉”字，据正文药名删。

④ 鸟：原无，据正文药名补。

⑤ 鸵：原作“驼”，据印本改。

本草品汇精要卷之二十六

禽部上品

○ 羽虫

丹雄鸡

无毒　附头、肪、肠、膍胵、屎白、翮羽　卵生

丹雄鸡出神农本经。主女人崩中，漏下，赤白沃，补虚，温中，止血，通神，杀毒，辟不祥。〇头，主杀鬼。〇肪，主耳聋。〇肠，主遗溺。〇膍胵里黄皮，主泄痢。〇屎白，主消渴，伤寒寒热。〇翮羽，主下血闭。〇鸡白蠹，肥脂。以上朱字神农本经。久伤之疮。以上黑字名医所录。

地〔图经曰〕鸡，《本经》云：鸡白蠹，肥脂，出朝鲜平泽。陶隐居云：朝鲜不应总是鸡所出，而云白蠹，不知何物？恐别是一种耳。《开宝》注便谓之鸡入药用，盖取朝鲜者良。今处处人家畜养甚多，不闻自朝鲜来也。〔衍义曰〕丹雄鸡，今言赤鸡者是也，盖以毛色言之。巽为鸡为风，鸡鸣于五更者，日将至巽位，感动其气而鸣也。体有风，人故不可食。《经》《注》皆不言鸡发风，今体有风，人食之无不发作。为鸡为巽，信可验矣。食鸡者，当审慎之。〔谨按〕丹雄鸡出《神农本经》，乌、白雄鸡，黄、黑雌鸡皆《名医》所附。盖鸡之色类虽多，而体之所具者莫不同有也。惟雌雄及卵为异尔。故《蜀本》云：鸡子黄及白，用黄雌鸡者。胆、心、肝、肠、肪、肶胵及粪，用乌雄鸡者。丹雄鸡用头，乌雌鸡用翮羽，似为详矣。当时以丹雄鸡之文而附具诸鸡条下者，盖各从其类尔。掌氏因袭至此，用者不无致疑于其间也。今以《神农》朱书摭集于丹雄鸡之下，《名医》诸鸡主疗、功用随类墨书于次，其卵仍立一条。若此，则今古之文不紊，而其取用有所归矣。

时〔生〕无时。〔采〕无时。

用肉、肪、肠、头东门上者良。屎白、翮羽、肶胵里黄皮。

色赤。

味甘。

性微温，缓。

气气厚于味，阳中之阴。

臭腥。

治〔疗〕〔素问云〕鸡矢醴，治心腹满，旦食则不能暮食，名为鼓胀。〔图经曰〕屎白，为末，量方寸匕，水六合和，温服，疗转筋入腹。〔日华子云〕冠血，疗白癜风。○粪，治白虎风，并傅风痛。○肝，入补肾方。○膍胵里黄皮，止泄精并尿血，崩中，带下，肠风，泻痢。〔孟诜云〕患白虎痛风者，可铺饭于患处，使鸡食之，良。又取热粪封之。〔别录云〕冠血，主百虫入耳不出，以滴耳中即出。及傅蜈蚣、蜘蛛毒。又治小儿卒惊，似有痛处，不知疾状者，取少许涂儿口上，瘥。又涂马咬疮有毒疼痛，效。若牡马用雌，牝马用雄。并主自缢死，安定心神，徐缓解之，慎勿割绳断。抱取，心下犹温者，取滴口中，立活。男用雌，女用雄。又救卒死，或先病，或常寝卧奄忽而绝，皆是中恶，取涂其面，干后复涂，并以灰营死人一周。又疗卒得浸淫疮，转有汁，多起于心，不早治之，延及周身则杀人，傅之，瘥。○屎白，傅蚰蟮咬，良。又烧研，水服方寸匕，疗食药中毒，发狂闷，吐下欲死。及疗妒乳并乳头破裂及痈肿。

合治 烧屎白，合米饮下，疗小儿惊啼。○干屎白末，合热酒下一钱匕，疗肝风虚，转筋入腹。○屎白如枣大，合酒半盏，疗自缢死，灌人口鼻中，立活。○屎白一升熬令黄，极热，合酒二升，搅和去滓服，疗中风寒，痉直，口噤不知人。○屎白烧灰绵裹，治齿痛不可忍。安痛处咬之，立瘥。○屎白一升，合大豆五升，炒令变色，乘热以酒沃之，微煮令豆味出，量性饮之，覆身出汗，慎勿触风。治因疮中风，腰脊反张，牙关口噤，四肢强直。○粪三七枚，水二升，煎取五合，下米作粥，主子死腹中不出。○屎白日中晒半干，熬令燥，末合浆饭饮方寸匕，治石淋。○屎烧灰，合酒空心服方寸匕，疗产后小便不禁。

禁 鸡具五色者，食之致狂。○鸡死，足爪不伸者，食之并害人。小儿五岁以下未断乳者，勿与鸡同食。

忌 鸡、兔同食，成泄痢。○肉和鱼肉汁食之，成心瘕。

○ 羽虫

白雄鸡

卵生

白雄鸡肉主下气，疗狂邪，安五脏，伤中，消渴。名医所录。

地〔图经曰〕处处人家畜养之。陈藏器云：白雄鸡三年者能为鬼神所使。《经》云：除狂邪，安五脏，良有自矣。今惟乌骨、金睛、翠耳者为世所贵，入药尤良。

时〔生〕无时。〔采〕无时取。

用 肉、胜胵里黄皮、脑、屎白、翅下毛、距。

色 白。

味 咸。

性 微温。

气 味厚于气，阴中之阳。

臭 腥。

制 治如食法。

治〔疗〕〔唐本注云〕脑，主小儿惊痫。〔日华子云〕肉，调中除邪，利小便，去丹毒。○胜胵里黄皮，止泄精，尿血，崩中，带下，肠风，泻痢。〔陈藏器云〕屎，炒服，主虫咬毒。〔别录云〕取翅下第一毛，两边各一茎，烧灰研，水调服，治诸痈不消，已成脓，惧针不得，欲令速快者。

合治 以一只煮熟，合五味作羹粥食之，疗癫痫不欲眠卧，自贤自智，骄倨妄行不休者。○距及脑烧灰，合酒服，主产难。○以一只合苦酒一斗，煮取三升，分三服，治卒得嗽。○白雌鸡屎随多少，合小便内器中，火熬令燥，为末，每服方寸匕，多服之，疗诸瘕。

禁 白头家鸡及鸡死足爪不伸者，食并害人。

乌雄鸡

无毒　卵生

乌雄鸡肉主补中，止痛。○胆，微寒，主疗目不明,肌疮。○心，主五邪。○血，平，主踒折骨痛及痿痹。○肪，寒，主耳聋。○肠，主遗溺，小便数不禁。○肝及左翅毛，主起阴。○冠血，主乳难。○肶胵里黄皮，微寒，主泄利，小便利，遗溺，除热止烦。○屎白，微寒，主消渴，伤寒寒热，破石淋及转筋，利小

便，止[①]**遗溺，灭瘢痕。**名医所录。

地〔图经曰〕处处人家畜养之。惟羽纯黑无杂色者入药，殊好。

时〔生〕无时。〔采〕无时。

用肉、胆、心及血、肪、肠、肝、左翅毛、冠血、膍胵里黄皮、屎白。

色黑。

味甘。

性微温。

气气厚于味，阳中之阴。

制理如食法。

治〔疗〕〔日华子云〕止肚痛，除风湿麻痹，安胎，治折伤并痈疽。生罯竹木刺不出者。〇膍胵里黄皮，止泄精并尿血，崩中，带下，肠风，泻痢。〔孟诜云〕止心痛，除心腹恶气。〇三年冠血，点目眦上，日三度，疗目泪不止。〔补〕〔日华子云〕补虚羸。〔孟诜云〕以一只如食法，五味汁和，内一器中，封口，重汤煮之，使骨肉相去，虚弱人食之，甚补益。

合治肝一具，勿令入水，切过，合酒服尽，疗卒腹痛，安胎。〇尾毛二七枚，烧灰，合小儿乳汁和，涂刺在肉中不出者，即瘥。〇腊月屎一升，炒黄为末，绢袋盛之，合酒三升渍，温服之，常令醺酣，疗头风。

---

① 止：原无，据《证类本草》补。

○ 羽虫

黑雌鸡

无毒　卵生

黑雌鸡主风寒湿痹，五缓六急，安胎。○血，无毒，主中恶，腹痛，及踒折，骨痛，乳难。○翮羽，主下血闭。名医所录。

地〔图经曰〕处处人家畜养之。〔蜀本云〕血及翮羽去病，黑雌鸡者最优。

时〔生〕无时。〔采〕无时。

用肉、血、翮羽。

色黑。

味甘。

性温。

气气之厚者，阳也。

制如食法。

治〔疗〕〔日华子云〕安心，定志，除邪，辟恶气，治血邪，破心中宿血，及治痈疽，排脓。○胆，治疣目，耳㾭疮，日三傅，良。○肠，治遗尿并小便多。○粪，治中风，失音，痰逆，消渴。破石淋，利小肠余沥，傅疮痍，灭瘢痕。炒服，治小儿客忤，蛊毒。○翼，治小儿夜啼，安席下，勿令母知。〔食疗云〕肉，除反胃，消乳痈。○胆汁，傅月蚀疮绕耳根者，日三度，良。〔补〕〔日华子云〕主产后虚羸，养新血，益色助气。

合治以一只治如食法，合好酒半日，出鸡，服酒，疗卒得嗽。○又合五味炒熟香，即投二升酒中，封口经宿，取饮之，令人肥白。又合乌麻油二升熬令黄，香末入酒饮尽，极效。

○ 羽虫

黄雌鸡

无毒　卵生

黄雌鸡主伤中消渴，小便数，不禁，肠澼，泄痢，补益五脏，续绝伤，疗劳益气。○肋骨，主小儿羸瘦，食不生肌。名医所录。

地〔图经曰〕处处人家畜养之。〔蜀本云〕鸡子以此产者入药为良，故析条详注于后。

时〔生〕无时。〔采〕无时。

用 肉及肋骨。

色 黄。

味 咸、甘。

性 温。

气 气厚于味，阳中之阴。

治〔疗〕〔日华子云〕止劳劣及泄精，除腹中水癖，水肿。〔补〕〔日华子云〕添髓补精，助阳气，暖小肠，补水脏。〔陈藏器云〕益阳。

合治 以一只理如食法，合赤小豆一升同煮，候豆烂即出食之，其汁日二夜一每服四合，补丈夫阳气，及冷气瘦著床者，渐渐食之良。若先患骨热者，不可食之。○屎合黑豆炒，浸酒服，主贼风风痹，破血。

鸡子

鸡子出神农本经。主除热，火疮，痫痓，可作琥珀神物。以上朱字神农本经。卵白，微寒，疗目热赤痛，除心下伏热，止烦满咳逆，小儿下泄，妇人产难，胞衣不出。醯渍之一宿，疗黄疸，破大烦热。○卵中白皮，主久咳结气，得麻黄、紫菀和服之，立已。以上黑字名医所录。

地〔陶隐居云〕鸡子作琥珀，用服卵黄白混杂煮作之，亦极相似，惟不拾芥尔。又煮白合银，口含须臾，其色如金。〔谨按〕鸡子，乃《神农》之文，旧本分注黄雌鸡条下，今另立本条，盖由诸色雌鸡亦各生子，治病所宜稍有区别。

时〔生〕无时。〔采〕无时。

用 白、黄、壳、白皮。

色 红、白。

味 甘。

性 微寒。

气 气薄味厚，阴中阳也。

治〔疗〕〔唐本注云〕乌鸡卵白，解烦热。○黄鸡子，一枚，浊水搅，煮两沸，连水服之，主产后痢。〔药性论云〕鸡子液，除目赤。○黄，涂傅漆疮，良。煎服，主痢，除烦热。炼之，主呕逆。〔日华子云〕鸡子，镇心，安五脏，止惊，安胎及怀妊，天行有热痰，狂走，及男子阴囊湿痒。又开喉声。○壳研，磨翳障。〔别录云〕鸡子，一枚，水煮令外熟内热，吞之，疗天行呕逆不下食，食之即出。又以一枚打破，用水一盏冲之，碟盖少时服，主妇人产后口干舌缩，渴不止者。又卒中五尸、遁尸，其状腹胀气急冲心，或磥魂踊起，或牵腰脊者，以卵一枚取白吞之，困者摇头令下。〔补〕〔唐本注云〕黄鸡子，益气。

合治 乌鸡子三枚，合醋半升，好酒二升，分为四服，微温饮之，治产后血不止。○黄鸡子合醋煮，空腹食之，疗久赤白痢。○又以三枚取白，和蜜一合，生服，疗大人小儿发热。○合蜡作煎饼与小儿食，止痢。○二枚破于器中，合白粉调如稀粥，主妇人胎动腰脐下血。○以一枚取白，合酽醋如白之半，搅和吞之，主产后血闭不下。○鸡子黄合常山末为丸，竹叶煎汤下，治久疟不瘥。○卵合光粉炒干，止小儿疳痢及妇人阴疮。○又合豆淋酒服，治贼风麻痹。○又合醋浸令坏，傅疵皯。○合蜡炒，治疳痢耳鸣耳聋。○鸡子黄炒取油和粉，傅头疮。○又五枚合乱发如鸡子许大，煎化成汁，取傅初生小儿热疮甚妙。服之去小儿惊热下痢及痰热，主百病。○以一枚去壳分清，合荆芥末二钱，调服，疗产后血晕，身痉直带眼，口角与目外眵向上牵急不知人者，遂安。功其敏捷。乌鸡子尤善。

禁 黄鸡子动风气，不可多食。

忌 鸡卵白、鳖同食损人，獭肉同食成遁尸疰，和葱食之气短。

○ 羽虫

白鹅膏

无毒　卵生

白鹅膏主耳卒聋，以灌之。〇毛，主射工水毒。〇肉，平利五脏。名医所录。

地〔陶隐居云〕东川多溪毒，养鹅以辟之。毛羽亦佳。中射工毒者，饮血，又以涂身。鹅未必食射工，盖以威相制尔。乃言鹅不食生虫，今鹅子亦啖蚯蚓。〔陈藏器云〕苍鹅有毒，食虫。白鹅无毒，不食虫。主射工毒，当以苍者良；主渴，以白者胜。

时〔生〕无时。〔采〕无时。

用 脂、毛、肉、卵。

色 白。

性 微寒。

气 气之薄者，阳中之阴。

臭 腥。

治〔疗〕〔唐本注云〕白鹅，治消渴，煮汁饮之。○鹅毛，治小儿惊痫极者。烧灰，治噎疾。〔日华子云〕苍鹅粪，傅蛇、虫咬毒。○白鹅，解五脏热。○脂，润皮肤。○尾罂，治聤耳及耳聋，内之。亦治手、足皴。〔孟诜云〕脂，可合面脂。〔别录云〕鹅羽，治误吞环若指彄者，烧数枝末，饮服之。○白鹅屎，治小儿鹅口不食乳者，汁灌口中，愈。〔补〕〔日华子云〕子，补中益气。〔食疗云〕子，补五脏。

合治 尾烧灰合酒服，治噎。

禁 苍鹅不宜多食，发疮脓，及令人易霍乱，发痼疾。子亦发痼疾。

解 肉解服丹石人毒。

○ 羽虫

鵞肪

无毒　附白鸭屎、肉

卵生

鵞肪主风虚寒热。○白鸭屎，主杀石药毒，解结缚，散蓄热。○肉，补虚，除热，和脏腑，利水道。名医所录。

名 刀鸭[①]、通[②]。

地〔衍义曰〕江湖间处处有之。陶隐居云：鹜即鸭，然有家鸭，有野鸭。陈藏器《本草》《尸子》云：野鸭为凫，家鸭为鹜。《尔雅》云：野凫，鹜。注云：鸭也。如此，则凫、鹜皆是鸭也。又云：《本经》用鹜肪，即家鸭也。如此所说各不同，其意不定。又按唐王勃《滕王阁记》云落霞与孤鹜齐飞，则明知鹜为野鸭也。勃乃唐之名儒，必有所据。故知鹜为野鸭明矣。

时〔采〕九月后。

用 脂。

色 黄。

味 甘。

性 大寒。

气 气之薄者，阳中之阴。

臭 腥。

治〔疗〕〔唐本注云〕鸭肪，治水肿。○鸭肉，治小儿惊痫。○鸭头，治水肿，通利小便。〔日华子云〕野鸭，消食，及治热毒风并恶疮疖，杀腹脏一切虫。○家鸭，消热毒，利小肠，止惊痫及痢。绿头者亦佳。○卵，治心腹胸膈热。〔孟诜云〕野鸭，消十二种虫，平胃气，调中，轻身。及治身上[③]热疮，多年不愈者，食之，瘥。○白鸭肉，治小儿头生疮肿。○粪，治热毒，毒痢。〔食疗云〕屎可拓蚯蚓咬疮。〔别录云〕青雄鸭，治卒大腹水病，以水五升煮取一升，饮尽，厚盖之取汗，瘥。〔补〕〔日华子云〕

① 刀鸭：原注“小鸭也”。

② 通：原注“白鸭屎也”。

③ 上：此后原衍“小”字，据《证类本草》删。

家鸭，补虚。〔孟诜云〕野鸭，补中益气。

合治 白鸭肉合葱、豉，作汁饮之，治卒烦热。○鸭粪和鸡子白调，傅热毒疮，及肿毒内消。○青头鸭一只细切，和米并五味煮，令极熟，作粥，空腹食之，治十种水病，不瘥垂死者。○白鸭一只去毛肠，汤洗饙[①]饭半升，以饭、姜酿鸭腹中，缝合，蒸候熟，食之，治水气胀满，浮肿，小便涩少。

禁 凡鸭[②]自死口不闭者，食之杀人。黑鸭食之，能滑中，发冷痢，下脚气。鸭卵多食，发气动冷疾，令背膊闷。小儿食之，脚软不能行。

忌 鸭卵及肉不可合鳖肉同食，能害人。野鸭，病人不可与木耳、胡桃、豉同食。

解 鸭血解诸毒及野葛毒，饮之，瘥。家鸭肉解丹毒。白鸭屎汁和水调服，解服石药过剂者及金、银、铜、铁毒。

---

① 饙：原注“甫云切，半蒸饮”。

② 鸭：原作“鸟”，据《证类本草》改。

○ 羽虫

鹧鸪

无毒　卵生

鹧鸪主岭南野葛菌毒、生金毒，及温瘴久欲死不可瘥者。合毛熬酒渍之，生捣取汁服，最良。名医所录。

名 越雉、随阳鸟。

地〔图经曰〕生江南，今江西、闽广、蜀夔州郡皆有之。其形似母鸡，臆前有白圆点，背间有紫赤毛，彼人呼为越雉。《南越志》云：鹧鸪虽东西回翔，然开翅之始，必先南翥，故谓之随阳鸟。崔豹《古今注》云：人言其名自呼，此则不然，其鸣若云钩辀格磔，即郑谷所谓相呼相唤，湘江曲者是也。

时〔生〕无时。〔采〕无时。

用 毛、肉。

质 类母鸡。

色 紫赤。

味 甘。

性 温，缓。

气 气厚于味，阳也。

治〔疗〕〔图经曰〕其脂膏，手可以已瘫[①]瘃[②]，令不龟裂。〔衍义曰〕肉，治瘴。〔补〕〔孟诜云〕肉，能补五脏，益心力，聪明。

合治 肉合酒服，治蛊气，瘴疾欲死者。

禁 其自死者不可食。

忌 与竹笋同食，令人小腹胀。

解 蛇、菌等毒。

---

① 瘫：原注“徒用切”。

② 瘃：原注“陟玉切”。

○ 羽虫

雁肪

无毒　卵生

雁肪出神农本经。主风挛拘急，偏枯，气不通利。久服益气，不饥，轻身，耐老。以上朱字神农本经。长毛发、须眉。以上黑字名医所录。

地〔图经曰〕生江南池泽。陶隐居云：大曰鸿，小曰雁。今雁类亦有大小皆同一形，然冬则南翔，夏则北徂，时当春夏则孳[①]育于北。又别有野鹅，大于雁，犹似家苍鹅，谓之驾[②]鹅。雁肪自不多有，食其肉亦好。〔衍义曰〕雁，人多不食者，谓其知阴阳之升降，分长少之行序，世谓之天厌，亦道家之一说尔。雁为阳鸟，其义未尽。兹盖得中和之气，热则即北，寒则即南，以就和气。所以为礼币者，一以取其信，二以取其和也。

时〔生〕无时。〔采〕无时。又云：冬月取者良。

用 肪、毛。

色 白。

味 甘。

性 平。

气 气之薄者，阳中之阴。

臭 腥。

治〔疗〕〔唐本注云〕雁喉下白毛，治小儿痫疾。〔日华子云〕雁肪，治风麻痹。○其毛自落者，小儿带之，疗惊痫。〔衍义曰〕雁肪，治诸风。〔孟诜云〕雁膏，可合生发膏及治耳聋。〔补〕〔日华子云〕雁肪，久食，助气，壮筋骨。

合治 骨灰和泔洗头，长发。○脂和豆黄作丸，补劳瘦，肥白人。○雁屎白合人精和，傅炙疮肿痛。○雁肪四两，炼滤过，每日空心合暖酒一杯，肪一匙头，饮之，治风挛拘急，偏枯，血气不通利。

禁 六月、七月食雁，伤神。

解 杀诸石药毒。

---

① 孳：原注“音兹”。

② 驾：原注“音加”。

鱼狗

无毒　卵生

鱼狗主鲠及鱼骨入肉不可出，痛甚者，烧令黑，为末，顿服之。煮取汁饮亦佳。名医所录。

〔谨按〕《尔雅》云：鴗[1]，天狗也。穴土为巢，江东人呼为水狗。《埤雅》云：此鸟知天将雨之鸟也，其形小不盈握，似燕，绀色而长喙短尾。居溪曲以自藏匿，犹雉分畿，虽飞不越分域。至春先高作巢，及生子，爱之恐堕，稍下作巢。子生毛羽，复益爱之，又更下巢也。亦自炫其毛羽，日浴澄澜之间，鲜缛可爱。或谓之翡翠，名前为翡，名后为翠。又云：雄赤曰翡，雌青曰翠。性善捕鱼，故曰鱼师，又谓之鱼虎。其小者谓之翠碧，今花工取以为女人面饰者是也。又虫部一种亦名鱼虎，但不能翔，而形质与此不侔也。

名 鱼虎、鱼师、天狗、水狗、翠碧、鹬。

地 出南海及江东，今水泽处多有之。

时 〔生〕春夏。〔采〕无时。

色 翠。

味 咸。

性 平，软。

气 味厚于气，阴中之阳。

臭 腥。

制 烧黑为末，或煮汁用。

① 鴗：原注“立及切”。

九种陈藏器余

鹬猬注，苏云：如蚌鹬。按鹬，如鹑，嘴长，色苍，在泥涂间作鹬鹬声，人取食之如鹑，无别余功。苏恭云：如蚌鹬之相持也。新注云：取用补虚，甚暖。村民云：田鸡所化，亦鹌鹑同类也。

鷃蝉注，陶云：雀、鷃、蜩、范。按鷃是小鸟，如鹑之类，一名鴽。郑注《礼记》：以鷃为鴽。又云：鴽，鴂疑母也。《庄子》云：赤鷃，人食之，无别功用也。

阳乌鹳注，陶云：阳乌，是鹳。按二物殊不似。阳乌身黑，颈长白，殊小。鹳嘴，主恶虫咬作疮者，烧为末，酒下。亦名阳鸦，出建州。

凤凰台味辛，平，无毒。主劳损，积血，利血脉，安神。《异志》云：惊邪，癫痫，鸡痫，发热狂走，水磨服之。此凤凰脚下物，如白鸟非梧桐不栖，非竹实不食。不知栖息那复近地，得台入土，正是物有自然之理，不可识者。今有凤处，未必有竹，有竹处，未必有凤，恐是诸国麟凤洲有之。如汉时所贡续弦胶，即煎凤髓所造。有亦曷足怪乎？今鸡亦有白台，如卵硬，中有白无黄，云是牡鸡所生，名为父公台。《本经》鸡白橐，橐字似臺，后人写之误耳。《书记》云：诸天国食凤卵，如此，土人食鸡卵也。

鸀鳿鸟主溪毒，沙虱，水弩，射工，蜮，短狐，虾须等病。将鸟来病人边，则能唼人身，讫，以物承之，当有砂石出也。其砂即是含沙射人砂，是此虫之箭也。亦可烧屎及毛作灰服之。亦可笼以近人，令鸟气相吸。山中水毒处，即生此鸟，当为食毒虫所致。已前数病，大略相似，俱是山水间虫，含沙射影。亦有无水处患者，防之，发，夜卧常以手磨身体，觉辣痛处，熟视，当有赤点如针头，急捻之，以芋叶入肉刮，却，视有细沙石，以蒜封疮头上。不尔，少即寒热，疮渐深也。其虾须疮，桂岭独多，著者十活一二。唯有早觉者，当用芋草及大芋、甘蔗等叶，屈角入肉钩之，深尽根，蒜封可瘥。须臾，即根入至骨，其根[1]拔出如虾须，疮号虾须疮，有如疔肿。最恶著[2]人幽隐处，自余六病。或如疟及天行初著寒热，亦有疮出者，亦有无疮者，要当出得砂石，迟缓易疗，不比虾须。鸂鶒鸟，如鸭而大，眼赤嘴斑，好生山溪中。

巧妇鸟主妇人巧，吞其卵。小于雀，在林薮间为窠，窠如小囊袋。亦取其窠烧。女人多以熏手令巧。《尔雅》云：桃，虫鷦。注云：桃雀也，俗呼为巧妇鸟也。

英鸡味甘，温，无毒。主益阳道，补虚损，令人肥健悦泽，能食，不患冷，常有实气而不发也。出泽州有石英处，常食碎石英，体热无毛，飞翔不远。人食之，

① 根：原无，据《证类本草》补。
② 著：原作“者”，据《证类本草》改。

取其英之功也。如雉，尾短，腹下毛赤，肠中常有碎石英。凡鸟食之，石入肠，必致销烂，终不出。今人以末石英饲鸡，取其卵而食，则不如英鸡。

鸵[①] **鸟屎**无毒。主人中铁刀入肉，食之立销。鸟如驼，生西夷，好食铁。永徽中，吐火罗献鸟，高七尺，如驼，鼓翅行，能食铁也。

鸡鹊水鸟，人家养之，厌火灾。似鸭，绿衣，驯扰不去。出南方池泽。《尔雅》云：鳽[②]，鸡鹊，畜之厌火灾。《博物志》云：鸡鹊，巢于高树，生子穴中，衔其母翅飞下。

本草品汇精要卷之二十六

---

① 鸵：原作“驼”，据印本改。
② 鳽：原注“鳽，音坚也”。

本草品汇精要

·卷之二十七·

禽部 中品

三种	神农本经 朱字
三种	名医别录 黑字
八种	陈藏器余

已上总一十四种，内二种今增图

雀卵脑、头血、屎附	燕屎石燕附，今增图	伏翼
天鼠屎	鹰屎白今增图	雉[①]白鹇附[②]

八种陈藏器余

蒿雀	鹖鸡	山菌子
百舌鸟	黄褐侯	鹫雉
鸟目[③]	鹔鹴膏	

① 雉：原作“雉肉”，据正文药名标题改。

② 白鹇附：原无，据正文药下附品项补。

③ 鸟目：此后原衍“无毒”二字，据正文药名删。

本草品汇精要卷之二十七

禽部中品

○ 羽虫

雀卵

无毒　附脑、头血、屎

雀卵主下气，男子阴痿不起，强之令热，多精有子。○脑，平，主耳聋。○头血，主雀盲。○雄雀屎，温，疗目痛，决痈疖，女子带下，溺不利，除疝瘕。名医所录。

名 青丹、白丁香[①]、雀苏[②]。

地〔图经曰〕旧本不著所出州土，今处处有之。〔谨按〕《埤雅》云：雀，头如颗蒜，目如擘椒，物之至淫者也。头紫，颔、嘴黑色，腮白，身尾苍褐，有黑斑相杂。其声啧啧不息，其行轻捷，跳跃不定，盖其性属阳故也。正谓凡动属火，所以功用能助阴道而益阳也。

时〔生〕春夏。〔采〕五月取卵，冬月取肉，腊月取屎。

用 卵及头血、雄雀屎、脑。

色 苍褐有斑。

味 酸。

性 温，收。

气 气厚于味，阳也。

臭 腥。

主 益精强阴。

制〔雷公云〕雀苏，凡使，勿用雀儿粪，其雀儿口黄未经淫者粪是苏。若底作尖在上者是雄，两头圆者是雌。阴人使雄，阳人使雌。凡采之，先去两畔，有附子生者勿用。然后于钵中研如粉，煎甘草汤浸一宿，倾上清甘草水尽，焙干任用。

治〔疗〕〔陶隐居云〕头血，治黄昏目无所见，谓之雀盲。○雄雀屎，治龋齿痛，有虫，以绵裹塞孔中，日二三易之。〔日华子云〕肉，缩小便，治血崩带下。〔孟诜云〕脑，涂冻疮。〔别录云〕雄雀粪，治咽喉闭塞，口噤，细研，每服半钱匕，温水调

① 青丹、白丁香：原注“并雄雀粪也”。
② 雀苏：原注“黄口小雀粪也”。

下。及治诸痈不消，已成脓者，取涂头上即破。又治小儿中风口噤，食乳不下，以雀屎白水丸如麻子大，服二丸即愈。〔补〕〔唐本注云〕肉，起阳道，食之令人有子。〔日华子云〕肉，益气，暖腰膝。〔孟诜云〕肉，十月以后、正月以前食之，续五脏不足，助阴道，益精髓。

合治 卵白，合天雄、菟丝子末为丸，空心酒下五丸，治男子阴痿不足，女子带下，便溺不利。除疝瘕，决痈肿，续五脏气。○屎合首生男儿乳，研如薄泥，点目中胬[1]肉，赤脉贯瞳子者，即消。○合蜜和为丸，饮服之，治癥瘕，久痢，冷病。或和少干姜服之，大肥悦人。○腊月收雀屎合干姜、桂心、艾等为丸，治痃癖诸块，伏梁入腹，能烂痃癖。患痈肿，若不溃，以一丸傅之，立决。及治急黄欲死，以二丸细研，水温服之。○白丁香半两，捣罗为末，每服一钱匕，合温酒，不拘时调下，治妇人吹奶。

忌 雀肉不可与李子同食。又妊妇合酱食之，令子面上多生斑皯。同酒食之，令子心淫乱。

---

① 胬：原作“弩”，据印本改。

○ 羽虫

燕屎

有小毒　附石燕[1]

燕屎主蛊毒，鬼疰，逐不祥，邪气，破五癃，利小便。神农本经。

① 附石燕：原脱，据目录补。

名〔燕〕鳦、玄鸟。

地〔图经曰〕生高山平谷，今处处有之。陶隐居云：燕有两种，有胡，有越。紫胸、轻小者是越燕，不入药用；胸斑黑、声大者是胡燕，俗呼为夏候者是也。其作窠喜长，人言有容一疋绢者，令家富。窠亦入药用，与屎同。惟抱子处者为佳。〔别录云〕一种石燕，暖，无毒，在乳穴石洞中，冬月采之，堪食。余不中食，只可治病也。

时〔采〕三月至八月取屎。

用 屎、窠。

味 辛。

性 平。

气 气之薄者，阳中之阴。

臭 臭。

治〔疗〕〔陶隐居云〕胡燕窠与屎，作汤，浴小儿惊邪。〔唐本注云〕胡燕卵，治水肿。○肉，出痔虫。○越燕屎，疗痔，杀虫，去目翳。〔日华子云〕石燕，缩小便，御风寒，岚瘴，瘟疫气。〔别录云〕胡燕卵中黄，顿吞十枚，治卒大腹水病。○胡燕窠中土，水和，傅卒得浸淫疮有汁，多发于心，不早疗，周匝身则杀人。○燕屎末，以冷水服五钱匕，治石淋，旦服至食时，当尿石出。○燕粪一合，以水浆二升相和，灌之，治牛非时吃著杂虫，腹胀满者。〔补〕〔日华子云〕石燕，壮阳，暖腰膝，添精补髓，益气，润皮肤。

合治 燕屎，取方寸匕，合酒一升调，令患人两手捧碗，当鼻下承取气，治疟疾。慎勿入口，毒人。○取屎三合，熬令香，合独头蒜十枚，去皮，和捣为丸如桐子大，每服三丸，治蛊毒，当随利下而出。○燕窠中土，合猪脂、苦酒和，傅蠼螋尿疮。不速治，绕身匝即死。

禁 燕肉不可食，亦不宜杀之。

○ 羽虫

伏翼

无毒

伏翼出神农本经。主目瞑，痒痛，明目，夜视有精光。久服令人喜乐，媚好无忧。以上朱字神农本经。疗淋，利水道。以上黑字名医所录。

名 蝙蝠、天鼠、仙鼠。

地〔图经曰〕伏翼，蝙蝠也。出泰山川谷，及人家房屋间亦有之，苏恭谓之仙鼠者。在山孔中食诸乳石精汁，皆千岁，头上有冠，纯白，大如鸠、鹊，食之令人肥健长年。其大如鹑，未白者，皆已百岁，而并倒悬。盖倒悬者脑重故耳。其石乳中者，即《仙经》所谓肉芝是也。其屎皆白，即下条天鼠屎也。然今蝙蝠多生屋中，白而大者盖稀有，屎亦少白色者。料其出乳石处山中生者，当应如此尔。〔衍义曰〕伏翼白日能飞，但畏鸷鸟，不敢出。此物善服气，故能寿。冬月不食，亦可验也。

时〔生〕无时。〔采〕立夏后取。

收 阴干。

用 倒悬者佳。

质 类鼠而有翅。

色 灰黑。

味 咸。

性 平。

气 气之薄者，阳中之阴。

臭 腥。

主 清眼目，利水道。

助 苋实、云实为之使。

制〔雷公云〕凡仙鼠重一斤者方采之，每修事先拭去肉上毛，去爪、肠，留翅并肉、脚及嘴。然后用酒浸一宿，漉出，取黄精自然汁涂之，炙令干方用。每修事重一斤一个，用黄精自然汁五两为度。

治〔疗〕〔唐本注云〕天鼠十一月、十二月取，治女人生子，余疾带下。○脑，主女子面疱，服之令人不忘。○其血滴目中，令人不睡，夜中见物。〔药性论云〕肉，治五淋。〔日华子云〕肉，久服解愁。

合治 五月五日取伏翼倒悬者，晒干，和桂、薰陆香为末烧之，去蚊虫。○伏翼烧为灰，细研，合粥饮调下半钱，日四五服，治小儿生十余月后，母又妊，令儿精神不爽，身体萎瘁，名为魃病。炙令香熟，嚼之哺儿，亦效。又除翅足，烧令焦，末合米饮服之，治咳嗽上气，诸药尤效，久不瘥者。

禁 非倒悬者不可服。

天鼠屎

无毒

天鼠屎出神农本经。主面痈肿，皮肤洗洗时痛，腹中血气，破寒热积聚，除惊悸。以上朱字神农本经。去面黑皯。以上黑字名医所录。

名 石肝、夜明沙、鼠法。

地〔图经曰〕出合浦山谷，其屎皆白，如大鼠屎，入药当用此也。今生古屋中者，其屎少有白色，恐出山谷中如此。又按唐本注云：天鼠屎即伏翼屎也，伏翼条下不用屎，是此明矣。

时〔采〕十月、十二月取。

用 屎。

味 辛。

性 寒，散。

气 气之薄者，阳中之阴。

臭 臭。

主 破积聚，去面皯。

反 恶白蔹、白薇。

制 烧灰入药，生亦可用。

治 〔疗〕〔日华子云〕夜明沙，炒服，治瘰疬。

合治 天鼠屎烧为灰，合酒服方寸匕，主子死腹中。○夜明沙捣为末，每服一大钱，合冷茶调下，治五疟，立效。○仙鼠屎三两枚，细研，以热酒一升投之，取其清酒服，治马扑损痛不可忍者，不过二三次即瘥。○夜明沙为散，任意拌饭并吃食中食之，治一岁至二岁小儿无辜，二岁号干无辜。

鹰屎白

有小毒

鹰屎白主伤挞，灭瘢。

名医所录。

〔谨按〕鹰之为物，其目如电，其嘴如钩，剑翎铁爪，势力勇健，有降伏百鸟之威，乃羽虫中猛烈者也，故取以辟邪魅。其搏啖快利，所以食哽之疾用之。乃物类之相制，此哲人格致之理，斯可见矣。

名 鹰条。

时〔采〕无时。

用 头、嘴、爪、肉、屎、目睛。

色 白。

性 平、微寒。

气 气之薄者，阳中之阴。

臭 臭。

主 中恶。

治〔疗〕〔陈藏器云〕肉，食之，主邪魅，野狐魅。○嘴及爪，主五痔，狐魅，烧为末服之。〔别录云〕治食哽，以鹰[①]屎烧末服方寸匕，虎、狼、雕屎亦得。

合治 头烧灰，合米饮服之，主五痔。○眼睛合乳汁研之，夜三注眼中，三日见碧霄中物，忌烟熏。○黄鹰屎白一钱，合密陀僧一两，舶上硫黄一分，丁香二十一个，为末，每服一字，治小儿奶癖。三岁以上半钱，用乳汁或白面汤调下，并不转泻一伏时，取下青黑物，后服补药。酸石榴皮半两炙黑色，伊祁一分，木香一分，麝香半钱，同为末，每服一字，温薄酒调下，并吃二服。凡小儿胁下硬如有物，乃是癖气，俗谓之奶脾。只服温脾化积气丸药，不可取泻，无不愈也。取之多失。○鹰屎白独用不能灭瘢，须合诸药，僵蚕、衣鱼之属为膏，则有验也。

---

① 鹰：此前原衍“雁”字，据印本删。

○ 羽虫

雉

无毒，《日华子》云有小毒　附白鹇　卵生

雉肉主补中，益气力，止泄痢，除蚁瘘。名医所录。

名 山鸡、翟山雉、野鸡。

地〔图经曰〕《本经》不载所出州土，今南北皆有之。类家鸡而尾长，顶具朱冠，羽分五彩。《周礼》庖人供六禽，而雉居其一，亦食品之贵者。《尔雅》所载雉名尤多，今人鲜能尽识。江淮、伊洛间一种，尾长而小者为山鸡，人多畜之。樊中所谓翟山雉也。江南又一种毛白而背有细黑纹，名曰白鹇，亦堪畜养。彼人食其肉，亦雉之类。其余不复用也。〔衍义曰〕其飞若矢，一往而堕，故今人取其尾置船车上，意欲取其快速之义也。

时〔生〕冬夏。〔采〕秋冬取。

用 肉。

质 类家鸡，尾长而有五色。

味 酸。

性 微寒。

气 味厚于气，阴也。

治〔疗〕〔唐本注云〕肉，治诸瘘疮。〔别录云〕主五脏气喘不得息者，效。作馄饨食，治产后下痢，腰腹痛。

合治 和盐、豉作羹食之，治消渴，饮水无度，小便多，口干渴。○野鸡一只，如食法，细切，合橘皮、椒、葱、盐、酱调和，作馄饨煮熟，空心食之，治脾胃气虚，下痢日夜不止，肠滑不下食。

禁 九月至十一月食之即有补。他月有毒，食之发五痔及诸疮疥。自死足爪不伸者，食之杀人。

忌 不可与胡桃、菌蕈、木耳、豉之类同食，令人发头风及心痛，亦发痔疾，立下血。与荞麦面同食，生肥虫。卵与葱同食，生寸白虫。

八种陈藏器余

蒿雀味甘，温，无毒。食之益阳道。取其脑，涂冻疮，手足不皲。似雀，青黑，在蒿间，塞外弥多。食之美于诸雀。塞北突厥雀，如雀，身赤，从北来，当有贼下边人候之。食其肉，极热，补益人也。

鹖鸡味甘，无毒。食肉，令人勇健。出上党。魏武帝《赋》云：鹖鸡，猛气，其斗终无负，期于必死。今人以鹖[①]为冠，像此也。

山菌子味甘，平，无毒。主野鸡病，杀虫。煮炙食之。生江东山林间，如小鸡，无尾。

百舌鸟主虫咬，炙食之。亦主小儿久不语。又取其窠及粪，涂虫咬处。今之莺，一名反舌也。

黄褐侯味甘，平，无毒。主蚁瘘，恶疮。五味淹炙，食之极美。如鸠，作绿褐色，声如小儿吹竽。

鸑雉主火灾。《天竺法真登罗山疏》云：《山海经》曰鸑雉养之，禳火灾。如雉，五色。

鸟目无毒。生吞之，令人见诸魅。或以目睛研，注目中，夜见鬼也。肉及卵食之，令人昏志[②]。毛把之，亦然，未必昏，为其臭膻。

---

① 鹖：原注"曷、渴二音"。

② 志：原作"忘"，据《证类本草》改。

䴙[①] **䴘**[②] **膏**主耳聋，滴耳中。又主刀剑令不锈，以膏涂之。水鸟也，如鸠、鸭，脚连尾，不能陆行，常在水中。人至即沉，或击之便起。《尔雅》注云：膏，主堪莹剑。《续英华诗》云：马衔苜蓿叶，剑莹䴙䴘膏，是也。

本草品汇精要卷之二十七

① 䴙：原注“扶历反”。
② 䴘：原注“天黎反”。

本草品汇精要

·卷之二十八·

禽部 下品

五种 名医别录 黑字

一种 唐本先附 注云唐附

一十三种 宋本先附 注云宋附

四种 今补

八种 陈藏器余

已上总三十一种，内一十六种今增图

白鹤宋附，今增图

孔雀屎[1]今增图

鸱[2]头今增图

鸂鶒宋附，今增图

斑鵻宋附，青鵻附，今增图

乌鸦宋附

练鹊宋附，今增图

鹁鸽唐附，今增图

雄[3]鹊

鸬鹚屎头附

鹳骨今增图

白鸽宋附，今增图

百劳宋附，今增图

鹑宋附，今增图

啄木鸟宋附，今增图

慈鸦宋附，今增图

鹘嘲宋附，今增图

鹈鹕宋附，今增图

鸳鸯宋附，今增图

天鹅今补

鸨今补

嶋𪆂今补

水鷙今补

八种陈藏器余

布谷脚、脑、骨

蚊母鸟翅[4]

杜鹃

鸮目

钩鹆

姑获

鬼车

诸鸟有毒

① 屎：原无，据正文药名补。

② 鸱：原注“尺脂切”。

③ 雄：原作“鴆”，据总目改。

④ 翅：原无，据正文药名补。

本草品汇精要卷之二十八

禽部下品

○ 羽虫

白鹤

无毒　卵生

白鹤血主益气力，补劳乏，去风，益肺。○肫中砂石子，磨服，治蛊毒邪。名医所录。

名 胎禽。

地〔图经曰〕生青田及扬州，今处处有之。其形似鹳而大，竦身，高脚，顶丹，身白，项有乌带，翼末有黑羽，其唳清亮，远闻数里。《小雅》云：鹤鸣于九皋，声闻于野是也。然有玄，有黄，有白，有苍，白者堪用，余者次之。《穆天子传》云：天子至，巨、蒐二氏献白鹤之血，以饮天子。注云：血，益人气力。

时〔生〕无时。〔采〕无时。

色 白。

味 咸。

性 平。

气 味厚于气，阴中之阳。

臭 腥。

孔雀屎

《日华子》云：孔雀，微毒

孔雀屎主女子带下，小便不利。名医所录。

地〔陶隐居云〕出广、益诸州，方家不见用。〔唐本注云〕交广有，剑南原无，其屎堪入药用。〔谨按〕《埤雅》云：孔雀不必配合，止以音影相接便孕，亦与蛇偶。《禽经》曰：鹊见蛇则噪而贲，孔雀见蛇则婉而跃。《博物志》云：孔雀尾多变色，或红或黄，喻如云霞，其色无定，人拍其尾则舞，尾有金翠，五年而后成。始生三年，金翠尚小，初春乃生，三四月后复凋，其金翠亦与花萼同衰荣也。其类有雌有雄，雌者不冠，尾短而无金翠；雄者有冠，尾长而多金翠。其性颇妒忌，自矜其尾，虽驯养已久，遇妇人、童子服锦彩者，必逐而啄之。每欲山栖，先择置尾之地。欲生捕者，候雨甚，往擒之，因其尾沾雨重，不能高翔。人虽至且爱其尾，不复骞扬也。人采其尾以饰扇，惟生取则金翠之色不减。南人取其尾者，持刀预潜隐于丛竹处，伺过即斩其尾，若不即断，回头一顾，金翠无复光彩矣。

时〔生〕无时。〔采〕无时。

用 屎、血、肉。

色 青、白。

味〔肉〕咸。

性 屎，微寒。肉，凉。

气 味厚于气，阴也。

臭 臭。

制 研细用。

治〔疗〕〔日华子云〕粪，治崩中带下，及傅恶疮。

禁 尾入人眼则翳，入人耳则聋。

解 肉，解药毒、蛊毒。○血，生饮之，解毒药。

鸱头

无毒　卵生

鸱头主头风眩颠倒，痫疾。名医所录。

名 鸱鸺、只狐、鸢。

地〔谨按〕《埤雅》云：怪鸱，即鸺鹠也。猫目燕颡，似鹰而白，其鸣即雨，为囮可以聚诸鸟，昼无所见，夜则飞。啖蚊、虻。鸮、鵩①、鬼车之类，《庄子》所谓鸱鸺②，夜撮蚤，察毫末，昼则瞋目，而不见丘山、蓝田。吕氏曰：恶声之鸷鸟也。有鸮萃止翩，彼飞鸮为枭，为鸱，此亦枭之类尔。《本经》不载所出州土，今处处有之。

用 头。

色 苍褐。

味 咸。

性 平，软。

气 味厚于气，阴中之阳。

治〔疗〕〔食疗云〕肉，治癫痫疾。

合治 飞鸱头二枚，合铅丹一斤，右二味末，和蜜丸，食后三丸，治癫痫，瘛疭。

---

① 鵩：原作"服"，据本书卷二十八"鸮目"条改。
② 鸱鸺：本书卷二十八"钩鵅"条作"鵋鸮"。

○ 羽虫

鸂鶒

无毒　卵生

鸂鶒治惊邪，食之主短狐。可养，亦辟之。

名医所录。

地〔图经曰〕鸂鶒五色，尾有毛，如船柂，小于鸭。《临海异物志》曰：鸂鶒，水鸟，食短狐。盖短狐即《史记》云蜮，其形似鳖，含沙射人为害者。〔谨按〕《埤雅》云：沈约《郊居赋》所谓秋鹥寒鶒，修鷁短兜，是也。性食短狐，在山泽中无复毒气，故《淮赋》云：鸂鶒寻邪而逐害。此鸟盖溪中之敕邪逐害者，故以名之。如鸠之步罡，鸳之画印，鶒之敕，蜾蠃之祝，皆物之有术智者也。然其溪游，雄者左，雌者右，虽群伍皆有式度也。

时〔生〕无时。〔采〕无时。

用 肉。

味 甘。

性 平，缓。

气 气厚于味，阳中之阴。

臭 腥。

斑鶴

无毒　附青鶴　卵生

斑鶴主明目，多食其肉，益气，助阴阳。〇又有青鶴，平，无毒，安五脏，助气虚损，排脓，治血，并一切疮疖，痈瘘。名医所录。

名 斑鸠、布谷、黄褐侯鸟。

地〔图经曰〕处处有之，春分则化为黄褐侯，秋分则化为斑鵻。〔衍义曰〕斑鵻，即斑鸠也，其性拙，不能为巢。《诗》云：维鹊有巢，维鸠居之。正谓此也。然有斑者，有无斑者，有灰色者，有小者，有大者，虽有此数色，其用则一也。《经》云：能化，人尝养之数年，并不见其春秋分化也。

时〔生〕春夏生。〔采〕无时。

用 肉。

色 灰紫。

味 甘。

性 平，缓。

气 气厚于味，阳中之阴。

臭 腥。

治〔补〕〔衍义曰〕久病虚损人食之，补气。

○ 羽虫

乌鸦

无毒　卵生

乌鸦治瘦，咳嗽，骨蒸劳。腊月瓦缸泥煨烧为灰，饮下，治小儿痫及鬼魅。○目睛，注目中，通治目。名医所录。

地〔图经曰〕旧不著所出州土，今在处有之。〔谨按〕此乌大于慈乌，身喙尽黑，其鸣哑哑，故名之乌鸦也。《格物论》云：一种大喙白颈者，南人谓之鬼雀，其声恶而致人所憎，故俗以吉凶占之也。

时〔生〕无时。〔采〕腊月取。

用 翅、羽、嘴、足、头。

质 类慈乌而大。

色 黑。

味 酸、咸。

性 平。

气 味厚于气，阴也。

臭 腥。

主 小儿风痫，大人骨蒸。

制 烧灰用。

治〔疗〕〔别录云〕鸦头，治土蜂瘘，以烧灰，细研，傅之。○其翅羽七枚烧末，合酒服，治从高堕下，瘀血胀心，面青短气者，当吐出血即愈。○乌鸦，以腊月取翅、羽、嘴、足全者，泥缶固济，大火烧煅，入药，治急风。

练鹊

无毒　卵生

练鹊益气，治风疾。冬春间取，细剉，炒令香，袋盛于酒中浸，每朝取酒温服之。名医所录。

地〔图经曰〕旧本不著所出州土，今山林间处处有之。形似鹳鸽，眼赤而小，雄者色白，雌则灰褐。其尾俱长，嘴脚尽红，项颔微翠，常与鸦鹊群飞，人以网得之。入药唯食槐子者良。

时〔生〕无时。〔采〕冬春间取。

质 类鹳鸽。

色 灰褐。

味 甘。

性 温、平。

气 气之厚者，阳也。

臭 腥。

制 细剉，炒令香用。

○ 羽虫

鸲鹆

无毒　卵生

鸲鹆肉主五痔，止血，炙食，或为散饮服之。

名医所录。

地〔唐本注云〕旧本不著所出州土，江南多有之。此鸟似鵙而有帻，黑身金眼，翅翎有白。人于端午，以东壁土捻其舌，能效人言也。

时〔生〕无时。〔采〕腊月腊日取。

用 肉。

质 类鵙而有帻。

色 黑。

味 甘。

性 平，缓。

气 气厚味薄，阳中之阴。

臭 腥。

主 止吃噫，除久嗽。

制〔食疗云〕作羹食之，或捣用。

治〔疗〕〔日华子云〕肉，治老嗽及吃噫下气，须腊月取者，炙食之。

合治 腊月腊日取鸲鹆炙，捣为末，合白蜜丸服之，治老嗽不瘥。非腊日得者，不堪用。○目睛合乳汁研，点眼甚明，能见云外之物。

○ 羽虫

雄鹊

无毒　卵生

雄鹊主石淋，消结热。

名医所录。

名 飞驳鸟。

地 〔图经曰〕旧不著所出州土，今在处有之。每遇冬至架巢，春乃成之，其巢最为完固。此鸟不交，惟是传枝感气育卵而生也。用之烧作灰，以石投中，散解者是雄也。〔陶隐居云〕鸟之雌雄难别。旧云：其翼左覆右者是雄，右覆左者是雌。又烧羽作屑，内水中沉者是雄，浮者是雌。今云投石，恐止是鹊也，余鸟未必尔。其脑五月五日取之，亦入术家用。

时 〔生〕春夏。〔采〕无时。

用 肉、脑。

色 黑、白。

味 甘。

性 寒。

气 气之薄者，阳中之阴。

臭 腥。

主 消渴。

制 烧灰，或淋汁用。

治 〔疗〕〔图经曰〕肉，治风及大小肠涩，四肢烦热，胸膈痰结。〔陶隐居云〕雄鹊子，下石淋，烧作灰，淋取汁饮之。〔日华子云〕肉，治消渴疾。○鹊巢多年者，烧灰，疗癫狂，鬼魅及蛊毒，亦傅瘘疮。

禁 妇人不可食。

鸬鹚屎

有毒　附头

鸬鹚屎主去面黑皯、黡痣①。〇头，微寒，主鲠及噎。烧服之。

名医所录。

① 痣：原作"志"，据医理改。

名 蜀水花。

地〔图经曰〕旧不载所出州土，今水乡皆有之。此鸟胎生，从口中吐雏如兔子类，故杜台卿《淮赋》云：鸬鹚吐雏于八九，鸡鹊衔翼而低昂，是也。产妇临蓐，令执之则易生。其屎多在山石上，紫色如花，就石上刮取用之。《本经》名蜀水花，而唐之面膏方有用鸬鹚屎，又用蜀水花者，安得一物而两用，未知其的。别有一种，似鸬鹚而头细，背长，顶上有白者，名曰白鲛，不堪药用。〔衍义曰〕此鸟不卵生，口吐其雏，今人谓之水老鸦。巢于大木，群集宿处，常久则木枯，以其粪毒也。怀妊者不敢食，盖为口吐其雏。又云：执之易产，二说相戾。尝官于澧州，公宇后有大木一株，其上有三四十巢，日夕观之，既能交合，兼有卵壳布地，其色碧，岂得雏吐口中，是未目及，盖传闻之误也。

时〔生〕无时。〔采〕无时。

用 屎。

色 紫。

性 冷。

气 气之薄者，阳中之阴。

臭 腥。

制 研细用。

治〔疗〕〔陶隐居云〕骨，治鱼骨鲠。〔别录云〕粪，烧灰，水服方寸匕，能断酒。

合治 粪，和脂油调，傅面瘢疵及汤火疮痕，并疗疮。○屎干碾为末，炙猪肉，点与小儿啖之，治痦蛔。○粪一合，研，以腊月猪脂和，每夜傅鼻面酒皶疱。

禁 肉，怀妊不宜食。

○ 羽虫

鹳骨

无毒

鹳骨主鬼蛊，诸疰毒，五尸，心腹疾。名医所录。

地〔陶隐居云〕鹳有两种，似鹄而巢树者为白鹳，黑色曲颈者为乌鹳，入药以白者良。〔衍义曰〕其巢栖殿吻上，亦有鹳头无丹，项无[1]乌带，身如鹤者是，惟不善唳，但以喙相系而鸣也。

时〔生〕春夏。〔采〕无时。

用 骨、嘴、脚。

色 白。

味 甘。

性 大寒。

气 气之薄者，阳中之阴。

臭 腥。

治〔疗〕〔陶隐居云〕脚骨及嘴，治喉痹，飞尸，蛇虺咬及小儿闪癖，大腹痞满，并煮汁服之。烧为黑灰饮服，亦佳。

合治 骨炙令黄末，空心合暖酒服方寸匕，治尸疰、鬼疰、腹痛。

---

① 无：原脱，据《证类本草》补。

○ 羽虫

白鸽

无毒　卵生

白鸽肉主解诸药毒，及人、马久患疥。○屎，主马疥[1]。人患疥，食之，立愈。马患疥入鬃尾者，取屎炒令黄，捣为末，和草饲之。又云：鹁鸽，暖，无毒，调精益气，治恶疮疥，并风瘙，白癜，疬疡风，炒，酒服。傅驴、马疥疮亦可。名医所录。

① 马疥：原注“一云犬疥”。

地〔图经曰〕旧不著所出州土，今处处有之。此鸟类鸠而大，畜之能驯，携至数十里纵之，亦能抵家，乃禽中之灵者也。其种羽色品类尤多，而以纯白者堪入药用。一种野鸽，其形不殊，但集巢于寺观楼阁上，其性不受人畜。所谓左盘龙者，是其屎也。风药多用之。

时〔生〕无时。〔采〕无时。

用 肉、屎。

质 类鸠而大。

色 白。

味 咸。

性 平，软。

气 味厚于气，阴中之阳。

臭 腥。

治〔疗〕〔别录云〕白秃疮，以粪捣罗为散，先以醋、米泔洗了，傅之，立瘥。

合治 白鸽屎五合，以好醋和如稀膏，煮三两沸，日三傅之，治头极痒，不痛，生疮者。〇白鸽毛、粪烧灰，以饮和服之，治蛊。〇白花鸽一只，切作小脔，合土苏煎，含咽汁，治消渴，饮水不知足。〇野鸽粪一两，炒微焦，合麝香别研，白术各一分，赤芍药、青木香各半两，柴胡三分，延胡索一两，炒赤色，去薄皮，七物同为末，温无灰酒空心调一钱服，治带下排脓，候脓尽即止。后服，仍以他药补血脏。

禁 病者食之虽益，恐多食减药力。

解 一切药毒。

百劳

卵生

百劳毛主小儿继病。继病，母有娠乳儿，儿有病如疟痢，他日亦相继腹大，或瘥或发。他人相近，亦能相继。北人未识此病，怀妊者取毛带之，又取其蹋枝鞭小儿，令速语。名医所录。

名 鵙、博劳、伯赵。

地〔图经曰〕旧不著所出州土，今处处有之。郑《礼注》云：鵙，博劳也，其飞不能翱翔，但竦翅上下而已。《月令》鵙始鸣，应阴气之动，阳气为仁义，阴气为残贼。伯劳，贼害之鸟也，其声鵙鵙，故因其音而名之。《诗》曰：七月鸣鵙，八月载绩。盖仓庚知分，鸣鵙知至，故阳气分而仓庚鸣，可蚕之候也；阴气至而鵙鸣，可绩之候也。或曰：鵙鸣在上，蛇盘不动；鹊鸣在上，猬反不行。金得伯劳之血则昏，铁得鹈鸡之膏则莹，石得鹊髓则化，银得雉粪则枯。凡物之相制，有如此也。

时〔生〕春夏。〔采〕无时。

用 毛。

性 平。

气 气之薄者，阳中之阴。

臭 腥。

○ 羽虫

鹑

无毒　卵生

鹑主补五脏，益中续气，实筋骨，耐寒温，消结热。小豆和生姜煮食之，止泄痢。酥煎，偏令人下焦肥。四月勿食，虾蟆化为也。名医所录。

名 罗鹑、早秋、白唐。

地〔别录云〕鹑有两种，有丹，有白，江北田野处皆有之。此鸟性淳蠢，不越横草。若遇小草横于前，即旋行避碍，以其性淳厚之易熟，故曰鹑也。然鹑无常居而有常匹。《诗》云：鹑之奔奔，言能不乱其匹。《本经》云：四月已前不宜食鹑，以其蛙变故耳。是时雨水绝，无蛙声，人有得于水次者，半为蛙。张湛注云：事见《墨子》，斯不谬矣。《月令》云：田鼠化为鴽。《素问》云：驾，鹑也。盖物之变，非一揆也。〔衍义曰〕鹑有雌雄，从卵生，何言化也？其说甚容易，尝于田野屡得其卵，初生谓之罗鹑，至初秋谓之早秋，中秋已后谓之白唐。然一物四名，当悉书之。

时〔生〕夏生。〔采〕冬取。

用 肉。

色 赤、黄、白。

味 甘。

性 温，平。

气 气厚于味，阳中之阴。

臭 腥。

治〔疗〕〔衍义曰〕治小儿患疳，及下痢五色，旦食之，有效。

忌 与猪肉同食，令人生小黑子。和菌子食之，令人发痔。

○ 羽虫

啄木鸟

无毒　卵生

啄木鸟主痔瘘及牙齿疳䘌，蚛牙。名医所录。

地〔图经曰〕啄木即䴕鸟也。有大有小，有褐有斑。褐者是雌，斑者是雄。刚爪利嘴，舌长寸余而有利针，穿木食蠹。俗云：此鸟善为禁法，能曲爪书地为印，则穴之塞自开，飞辄以翼墁之，此乃物之有智术者也。今人鼠窃用其印，以发扃钥。《荆楚岁时记》云：野人以五月五日得啄木货之，主齿痛。《古今异传》云：本雷公采药吏，化为此鸟。《淮南子》云：斫木愈龋，信哉。又有青黑者，黑者头上有红毛，生山中，土人呼为山啄木，大如鹊也。

时〔生〕无时。〔采〕无时。

用嘴、肉。

性平。

气气之薄者，阳中之阴。

臭腥。

主齿痛。

制烧灰，研细用。

治〔疗〕〔别录云〕其舌尖治蛀牙有孔，疼痛，用绵裹咬于患处。○啄木鸟烧为末，内蚛牙孔中，不过三次即愈。

合治啄木一只，烧灰，合酒下二钱匕[1]，治瘘有头，脓水出不止者。

---

① 匕：原无，据《证类本草》补。

慈鸦

无毒　卵生

慈鸦补劳治瘦，助气，止咳嗽，骨蒸，羸弱者，和五味腌[1]，炙食之，良。名医所录。

---

① 腌：原作“淹”，据“合治”项下文改。

名 慈乌、寒鸦。

地〔图经曰〕旧本不著所出州土，今处处有之，惟北地极多。此鸟似乌而小，多集群飞，作鸦鸦声而能反哺，故名慈鸦。其肉不作膻臭，即今之寒鸦也。〔谨按〕《埤雅》云：纯黑而反哺者，谓之乌；小而腹下白，不反哺者，谓之鸦[1]；乌，白项而群飞者，谓之燕乌也。

用 肉、目睛。

质 类乌鸦而小。

色 黑。

味 酸、咸。

性 平。

气 味厚于气，阴也。

臭 腥。

主 止嗽，补羸弱。

合治 合五味腌，炙食之，治瘦病、咳嗽、骨蒸。

---

① 鸦：原作“雅”，据印本改。

鹘嘲

卵生

鹘嘲主助气，益脾胃，头风，目眩。煮炙食之，顿尽一枚，至验。

名医所录。

名 鸲鹪、鹘鸼、鹘雕。

地〔图经曰〕其鸟南北皆有，似鹊，尾短，黄色，多声，在深林间，飞翔不远，北人名鸲鹪。《东京赋》云：鹘嘲春鸣，或呼为鹘[①]雕也。〔谨按〕《埤雅》云：鹘拳坚处，大如弹丸，俯击鸠、鸽食之。鸠、鸽中其拳，随空中即侧身自下承之，捷于鹰、隼。旧言鹘有义性，杜甫所赋义鹘行是也。冬撮鸟之盈握者，夜以燠其爪掌，左右易之，旦即纵去，其在东矣，则是日不东响搏物，南北亦然。盖其义性有擒有纵，如此，凡鸟朝鸣曰嘲，夜鸣曰啾。《禽经》曰：林栖之鸟多朝鸣，水宿之鸟多夜叫。此鸟朝鸣，故谓之鹘嘲也。

时〔生〕春夏。〔采〕无时。

用 肉。

质 类鹊而尾短。

色 灰褐。

味 咸。

性 平，软。

气 味厚于气，阴中之阳。

臭 腥。

主 头风目眩。

制 煮、炙用。

治〔疗〕〔图经曰〕肉治江东人呼头风为瘇头，先从两项边筋起，直上入头，目眩头闷者是。

---

① 鹘：原作“骨”，据本药“名”项下药名改。

鹈鹕

无毒　卵生

鹈鹕嘴主赤白久痢成疳者，烧为黑末，服一方寸匕。名医所录。

名 逃河。

地〔图经曰〕旧不载所出州土，今江北水泽间皆有之。此鸟大如苍鹅，颐下有皮袋，容数升物，展缩由袋，中盛水以养鱼。其性好群飞，沉水食鱼。若遇小泽有鱼，各以颐下胡去水，令水竭鱼露，乃共食之。身是水沫，惟胸前有两块肉，如拳。云昔人窃肉入河，化为此鸟，今犹有肉，因名逃河。《诗》云：维鹈在梁，不濡其咮[①]。郑云：鹈鹕，咮喙也。言爱其嘴，其油能透人肌骨，故膏药中多用之。

时〔生〕春夏。〔采〕无时。

收 油，以诸器不能盛贮，惟以此鸟颐下皮袋盛之则不漏。

用 嘴及油。

质 类苍鹅而大，颔下有囊。

色 灰白。

味 咸。

性 平，软。

气 味厚于气，阴中之阳。

臭 腥。

制 嘴烧灰，为末用。

① 咮：原注“竹救切”。

鸳鸯

有小毒　卵生

鸳鸯肉主诸瘘疥癣病，以酒浸，炙令热，傅疮上，冷更易。名医所录。

〔谨按〕《格物论》云：鸳鸯，文禽也。类凫，毛有纹彩，和鸣多好音。雌雄并飞，未尝相离，人得其一，则一相思而死，故谓之匹鸟也。

名 匹鸟、邓木鸟[①]。

时〔生〕春夏。〔采〕无时。

用 肉。

质 类凫。

色 彩。

味 咸。

性 平，软。

气 味厚于气，阴中之阳。

臭 腥。

治〔疗〕〔食疗云〕肉，食之，则令人美丽。及治夫妇不和，作羹臛，私与食之，立相爱也。〔别录云〕邓木鸟，治齿痛。

合治 肉合清酒，炙食之，治瘘疮。○鸳鸯一只，煮令极熟，细细切，合五味、醋食之，治五痔瘘疮。作羹亦妙。

禁 肉多食，令人患大风。

① 邓木鸟：原注“鸯也”。

天鹅

无毒　卵生

天鹅主补中益气。今补。

地〔谨按〕此种出江淮间，水泽处多有之。状似家鹅而大，嘴黑顶黄，其颈细长，足黑毛白，俗谓之金头鹅。以大者为上，小者次之。又有花者，亦有不能鸣者，飞则翎响。其肉微腥，皆不及金头为胜也。

时〔生〕春夏。〔采〕无时。

用 肉。

色 白。

味 甘。

性 热。

气 气之厚者，阳也。

臭 腥。

羽虫

鸨

无毒　卵生

鸨肉主补益人。今补。

〔谨按〕《埤雅》云：此鸟似雁而足无后指，亦无舌，性不木。止毛有豹纹，故名独豹。肉虽粗而味美，遇鸷鸟能激粪御之，著其毛悉脱。其群居如雁，自然而有行列。《诗》曰：肃肃鸨行，集于苞桑，是也。

时〔生〕春夏。〔采〕无时。

用 肉。

色 斑。

味 甘。

性 平。

气 气厚于味，阳中之阴。

臭 腥。

○ 羽虫

鵚鶖

无毒　卵生

鵚鶖主补中益气，食之甚有益人。○髓，味甘美，补精髓。今补。

地〔谨按〕此鸟旧本不载，今考其形，似鹤而小，灰色，赤颊，项有白带。然有数种，有白鹍鸡、黑头鹍鸡、胡鹍鸡，其味皆不同也。今处处田泽中有之。

时〔生〕春夏。〔采〕无时。

用 肉、髓。

质 类鹤而小。

色 灰褐。

味 甘。

性 温，缓。

气 气之厚者，阳也。

臭 腥。

制 炙食之，味尤美。

注：据目录，图中应作“水鳸”

水鳸[1]

无毒　卵生

水鳸主补中益气，宜炙食，甚美。今补。

① 鳸：原作“札”，据目录改。

地〔谨按〕旧本不载所产，今池泽、水田多有之。其形似水鸡，小而尖喙，长颈短尾，苍赤色。飞跃水面，能捕鱼食者也。

时〔生〕无时。〔采〕无时。

用 肉。

色 苍赤。

味 甘。

性 平。

气 气之薄者，阳中之阴。

臭 腥。

八种陈藏器余

布谷脚、脑、骨令人夫妻相爱。五月五日收，带之各一，男左女右。云置水中自能相随。又江东呼为郭公，北人云：拨谷，一名获谷，似鹞，长尾。《尔雅》云：鸤，鸠。注云：今之布谷也。牝牡飞鸣，以翼相拂。《礼记》云：鸣鸠拂其羽。郑注云：飞且翼相击。

蚊母鸟翅主作扇，蚊即去矣。鸟大如鸡，黑色，生南方池泽茹芦中，其声如人呕吐，每口中吐出蚊一二升。《尔雅》云：鷏，蚊母。注云：常说常吐蚊，蚊虽是恶水中虫羽化所生，然亦有蚊母吐之。犹如塞北有蚊母草，岭南有虻母草，江东有蚊母鸟，此三物异类而同功也。

杜鹃初鸣先闻者，主离别。学其声，令人吐血，于厕溷上闻者不祥。压之法，当为狗声以应之，俗作此说。按《荆楚岁时记》亦云有此言，乃复古今相会。鸟小，似鹞，鸣呼不已。《蜀王本记》云：杜宇为望帝，淫其臣鳖灵妻，乃亡去，蜀人谓之望帝。《异苑》云：杜鹃先鸣者，则人不敢学其声。有人山行，见一群，聊学之，呕血便殒。《楚词》云：鶗鴂，鸣而草木不芳。人云口出血，声始止，故有呕血之事也。

鸮目无毒。吞之，令人夜中见物。又食其肉，主鼠瘘，古人重其炙，固当肥美。《内则》云：鹊鸮眸，其一名枭，一名鵩[1]。吴人呼为魑魂，恶声鸟也。贾谊云：鵩，似鸮，其实一物，入室主人当去。此鸟盛午不见物，夜则飞行，常入人家捕鼠。《周礼》：硩蔟氏掌覆妖鸟之巢。注云：恶鸣之鸟，若鸮、鵂也。

钩鵅[2]入城城空，入宅宅空，怪鸟也。常在一处，则无若闻。其声如笑者，宜速去之。鸟似鸮，有角，夜飞昼伏。《尔雅》云：鵅，鵋鵙。注云：江东人呼谓之钩鵅。北土有训狐[3]，二物相似，抑亦有其类。训狐声呼其名，两目如猫儿，大于鸲鸽，乃云作笑声，当有人死。又有鵂鹠，亦是其类，微小而黄，夜能入人家，拾人手爪，知人吉凶。张司空云：鸺[4]鹠夜鸣，人剪爪弃露地，鸟拾之，知吉凶，鸣则有殃。《五行书》云：除手爪，埋之户内，恐此鸟得之也。《尔雅》云：鵅，鵋鵙，人获之者，于嗉中犹有爪甲。《庄子》云：鵄鸮，夜撮蚤，察毫厘，昼则瞑目，不见丘山，言殊性也。

姑获能收人魂魄，今人一云乳母鸟，言产妇死变化作之。能取人之子，以为己子，胸前有两乳。《玄中记》云：姑获，一名天帝少女，一名隐飞，一名夜行游女。

① 鵩：原作“鵂”，据《纲目》卷四十九“鸮”条改。
② 鵅：原注“音革”。
③ 狐：原作“胡”，据《纲目》卷四十九“鸱鸺”条改。
④ 鸺：原作“鵂”，据本书卷二十八“鸱头”条改。

好取人小儿养之。有小子之家，则血点其衣以为志。今时人小儿衣，不欲夜露者为此也。时人亦名鬼鸟。《荆楚岁时记》云：姑获，一名钩星，衣毛为鸟，脱毛为女。《左传》云：鸟鸣于亳。杜[①]注云：嘻嘻[②]是也。《周礼》：庭氏以救日之弓，救月之矢射之，即此鸟也。

鬼车晦瞑则飞鸣，能入人室，收人魂气，一名鬼鸟。此鸟昔有十首，一首为犬所噬，今犹余九首，其一常下血，滴人家则凶，夜闻其飞鸣，则捩狗耳，犹言其畏狗也。亦名九头鸟。《荆楚岁时记》云：姑获夜鸣，闻则捩耳，乃非姑获也。鬼车，鸟耳。二鸟相似，故有此同。《白泽图》云：苍鸆[③]，昔孔子与子夏所见，故歌之，其图九首。

诸鸟有毒凡鸟自死目不闭者勿食。鸭目白者杀人。鸟三足四距杀人。鸟六指不可食。鸟死足不伸不可食。白鸟玄首、玄鸟白首不可食。卵有八字不可食。妇人妊娠食雀脑，令子雀目。凡鸟飞投入，其口中必有物，拔毛放之吉也。

本草品汇精要卷之二十八

---

① 杜：原作“社”，据印本改。

② 嘻：原注“音希”。

③ 鸆：《纲目》卷四十九“鬼车鸟”条作“鸆”。

本草品汇精要

·卷之二十九·

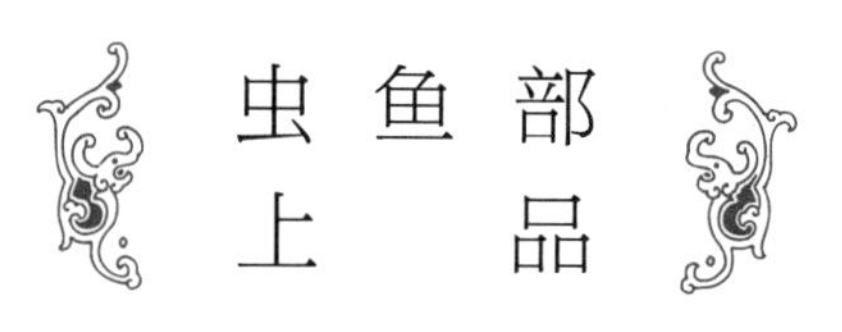

虫鱼部 上品

一十种　**神农本经** 朱字

六种　**名医别录** 黑字

一种　**唐本先附** 注云唐附

二种　**宋本先附** 注云宋附

八种　**食疗余**

二十三种　**陈藏器余**

已上总五十种，内六[1]种今增图

① 六：原作“五”，按《证类本草》“鳝鱼”条无图，故增一。

八种食疗余

① 石蜜：本条与卷三十三果部“石蜜”条系同名异物。
② 子：原脱，据正文药下附品项补。
③ 子：原脱，据正文药下附品项补。
④ 鼋龟、蠵蠵、蠳龟：原无，据正文药下附品项补。
⑤ 蠡：原注“音礼”。
⑥ 鮧：原注“音夷”。
⑦ 鮠鱼附：原无，据正文药下附品项补。
⑧ 鳝：原注“音善”。
⑨ 今增图：原无，据义例补。

二十三种陈藏器余

鲟鱼	�鳀[1]鱼白[2]	文鳐[3]鱼
牛鱼	海豚鱼	杜父鱼
海鹞鱼齿[4]	鮠鱼	鮹[5]鱼
鳣鱼肝[6]	石鲍鱼	鱼鲊
鱼脂	鲙	昌侯鱼
鲩鱼	鳡鱼肝及子[7]	鱼虎
鲯鱼	鲵鱼	诸鱼有毒
水龟	疟龟	

① 鳀：原作“鮧”，据正文药名改。
② 白：原无，据正文药名补。
③ 鳐：原作“鹞”，据正文药名改。
④ 齿：原无，据正文药名补。
⑤ 鮹：原作“鞘”，据正文药名改。
⑥ 肝：原无，据正文药名补。
⑦ 肝及子：原无，据正文药名补。

本草品汇精要卷之二十九

虫鱼部上品

石蜜

无毒

石蜜出神农本经。主心腹邪气，诸惊痫痓，安五脏诸不足，益气，补中，止痛，解毒，除众病，和百药。久服强志，轻身，不饥，不老。以上朱字神农本经。**养脾气，除心烦，食饮不下，止肠澼，肌中疼痛，口疮，明耳目，延年神仙。**以上黑字名医所录。

名 黄连蜜、石饴、土蜜、木蜜、梨花蜜、崖蜜、岩蜜、食蜜、桧花蜜、白蜜、何首乌蜜、白沙蜜、山蜜。

地[1]〔图经曰〕生武都山谷及河源诸山谷中，今川蜀、江南、岭南处处皆有之。石蜜，即崖蜜也。其蜂黑色，似虻，作房于岩崖高峻处或石窟中，人不可到。但以长竿刺令蜜出，以物承之，多者至三四石，味醇色绿，入药胜于他蜜。张司空云：山郡幽僻处出蜜，所著绝岩石壁，非攀缘所及，惟于山顶篮举，自垂挂下，遂得采取。蜂去，余蜡著石，有鸟如雀，群飞来，啄之殆尽。至春，蜂归如旧，人亦占护其处，谓之蜜塞。其鸟谓之灵雀，其蜜即今之石蜜也。亦有木中作者，有土中作者。北方地燥，多在土中；南方地湿，多在山林木上作房。亦有一种在人家作窠槛收养之，其蜂甚小而微黄，蜜皆浓厚而味美。又近世宣州有黄连蜜，色黄，味小苦；雍、洛间有梨花蜜，如凝脂；亳州太清宫有桧花蜜，色小赤；南京柘城县有何首乌蜜，色更赤。并以蜂采其花作之，各随其花色，而性之温凉亦相近也。〔谨按〕石蜜出山岩、石窟中，经二三年者，则气味醇厚而色自白，愈久不变，故《本经》云白如膏者良。今人家作房于檐楣间蓄养者，一岁春秋二取之，则蜜居房日少，气味不足而色黄，所以不逮白者，过夏则酸坏矣。此种由作窝于石崖中而成，故称其为石蜜也。

时〔生〕无时。〔采〕八九月取。

收 瓷器盛贮。

用 白如膏者良。

色 黄白。

---

① 地：原作“苗”，据印本改。

味 甘。

性 平、微温，缓。

气 气厚于味，阳中之阴。

臭 香。

主 安五脏，润肠胃。

反 葱。

制〔雷公云〕凡炼蜜一斤，只得十二两半。或一分是数。若火少、火过，并用不得。

治〔疗〕〔陈藏器云〕主牙齿疳䘌，唇口疮，目肤赤障，杀虫。〔药性论云〕白蜜，疗卒心痛及赤白痢，水和作蜜浆，顿服一碗即止。〔食疗云〕除心肚痛，血刺腹痛。点目中，去热膜。〔别录云〕食诸鱼骨并杂物鲠及误吞钱，稍稍服之即下。又治虚弱人大便不通，蜜导法：以四两微火煎，可丸，捻作挺子，如手指大，令纳谷道中，须臾即通。

合治 合生姜汁各一合，水和，顿服之，主赤白痢。○合浸大青叶，含之，治口疮。○以一斤合生姜二斤，取汁，先下蜜于铛中，次下姜汁于蜜中，微火煎，以姜汁尽为度，治患癞三十年者。平旦服枣许大一丸，一日三服，酒饮任下，忌生冷、醋、滑臭物，功用甚多。○合甘草煎，涂阴头生疮。○合升麻煎，治天行发斑疮[①]，头面及身，须臾周匝，状如火疮，皆戴白浆，随决随生，不即疗之，数日必死。先用蜜通磨疮上，后用此频频拭之，效。○合竹中白膜，贴火灼成疮。○合茯苓末，涂面皯，七日便瘥。○以一升合猪胆一枚，相和，微火煎令可丸，捻长三寸作挺，

① 发斑疮：原作“斑发疮”，据《证类本草》改。

涂油，内谷道中，治肺热即[1]肛门塞肿，缩生疮。令卧觉后重，须臾通泄。

忌 七月勿食生蜜，若食则暴下，发霍乱。不宜与薤白相和食，生诸风。

① 即：原脱，据《证类本草》补。

○ 羽虫

蜂子

无毒　附大黄蜂子、土蜂子

化生

蜂子出神农本经。主风头，除蛊毒，补虚羸，伤中。久服令人光泽，好颜色，不老。○大黄蜂子，主心腹胀满痛，轻身，益气。○土蜂子，主痈肿。以上朱字神农本经。**蜂子，治心腹痛，大人、小儿腹中五虫口吐出者，面目黄，轻身，益气。○大黄蜂子，干呕。○土蜂子，嗌痛。**以上黑字名医所录。

名　蜚零。

地〔图经曰〕生武都山谷，今处处有之。蜂子，即蜜蜂子也。在蜜脾中，如蛹而白。一种大黄蜂子，即人家屋上作房及大木间⿰侯瓜[①]⿰娄瓜[②]蜂子也。岭南人亦作馔食之。蜂并黄色，比蜜蜂更大。又有土蜂子，即穴土居者，其蜂最大，螫人或至死。郭璞注《尔雅》

① ⿰侯瓜：原注“音侯”。
② ⿰娄瓜：原注“音娄”。

土螽云：今江东呼大螽，在地中作房者，为土螽，啖其子，即马蜂。荆、巴间呼为蟺[1]。又注木螽云：似土螽而小，在木上作房，江东人亦呼木螽，人食其子。然则三蜂子皆可食，大抵蜂类皆同，故其性效不远矣。

时〔生〕二月。〔采〕三四月取。

收 日暴干。

用 头足未成者。

色 白。

味 甘。

性 平，微寒。

气 气之薄者，阳中之阴。

臭 腥。

主 丹毒，风疹，腹内留热。

反 畏黄芩、芍药、牡蛎。

制 以盐拌炒干。

治〔疗〕〔陈藏器云〕治大小便涩，去浮血，妇人带下及下乳汁。

合治 合酒渍，以傅面悦白。○土蜂赤黑色者，烧末，合油和，傅蜘蛛咬疮。此物能食蜘蛛，亦取其相伏也。

解 冬瓜、苦荬、生姜、紫苏，以制蜂毒。

① 蟺：原注“音惮”。

蜜蜡

无毒　附白蜡

蜜蜡出神农本经。主下痢脓血，补续绝伤，金疮，益气不饥，耐老。以上朱字神农本经。白蜡，味甘，平，无毒，疗久泄澼，后重，见白脓，补绝伤，利小儿。久服轻身，不饥。以上黑字名医所录。

名 蜜蹠。

地〔图经曰〕生武都山谷及河源诸山谷中，今川蜀、江南、岭南处处皆有之。蜜蜡者，蜜脾底也。因生于蜜中，故谓之蜜蜡。初时香嫩，重煮治乃成。药家应用白蜡，更须煎炼，水中烊十数过即白。古人荒岁，多食蜡以度饥，欲啖之，当合大枣咀嚼，即易烂也。〔谨按〕一种蜡树，即冬青树也。高及丈，时畜蜡虫于上，食其津液，日渐成膏，缠积枝干，于白露前采之，如法煎炼，遂成白蜡。其质坚莹，非蜜房中取蜡烊制之精华者也。朱丹溪云：白蜡属金，全禀收敛至凝之气，为外科之要药。生肌止血，定痛接骨，续筋补虚，与合欢皮同入长肉膏药，用之有神效。但未尝试其可饵否，合欢皮尝试之矣。服之大有妙理，且有速效，不可不知也。

时〔生〕无时。〔采〕春秋取。

收 阴干。

用 坚净者佳。

色 黄、白。

味 甘。

性 微温，缓。

气 气之薄者，阳中之阴。

臭 香。

主 下痢，脓血。

反 恶芫花、齐蛤。

制 熔化，滤去粗[1]滓。

治〔疗〕〔别录云〕疗犬咬人重发，及小儿脚冻，如有疮，并熔化涂傅即瘥。又疗狐尿刺人肿痛，用热蜡着疮中，并烟熏之，令汁出即愈。○白蜡主白发，镊去销蜡点孔中，即生黑者。

合治 白蜡如鸡子大一块，煎三五沸，合美酒半升投入服之，疗孕妇胎动，漏下，血不绝欲死。○合松脂、杏仁、枣肉、茯苓等分，为丸，食后服五十丸，便不饥，功用甚多，亦主下痢脓血。○以二升合盐半斤，熔化，相和，捏作一兜，鏊势可合脑，大小搭头至额，治头风掣疼即止。○合蛤粉，熔和得所成球，每用二钱，以猪肝二两劈[2]开，装药在内，麻线扎定，水一碗，同入铫子内，煮熟取出，乘热熏，治雀目。至温，冷并肝食之，其效如神。

---

① 粗：原作“粗”，据印本改。

② 劈：原作“批”，据文义改。

○ 甲虫

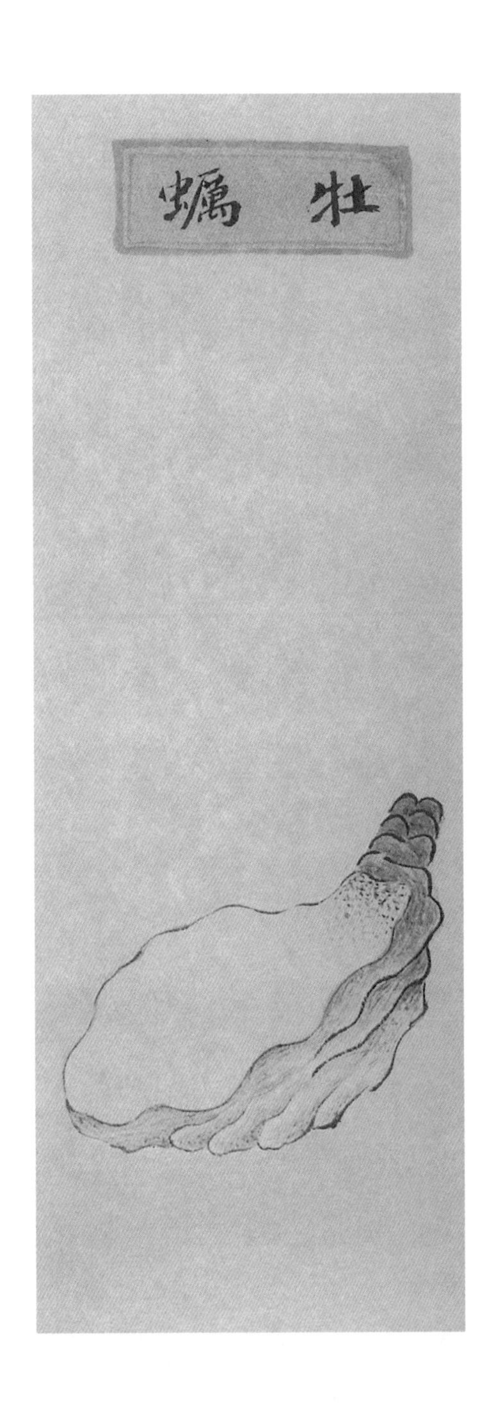

牡蛎

无毒

牡蛎出神农本经。主伤寒寒热，温疟洒洒，惊恚怒气，除拘缓，鼠瘘，女子带下，赤白。久服强骨节，杀邪鬼，延年。以上朱字神农本经。**除留热在关节，荣卫虚热，去来不定，烦满，止汗，心痛气结，止渴，除老血，涩大小肠，止大小便，疗泄精，喉痹，咳嗽，心胁下痞热。**以上黑字名医所录。

名 蛎蛤、牡蛤、蛎房、真海牡蛎、蠔山、蠔莆、石牡蛎、石鱼蛎。

地〔图经曰〕生东海池泽，今海傍皆有之，而南海、闽中及通、泰间尤多。此物附石而生，块垒相连如房，故名蛎房。初生海边，才如拳石，四面渐长，有一二丈。崭岩如山，每一房内有蠔肉一块，肉之大小随房所生，大房如马蹄，小者如人指面，每潮来则诸房皆开，有小虫入则合之，以充腹。海人取之皆凿房，以烈火逼开之，挑取其肉，而其壳左顾者为雄，右顾者则牡蛎耳。或曰：以尖头为左顾，大抵以大者为贵。南人以其肉当食品，其味甚美，更有益，兼令人细肌肤，美颜色，海族之最可贵者也。〔衍义曰〕牡蛎，《经》中不言左顾，止从陶隐居说。其《酉阳杂俎》云：牡蛎言牡，非为雄也，且如牡丹，岂可更有牝丹也。今则合于地，人面向午位，以牡蛎顶向子，视之口，口在左者为左顾。此物本无目，如此，焉得更有顾盼也。

时〔生〕无时。〔采〕无时。

用 左顾者入药。

色 青白。

味 咸。

性 平，微寒。

气 气薄味厚，阴中之阳。

臭 腥。

主 敛盗汗，止泄精。

行 足少阴经。

助 贝母为之使，得甘草、牛膝、远志、蛇床良。

反 恶麻黄、吴茱萸、辛夷。

制〔雷公云〕凡修事，二十个用盐一两，以东流水煮一伏时后，入火中烧令通赤，然后入钵中，研如粉用。

治〔疗〕〔药性论云〕除女子崩中，止盗汗，消风热，定痛，祛温疟。〔陈藏器云〕捣为粉扑之，治大人、小儿盗汗。〔海药云〕去烦热，并小儿惊痫。〔汤液本草云〕能软积气之痞，及泄水气。〔别录云〕白者为末，水调涂，疗一切痈肿未成脓者，效。

合治 以柴胡引之，去胁下硬。○以茶引之，能消结核。○以大黄引之，能除股间肿。○合地黄为之使，能益精收涩，止小便。久服强骨节，杀邪鬼，延年。○合麻黄根、蛇床子、干姜为粉，去阴汗。○肉，于姜、醋中生食之，主丹毒，酒后烦热渴。○和杜仲服，止盗汗，蜜丸服三十丸，令人面光白，永不值时气。主鬼交精出，加地黄、小草。○以十分合石膏五分，捣末，酒服方寸匕，日三四服，或蜜丸如梧子大服，疗大病瘥后小劳，鼻衄。○腊日、端午日黄泥裹，煅通赤，为末，用活鲫鱼煎汤，调下一钱匕，小儿服半钱匕，治一切渴。○以四两火煅过，出火毒，合玄参三两，捣罗为末，糊丸梧子大，食后临卧各三十丸，酒下，治丈夫、妇人瘰疬，最效。○以二两火煅过，合炮干姜一两，为细末，冷水调涂，治水癞，偏大小不定，疼痛。

解 肉，解丹毒。

○ 甲虫

龟甲

有毒　卵生

龟甲出神农本经。主漏下赤白，破癥瘕，痎疟，五痔，阴蚀，湿痹，四肢重弱，小儿囟不合。久服轻身，不饥。以上朱字神农本经。**头疮难燥，女子阴疮及惊恚气，心腹痛，不可久立，骨中寒热，伤寒劳复，或肌体寒热欲死。以作汤，良。益气资智，亦使人能食。**以上黑字名医所录。

名 神屋、神龟。灼过者名败龟、败将、漏天机。

地〔图经曰〕龟甲，乃水中神龟也。生南海池泽，及湖间皆有之。其龟骨白而厚，色至分明，所以供卜及入药用，以长一尺二寸为善。败龟，乃钻灼之多者，一名漏天机，一说入药须用神龟。神龟，底壳当心前有一处四方透明，如琥珀色者是矣。其头方、壳圆、脚短者为阳龟；形长、头尖、脚长者为阴龟。阴人用阳，阳人用阴。今医家当如此分别而用之。

时〔生〕无时。〔采〕无时。

用 壳。

色 黄黑。

味 咸、甘。

性 平，缓。

气 味厚于气，阴中微阳。

臭 腥。

主 滋阴。

反 恶沙参、蜚蠊，畏狗胆。

制 刮去皮，酥涂炙黄，研细入药。

治〔疗〕〔药性论云〕甲，烧灰涂，疗小儿头疮不燥及脱肛。○血，亦主脱肛。〔日华子云〕败龟板，治麻痹，入药酥炙用。〔食疗云〕肉，主除温瘴气，风痹，身肿，踒折。〔补〕〔陶隐居云〕肉，作羹臛，大补人。

合治 肉酿酒，主大风缓急，四肢拘挛，或久瘫痪，不收摄者，并效。○壳末合酒服，主风脚弱。○败龟板末合酒服二钱，疗风疾。○败龟板米醋炙，捣为末，米饮调下二钱匕，疗产前后痢。

禁 勿令中湿，中湿则有毒。十二月勿食龟肉，食之杀人。

〇 甲虫

秦龟

无毒　附龟尿、龟筒、蠵龟、蠵蠵、蠳龟　卵生

秦龟主除湿痹气，身重，四肢关节不可动摇。名医所录。

名 山龟。

地〔图经曰〕秦龟，山中龟，不入水者是也，生山之阴土中。或云秦以地称，云生山之阴者，是秦地山阴也。其形大小无定，大者有如碑趺，食草根、竹萌，冬月藏土中，至春而出游山谷中。今市肆间人或畜养为玩，至冬而埋土穴中。然药中稀用。卜人亦取以占山泽，揭取其甲，亦堪饰器物。又一种蠡龟，小狭[1]长尾，腹下有横折，见蛇则呷而食之，故肉寒，有毒，江东人谓之陵龟，即呷蛇龟也。《尔雅》所谓水龟，又谓摄龟。《日华子》云：呷蛇龟是也，能疗蛇毒。又有蠵蠵，平，微毒，大甲可以卜，即《尔雅》所谓灵龟也。按《岭表录异》云：蠵蠵。俗谓之兹夷，又名灵蠵。盖山龟之大者，人立背上，可负而行，潮、循间甚多。乡人取壳，以生得全者为贵，初用木楔出其肉，龟被楚毒，鸣吼如牛，声动山谷，工人以其甲通明黄色者煮，拍陷玳瑁为器，今所谓龟筒者是也。据此，乃别是一种山龟，未必是此秦龟也。其入药亦以生脱者为上。凡龟之类甚多，而时人罕复遍识，盖近世货币所不用，而知卜术者亦稀。又药中用龟尿，最难得，孙光宪《北梦琐言》载其说云：龟之性妒而与蛇交，或雌蛇至，有相趁斗噬，力小者或至毙。采时取雄龟，于瓷碗中或小盘中置之，于后以鉴照，龟既见鉴中影，往往淫发而失尿，急以物收取。又以纸炷火上焫热，以点其尻，亦致失尿，然不及鉴照之駃也。〔衍义曰〕秦龟，生秦地，山中多老龟，极大而寿，其大者为胜。取龟筒治疗，亦入众药，以其灵于物，医家故用补心，然甚有验。

时〔生〕无时。〔采〕二月、八月取。

---

① 狭：原作“夹”，据《证类本草》改。

用 甲、肉、血、溺。

色 黄黑。

味 苦。

性 泄。

气 味厚于气，阴也。

臭 腥。

主 壮筋骨，除湿痹。

制 甲，酥炙令黄用。肉、血、溺，生用。肉或熟用。

治 〔疗〕〔陶隐居云〕蠵蠵血，涂俚人毒箭伤。○龟溺，治久嗽，亦断疟。〔日华子云〕蠵蠵血，疗中刀箭闷绝，饮之即瘥。皮甲名鼊皮，治血疾，若无生血，煎汁代之。○呷蛇龟肉，生捣，罯傅蛇毒。〔海药云〕山龟壳，治妇人赤白漏下，破积癥，顽风冷痹，关节气壅，或经卜者更妙。〔陈士良云〕蠚龟肉，主筋脉，凡扑损，生研厚涂之，或取血作酒饮之，立效。〔陈藏器云〕溺，滴耳中，主耳聋。〔抱朴子云〕蠳龟尾，人带之以辟蛇。蛇中人，刮此傅之，其疮亦愈。〔别录云〕溺，治小儿龟背，涂磨胸背上即瘥。

○ 甲虫

珍珠

无毒

珍珠主手足皮肤逆胪，镇心。绵裹塞耳，主聋。傅面，令人润泽，好颜色。粉点目中，主肤翳，障膜。名医所录。

名 珍珠子。

地〔图经曰〕出廉州、北海，生于珠牡，俗谓之珠母。珠牡，蚌类也。按《岭表录异》：廉州边海中有洲岛，岛上有大池，谓之珠池。每岁刺史亲监珠户入池采老蚌，割取珠以充贡。池虽在海上，而人疑其底与海通，池水乃淡，此不可测也。土人采小蚌肉，作脯食之，往往得细珠如米者，乃知此池之蚌，随大小皆有珠矣。而今取珠牡，云得之海傍，不必是珠池中也。其北海珠蚌种类小别，人取其肉，或有得珠者，但不常有，其珠亦不甚光莹，药中不堪用。又蚌属中有一种似江珧者，其腹亦有珠，皆不及南海者奇而且多，入药须用新完未经钻缀者为佳。〔海药云〕生南海，石决明产出也。蜀中西路女瓜亦出珍珠，是蚌蛤，光白甚好，不及舶上者彩耀，欲穿透，须得金刚钻也。〔衍义曰〕河北塘泺中亦有围及寸者，色多微红，珠母与廉州者不相类。但清水急流处，其色光白；水浊及不流处，其色暗也。

时〔生〕无时。〔采〕无时。

用 珠未经钻缀者。

色 红、白。

味 淡。

性 寒。

气 气味俱薄，阴也。

臭 腥。

主 安心，明目。

制〔雷公云〕须取新净者，以绢袋盛之，然后用地榆、五花皮、五方草三味各四两，细剉了，又以牡蛎约重四五斤已来，先置于平底铛中，以物四向搘令稳。然后著珍珠于上，方下剉了三件药，笼之。以浆水煮三日夜，勿令火歇，日满出之。用甘草汤淘净，于臼中捣细，以绢罗重重筛过，却，更研二万匝，方可用。如研不细，伤人脏腑。

治〔疗〕〔药性论云〕退眼中翳障白膜，亦能坠痰。〔日华子云〕驻颜色。〔衍义曰〕小儿风热药中多用之。〔海药云〕除面皯，止泄。

合治 合知母，疗烦热，消渴。○合左缠根，治小儿麸豆疮入眼。○二两为末，合酒服尽，治妊妇子死腹中，立出。减半服之，亦主难产。○末合鸡冠血，和丸如小豆大，以三四粒内口中，疗卒忤，停尸，不能言。○末一两，合苦酒服，主胞衣不出。

○ 甲虫

瑇瑁

无毒　附鼊鼊　卵生

瑇瑁主解岭南百药毒。俚人刺其血饮，以解诸药毒。名医所录。

名 玳瑁。

地〔图经曰〕生岭南山水间，今亦出广南，盖龟类也。惟腹、背甲皆有红点斑纹，其大者如盘，身似龟，首、嘴如鹦鹉者是也。入药须生者为灵，带之亦可以辟蛊毒。凡遇饮食有毒，则必自摇动，其自死及煮拍为器者则不能，神矣。昔唐嗣薛王之镇南海，海人有献生瑇瑁者，王令揭取上甲二小片，系于左臂，欲以辟毒。瑇瑁甚被楚毒，复养于使宅后池，伺其揭处复生，还遣送旧处，并无伤矣，今人多用杂龟筒作器皿。又有一种鼊鼊，亦瑇瑁之类也，其形如笠，四足缦胡无指，其甲有黑珠，纹彩亦好，但薄而色浅，不任作器，惟堪贴饰耳，今人谓之鼊皮，不堪入药用。

时〔生〕无时。〔采〕无时。

用 甲，生取者佳。

质 类龟而有斑。

色 黄黑。

味 咸。

性 寒。

气 味厚于气，阴也。

臭 臭。

主 消痈毒，止惊痫。

制 剉碎入药，或水磨服亦可。

治〔疗〕〔日华子云〕破癥结，止惊痫等疾。〔陈士良云〕去诸风毒，行气血，去胸膈，中风痰，镇心脾，逐邪热，利大小肠，通妇人经脉。○甲壳亦似肉，同疗心风邪，解风热。〔衍义曰〕治心经风热。〔别录云〕水磨浓汁，服一盏，疗中蛊毒。

桑螵蛸

无毒　卵生

桑螵蛸出神农本经。主伤中，疝瘕，阴痿，益精，生子，女子血闭，腰痛，通五淋，利小便水道。以上朱字神农本经。又疗男子虚损，五脏气微，梦寐失精，遗溺。久服益气养神。以上黑字名医所录。

名 蚀肬、蛸蜋、螳螂子、蛞蜋、蜱蛸、蚌蠨。

地〔图经曰〕《本经》不载所出州土，今在处有之。螳[①]螂逢木便产，一枚出子百数，多在小木荆棘间。桑上者，兼得桑皮之津气，故以为佳，而货者多非真。须连枝折取为验，然伪者亦以胶著桑枝上者，不堪入药。今出蜀州者佳。

时〔生〕秋生。〔采〕三月、四月取。

收 焙干。

用 桑枝上者佳。

色 黄。

味 咸、甘。

性 平。

气 味厚气薄，阴中之阳。

臭 腥。

主 男子肾衰漏精，妊娠小便不禁。

反 畏旋覆花、戴椹。

制〔雷公曰〕凡采诸杂树上生者，不堪入药。须觅桑树东畔枝上采得，去核子，用沸浆水浸，淘七遍，令水遍沸，于瓷锅中熬令干用，勿乱别修事，却无效也。凡用，采蒸之，当火炙。不尔，令人泄。

治〔疗〕〔图经曰〕消风药中多用。〔药性论云〕火炮令熟，空心食之，止小便利。因虚而小便利者，加用之。〔补〕〔药性论云〕主男子患虚冷肾衰，精滑自出。〔衍义曰〕主男女虚损，益精，阴痿，梦失精，遗溺，疝瘕，小便白浊，肾衰不可阙也。

---

① 螳：原作“蟷”，据印本改。

合治 合龙骨，疗泄精。○合远志、菖蒲、龙骨、人参、茯神、当归、龟甲醋炙各一两，为末，临卧，以人参汤调服二钱，疗男子小便日数十次，如稠米泔，色亦白，心神恍惚，瘦瘁[1]食减，因女劳得之，服此一剂。安神魂，定心志，治健忘，止小便，补心气，如无桑上者，即用余者，仍须以炙，桑白皮佐之，量多，少可也。盖桑白皮行水，意以接螵蛸就肾经也。○合米饮调服，疗胞转，小便不通。

禁 生用，令人泄。

赝 别树枝上者为伪。

① 瘁：原作“悴”，据印本改。

○ 甲虫

石决明

无毒

石决明主目障翳痛，青盲。久服益精轻身。

名医所录。

名 九孔螺。

地〔图经曰〕生南海，今岭南州郡及登、莱州皆有之。旧说或以为紫贝，或以为鳆[1]鱼甲。按紫贝即今人砑螺，古人用以为货币者，殊非此类。鳆鱼，王莽所食者，一边著石，光明可爱，自是一种，与决明相近耳。决明附石而生，壳大者如手，小者三两指。海人亦啖其肉，亦取其壳渍水洗眼。七孔、九孔者良，十孔者不佳。〔衍义曰〕《经》云：味咸，即是肉也。人采肉以供馔，及干致都下，北人遂为珍味。肉与壳两可用，方家宜审用之。

时〔生〕无时。〔采〕无时。

用 壳。

色 白。

味 咸。

性 平，软。

气 味厚于气，阴中之阳。

臭 腥。

主 明目，磨翳。

制〔雷公云〕凡使，先去上粗皮，用盐泥并东流水于大瓷器中，煮一伏时了，漉出拭干，捣末，研如粉，却，入锅子中，再用五花皮、地榆、阿胶三件，更用东流水于瓷器中，如此淘之三度，待干，再研一万匝，方入药中用。凡修事五两，以盐半分，取则第二度煮，用地榆、五花皮、阿胶各十两。又云：细研，水飞用。

治〔疗〕〔海药云〕除青盲，内障，肝肺风热，骨蒸劳极，并良。〔别录云〕止小肠五淋。

① 鳆：原注“步角切”。

合治 合朽木细末，熟水调服，疗有软硬物淋。

忌 服此后永不得食山桃，令人丧目。

甲虫

海蛤

无毒　化生

海蛤出神农本经。主咳逆上气，喘急烦满，胸痛寒热。以上朱字神农本经。疗阴痿。以上黑字名医所录。

名 魁蛤、伏老。

地〔图经曰〕生东海，今登、莱、沧州皆有之。陶隐居以细如巨胜，润泽光净者为海蛤，云：经雁食之，从粪中出过数多，故有光泽也。陈藏器云：海蛤是海中烂壳，久在泥沙，风波淘洗，自然圆净。此有大有小，以小、为久远者佳，非雁腹中出也。然海蛤难得真烂久者，海人多以他蛤壳，经风涛磨荡莹滑者伪作之，殊无力。又有一种游波骨，极类海蛤，但少莹泽，误食之令人狂眩，用醋、蜜解之则愈。按《说文》曰：千岁燕化为海蛤是也。〔衍义曰〕陈藏器所说是，今海中无雁，岂有食蛤粪出者？若蛤壳中有肉时，尚可食，肉既无，焉得更有粪中过数多者？必为其皆无廉棱，乃有是说，殊不知风浪日久淘汰，故如是也。

时〔生〕无时。〔采〕四月、五月取。

用 壳。

色 青白。

味 苦、咸。

性 平，泄。

气 味厚于气，阴也。

臭 腥。

主 止消渴，润五脏。

助 蜀漆为之使。

反 畏狗胆、甘遂、芫花。

制〔雷公云〕凡修事一两，于浆水中煮一伏时，却，以地骨皮、柏叶二味，又煮一伏时后出，于东流水中淘三遍，拭干，细捣，研如粉，然后用。凡一两，用地骨皮二两，并细剉，以东流水淘取用之。

治〔疗〕〔唐本注云〕去十二种水满急痛，利膀胱、大小肠。〔药性论云〕消水气，浮肿，下小便及项下瘿瘤。〔日华子云〕止呕逆，胸胁胀急，腰痛，五痔，妇人崩中，带下。〔孟诜云〕止消渴，润五脏，及服丹石人有疮。

合治 二两先研三日，合汉防已、杏仁[①]各二两，葶苈子六两，研成脂，为丸，一服十丸，利水，主水癊。

赝 游波骨为伪。误食之，使人狂眩，以醋、蜜解之。

① 杏仁：此后印本多“枣肉”一味药。

○ 甲虫

文蛤

无毒　化生

文蛤出神农本经。主恶疮蚀，五痔。以上朱字神农本经。**咳逆，胸痹，腰痛，胁急，鼠瘘大孔出血，崩中，漏下。**以上黑字名医所录。

地〔图经曰〕生东海、南海，今登、莱、沧、密诸州皆有之。此有大小，其大者圆二三寸，小者圆五六分。壳表有紫斑纹者，非比海蛤久在泥沙风波中，淘洗圆净而无纹也。因其有纹，故名文蛤也。

时〔生〕无时。〔采〕三月中旬取。

用 壳有斑纹者佳。

色 紫白。

味 咸。

性 平，软。

气 味厚于气，阴也。

臭 腥。

主 坠痰，止渴。

制 煅存性，研末用。

合治 烧灰，合腊月脂和，涂之，治急疳蚀口鼻数日尽，欲死者。

○ 甲虫

魁蛤

无毒 化生

魁蛤主瘘痹，泄痢，便脓血。名医所录。

名 魁陆、活东。

地〔图经曰〕生东海、南海，今登、莱、沧、密诸州皆有之。其形正圆，亦似大腹槟榔，两头有孔，表有纹者是也。〔陶隐居云〕一种形似纺軖[1]，小狭长，外有纵横纹耳。

时〔生〕无时。〔采〕无时。

用 壳正圆，两头空者。

色 青白。

味 甘。

性 平，缓。

气 气之薄者，阳中之阴。

臭 腥。

主 止消渴，开关节。

制 洗去土，研细如粉用。

治〔疗〕〔食疗云〕润五脏。服丹石人食之，不生热毒疮肿。

① 軖：原注“音狂”。

○ 鳞虫

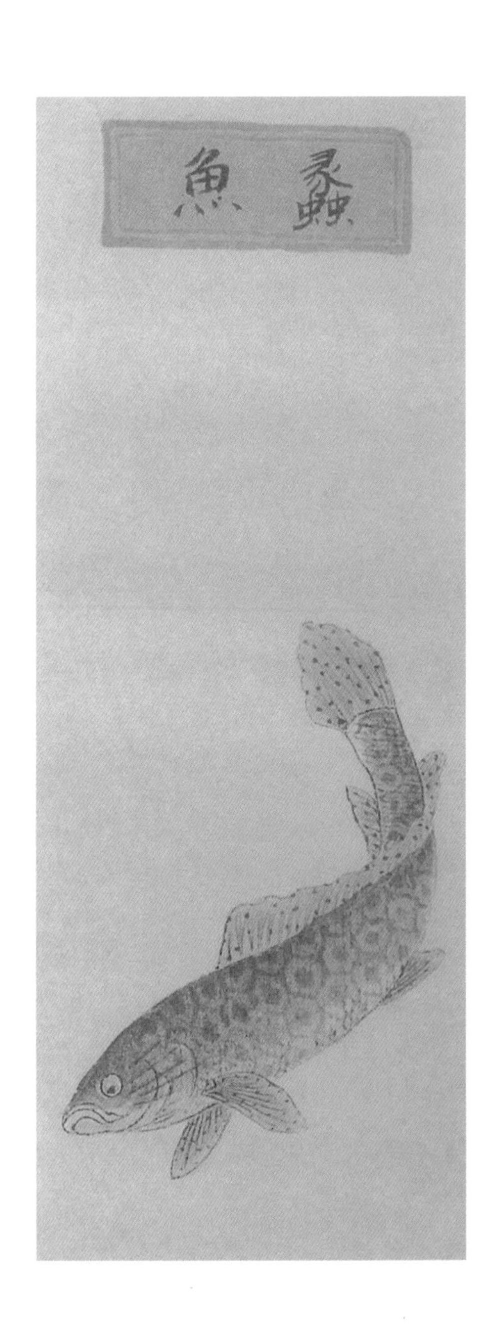

蠡鱼

无毒　卵生

蠡[1]鱼出神农本经。主湿痹，面目浮肿，下大水。以上朱字神农本经。

疗五痔，有疮者不可食，令人瘢白。以上黑字名医所录。

---

① 蠡：原注“音礼”。

名 鳢鲩、鳢鲖、鳢鱼重、黑鳢鱼、鲖鱼、文鱼、鲩、鳢鱼。

地〔图经曰〕生九江池泽，今处处有之。此鱼有舌，鳞细而有花纹，故名文鱼。与蛇通气，其首戴星，道家以谓头有星为厌。夜则北向，盖谓北方之鱼也。陶隐居以为公蛎蛇所变，至难死，犹有蛇性。《尔雅》谓之鳢鲩。郭璞云：鳢，鲖[1]也。《诗·小雅》云：鱼丽于罶，鲂鳢。《正义》云：诸本或作鳢，鱼重[2]。陆机谓：鲩即鳢鱼也，似鳢，狭而厚，今京东人犹呼鱼重鱼者，其实一类也。据上所说，则似今之黑鳢鱼者，亦至难死，形近蛇类，浙中人多食之。然鳢鱼肝肠亦入药，诸鱼胆皆苦，惟此胆味甘可食为异也。

时〔生〕春夏。〔采〕无时。

色 黑。

味 甘。

性 寒，缓。

气 气之薄者，阳中之阴。

臭 腥。

主 下水去肿。

制 去鳞，洗净，煮食之。

治〔疗〕〔图经曰〕除湿痹，下水及妇人妊娠，安胎。〔唐本注云〕肠及肝，主久败疮中虫。○诸鱼灰，并主哽噎。〔日华子云〕肠，以五味炙之，贴痔瘘，蚛骭，久而虫出，即去之，瘥。〔孟诜云〕鳢鱼，下大小便，壅塞气。又作鲙食，疗风气，脚气。〔别录云〕腊月收胆，阴干为末，以少许点，治急喉闭，逡巡不救者，药至即瘥。

① 鲖：原注“音同”。
② 鱼重：原注“音重”。

病深者，则以水调灌之。

合治 合小豆白煮，疗肿满。○以大者洗去泥，开肚，合胡椒末半两，切大蒜三两颗，内鱼腹中缝合，并和小豆一升煮熟时，下萝卜三五颗如指大，切葱一握，煮熟，空腹服之，并豆等强饱，必尽食之，至夜即泄气无限，下一切恶气。○合姜齑作脍食之，疗患肠痔，每大便常有血，瘥。忌冷毒物。○以一头重一斤，熟煮汁，合冬瓜、葱作羹食之，疗十种水气病不瘥垂死者。

○ 鳞虫

鮧鱼

无毒　附鮠鱼　卵生

鮧[1]鱼主百病。名医所录。

① 鮧：原注“音夷，又音题”。

名 鳀鱼、鲇鱼、鳂。

地〔图经曰〕鮧即大鲇也，江浙多有之。大首、方口，两目上陈，尾小，背青黑，身滑无鳞，多涎。其类有三，陶隐居云即鳀[①]鱼也。鳀即鲇鱼也。又有鳠[②]鱼，相似而大。鮠[③]鱼，秦人呼为鳒鱼，亦相似，背黄，腹白而美。三种形性相类，而大小不同，此三鱼大抵寒而有毒，非食品之佳味也。鲇，亦名鳂。《诗·小雅》云：鱼丽于罶，鳂。《传》云：鳂，鲇也。《尔雅·释鱼》：鲇，站。郭璞注云：今鳂，额白鱼。鲇，别名鳀，江东通呼鲇为鮧是也，今江浙多食之。〔陶隐居云〕又有人鱼，似鳀而有四足，声如小儿，食之疗瘕疾。其膏燃之不消耗。始皇骊山冢中用之，谓之人膏也。今荆州、临沮、青溪多出此鱼，盖其形相似而

① 鳀：原注“音题”。
② 鳠：原注“音护”。
③ 鮠：原注“五回切”。

有四足为异，故附于此。

时〔生〕无时。〔采〕无时。

色 青黑。

味 甘。

性 寒，缓。

气 气之薄者，阳中之阴。

臭 腥。

主 利小便，去水肿。

治〔疗〕〔图经曰〕涎，主三消。〔别录云〕鱼目烧灰，傅刺伤中毒水。

合治 生鱼涎合黄连末作丸，饭后乌梅煎饮下五七丸，止消渴。

禁 鲇鱼、䱜鱼无鳞，有毒，勿多食。其合鹿肉及赤目、赤须、无鳃者，并杀人。○鲇鱼不可与牛肝同食，令人患风多噎。○䱜鱼，四季不可食，又不可与野猪肉合食，令人吐泻。○鮠鱼，能动痼疾，不可与野鸡、野猪肉合食，令人患癞。

○ 鳞虫

鲫鱼

无毒　卵生

鲫鱼主诸疮，烧，以酱汁和，涂之，或取猪脂，煎用。又主肠痈。〇头灰，主小儿头疮，口疮，重舌，目翳，合莼作羹，主胃弱不下食。作鲙，主久赤白痢。名医所录。

名 鲋鱼。

地〔图经曰〕旧不载所出州土，今所在池泽皆有之。似鲤鱼，色黑而体促，肚大而脊隆。其小者重八九两，大者重二三斤，诸鱼中最可食者。或云：稷米所化，故其腹尚有米色。又一种背高，腹狭小者，名鲈鱼，功用亦与鲫同，但力差劣耳。又黔州有一种重唇石鲫鱼，亦其类也。

时〔生〕无时。〔采〕无时。

用 肉并头。

质 类鲤鱼而体促。

色 青黑。

味 甘。

性 温，缓。

气 气厚味薄，阳中之阴。

臭 腥。

主 平胃气，益五脏。

治〔疗〕〔日华子云〕温中下气，作鲙，疗肠澼，水谷不调及治赤白痢。○烧灰，傅恶疮。○头，烧灰，疗嗽。〔孟诜云〕平胃气，调中。〔食疗云〕骨烧灰，傅䘌疮上，三五度，瘥。○子，调中，益肝气。〔别录云〕胆，疗小儿脑疳，鼻痒，毛发作穗，面黄，羸瘦，取汁滴于鼻中，连三五日，效。〔补〕〔日华子云〕补不足。〔陈藏器云〕主虚羸。

合治 酿白矾烧灰，疗肠风血痢。○合盐内肚中烧灰，傅牙疼。○作脍，合胡椒、干姜、莳萝、橘皮作羹食之，治脾胃气冷，不能下食，虚弱无力。○头烧灰，合酱清汁，傅小儿面上黄水疮。○烧灰合酒调服，治妊娠时行伤寒。○肉合小豆屑，捣如泥，水调，傅小儿丹毒。○烧灰，合苦酒服，治中风寒热，腹中绞痛。

忌 不可与猪肝同食。○若与沙糖同食，令人成疳虫。○鲫鱼子不宜与猴肉、雉肉、猪肉同食。

鳝鱼

无毒

鳝鱼主补中，益血，疗沈[1]唇。五月五日取头骨烧之，止痢。名医所录。

① 沈：原注“音审”。

地〔图经曰〕生水岸泥窟中，今所在皆有之。似鳗鲡鱼，而头大，身细，亦似蛇而无鳞，有青、黄二色。冬蛰夏出，人作臛食之。〔衍义曰〕鳝鱼腹有黄色，世谓之黄鳝。又有白鳝，稍粗大，色白。二者皆无[1]鳞，大者长尺余，其形类蛇，但不能陆行。今江陵府西湖每岁夏秋沮河水涨，即湖水满溢，冬即复涸。土人于干土下撅而得之，每及二三尺者，则有往来鳝行之路，中有泥水，水涸又下，水至复出也。

时〔生〕四月、五月。〔采〕五月五日取。

质 类鳗鲡鱼而细长。

色 青、黄。

味 甘。

性 大温，缓。

气 气之厚者，阳也。

臭 腥。

主 补五脏，逐风邪。

制 去肠肚，洗净，煮熟食之。

治〔疗〕〔唐本注云〕干鳝头，主消渴，食不消，去冷气，除痞疹。〔陈藏器云〕鳝鱼，主湿痹及妇人产后淋沥，血气不调，止血，除腹中冷气，肠鸣。○血，傅癣及瘘。〔孟诜云〕鳝鱼，逐十二风邪。患恶气人，作臛，空腹食之，取汗仍以五木汤浴之，须慎风。并治湿风。〔补〕〔陈藏器云〕主虚损，羸瘦。

合治 皮烧灰，合酒空心，调二钱匕[2]服，疗妇人乳结硬疼。

---

① 无：原作“亡”，据印本改。

② 匕：原脱，据《证类本草》补。

禁 又时行病起，食之多复发。○多食则动风气，令人霍乱。

忌 不可同白犬血食之。

○ 鳞虫

鲍鱼

无毒　卵生

鲍鱼主坠堕，骽[1]蹶[2]，踠折瘀血，血痹在四肢不散者，女子崩中血不止。勿令中咸。

名医所录。

① 骽：原注“吐猥切”。
② 蹶：原注“音厥”。

地〔图经曰〕鲍乃饐鱼，饐即陈臭也。据陶、苏之说，今汉、沔间所作淡干鱼，味辛而臭者。苏又引《李当之本草》亦言胸中湿者，良，盖暴鱼时不以盐，外虽干而鱼肥，故中湿也。中湿则弥臭矣。所谓与不善人居，如入鲍鱼之肆是也。盖鲍鱼自是一种，形如小鳙鱼，生海中，其臭如尸，始皇置车中者是此。据《绍兴校定》云：鲍乃海生之鱼，其气极臭，然《素问》有治血枯，饮鲍鱼汁以利肠中之说，但今未闻用验之据，虽有性味主治，固非起疾之物矣[①]。

时〔生〕无时。〔采〕无时。

收 暴干。

味 辛。

性 温，散。

气 气厚味薄，阳中之阴。

臭 臭。

合治 干鱼一枚，烧为末，合酒服方寸匕，取汗，疗妊娠中风寒热，腹中绞痛。

---

① 据《绍兴校定》云……固非起疾之物矣：此段文字系编修者新补内容。

○ 鳞虫

鲤鱼

无毒 附肉、骨、齿

卵生

鲤鱼胆出神农本经。主目热赤痛，青盲，明目。久服强悍，益志气。以上朱字神农本经。

肉，甘，主咳逆上气，黄疸，止渴。生者主水肿脚满，下气。○骨，主女子带下赤白。○齿，主石淋。以上黑字名医所录。

名 赤鲤鱼、玄驹、白鲤、白骥、黄鲤、黄骓。

地〔图经曰〕生九江池泽，今处处有之，即赤鲤鱼也。其脊中鳞一道,每鳞上皆有小黑点,从头数至尾,不拘大小,皆三十六鳞。古语云：五尺之鲤与一寸之鲤，大小虽殊，而鳞之数等是也。又崔豹《古今注》释鲤鱼有三种，兖州又谓赤鲤为玄驹；谓白鲤为白骥；黄鲤为黄骓。盖诸鱼中，此为最佳，又能神变，故多贵之也。〔衍义曰〕鲤鱼，至阴之物也，其鳞故三十六，阴极则阳复，所以《素问》云：鱼，热中。王叔和云：热则生风，食之所以多发风热，诸家所解并不言。《日华子》云：凉，今不取，直取《素问》为正。万一风家更使食鱼，则是贻祸无穷矣。

时〔生〕三四月。〔采〕无时。

用 脑髓、目睛、脂、血、胆、肉、骨、齿、鳞、皮、肠。

质 类鲫鱼，长大而尾赤。

色 青黄。

味 苦。肉甘。

性 寒，泄。

气 气薄味厚，阴也。

臭 腥。

主 目赤翳痛。

助 蜀漆为之使。

制 凡修理，可去脊上两筋及黑血，有毒故也。

治〔疗〕〔唐本注云〕血，主小儿丹肿及疮。○皮，主瘾疹。○脑，主诸痫。○肠，主小儿肌疮。〔陈藏器云〕肉，安胎，怀妊身肿，煮为汤食之。○胆，主耳聋，滴耳中。○目，为灰，研，傅刺疮中，风水疼肿，汁出即愈。诸鱼目并得。〔药性论云〕胆，点眼，消目赤肿翳痛及傅小儿热肿。〔日华子云〕肉，止咳嗽，除脚气，破冷气，痃癖，怀妊人胎不安，用绢裹鳞和鱼煮羹，熟后去鳞，食之，验。〇脂，治小儿痫疾，惊忤。〇脑髓，治耳暴聋，煮粥食，良。〔食疗云〕肠，主小儿腹中疮。〔别录云〕鳞、皮合作屑，水调服，疗鱼鲠骨横喉中，六七日不出者。〇胆及脑，傅治雀目，觉燥痛者即明。

合治 肉作脍，以浓蒜齑食之，破冷气，痃癖，气块横关伏梁。〇鱼烧灰，合糯米煮粥，治咳嗽。〇鱼齿一升，筛末，以三岁苦酒和，分三服，旦服一分，中服一分，暮服一分，治石淋。〇赤鱼鳞烧灰，合酒服，疗产妇腹痛，兼治血气。〇小鲤鱼烧为末，合米饮服，治大人、小儿暴痢。〇胆和灶底土调，涂小儿咽肿喉痹，立瘥。〇以一头作脍，合姜、醋食，主上气咳嗽，胸膈妨满，气喘，并有功。

禁 炙鲤鱼切忌烟，不得令熏着眼，损人眼光，三两日内，必见验也。又天行病后，不可食。再发即死。其在砂石中者有毒，多在脑中，不可食头。凡人腹中痼瘕者，不可食。

忌 鲤鱼鲊和豆藿叶[①]食，令人瘦。子合猪肝食，害人。服天门冬，不宜食。

① 叶：原脱，据《证类本草》补。

八种食疗余

时鱼平。补虚劳，稍发疳痼。

黄赖鱼一名䱀䰳，醒酒，亦无鳞，不益人也。

比目鱼平。补虚，益气力，多食稍动气。

鲚鱼发疥，不可多食。

鯸鮧鱼有毒，不可食之。其肝毒杀[①]人。缘腹中无胆，头中无腮，故知害人。若中此毒及鲈鱼毒者，便剉芦根煮汁饮，解之。又此鱼行水之次，或自触着物，即自怒气胀，浮于水上，为鸦雏所食。孙真人食忌鯸鮧鱼勿食肝，杀人。

鯮鱼平。补五脏，益筋骨，和脾胃，多食宜人，作鲊尤佳。曝干，甚香美。不毒，亦不发病。

黄鱼平，有毒。发诸气病，不可多食。亦发疮疥，动风。不宜和荞麦同食，令人失音也。

鲂鱼调胃气，利五脏。和芥子酱食之，助肺气，去胃家风。消谷不化者，作脍食，助脾气，令人能食。患疳痢者，不得食。作羹臛食，宜人。其功与鲫鱼同。

二十三种陈藏器余

鲟鱼味甘，平，无毒。主益气，补虚，令人肥健。

① 杀：原作“煞”，据印本改。

生江中，背如龙，长一二丈，鼻上肉作脯，名鹿头。一名鹿肉，补虚，下气，子如小豆，食之肥美，杀腹内小虫。《食疗》有毒，主血淋，可煮汁饮之。其味虽美，而发诸药毒。鲊，世人虽重，尤不益人，服丹石人不可食，令人少气。发一切疮疥，动风气，不与干笋同食，发瘫痪风。小儿不与食，结癥瘕及嗽，大人久食，令人卒心痛，并使人卒患腰痛。

䱊鳀[①] **鱼白**主竹木入肉，经久不出者，取白傅疮上，四边肉烂即出刺。一名鳔[②]。《海药》云谨按《广州记》云：生南海，无毒，主月蚀疮，阴疮，瘘疮，并烧灰用。**经验方**治呕血，鳔胶长八寸，阔二寸，炙令黄，刮二钱已来，用甘蔗节三十五个，取自然汁，调服之。

文鳐[③] **鱼**无毒。妇人临月带之，令易产，亦可临时烧为黑末，酒下一钱匕。出南海，大者长尺许，有翅与尾齐，一名飞鱼，群飞水上海人候之当有大风。《吴都赋》云：文鳐夜飞而触网，是也。

牛鱼无毒。主六畜疾疫，作干脯，捣为末，以水灌之，即鼻中黄涕出。亦可置病牛处，令[④]其气相熏。生东海，头如牛也。

海豚鱼味咸，无毒。肉主飞尸，蛊毒，瘴疟，作脯

① 䱊鳀：原注"上逐下题"。
② 鳔：原注"毗眇切"。
③ 鳐：原注"余招反"。
④ 令：原无，据《证类本草》补。

食之。一如水牛肉，味小腥耳。皮中肪，磨恶疮，疥癣，痔瘘，犬马瘑疥，杀虫。生大海中，候风潮出，形如豚，鼻中声，脑上有孔，喷水直上，百数为群，人先取得其子，系著水中，母自来就而取之。其子如蠡鱼子，数万为群，常随母而行。亦有江豚，状如豚，鼻中为声，出没水上，海中舟人候之，知大风雨。又中有曲脂，堪磨病。照[1]樗蒲[2]即明，照读书及作即暗，俗言懒妇化为此也。

杜父鱼主小儿差颓，差颓核大小也。取鱼擘开，口咬之七下。生溪涧下，背有刺，大头阔口，长二三寸，色黑，斑如吹砂而短也。

海鹞鱼齿无毒。主瘴疟，烧令黑，末，服二钱匕。鱼似鹞，有肉翅，能飞上石头，一名石蛎，一名邵阳鱼，齿如石版，生东海。

鮠鱼一作鮰[3]，味甘，平，无毒。不腥，主膀胱水下，开胃。作鲙白如雪。隋朝吴都进鮠鱼干鲙，取快日曝干，瓶盛，临食以布裹，水浸良久，洒去水，如初鲙无异。鱼生海中，大如石首。

鮹鱼味甘，平，无毒。主五野鸡痔，下血，瘀血在腹。似马鞭，尾有两歧，如鞭鞘，故名之，出江湖。

---

① 照：原作“及”，据印本改。
② 蒲：原作“博”，印本作“蒱”，据卷二“紫石英”条“地”项文改。
③ 鮠鱼一作鮰：原注“并音五禾反，鲶属，又五回反”。

鳣鱼肝无毒。主恶疮，疥癣，勿以盐炙食。郭注《尔雅》云：鳣鱼，长二三丈。《颜氏家训》曰：鳣鱼纯灰色，无纹，古书云：有多用鳣鱼字为鳝，既长二三丈，则非鳝鱼明矣。《本经》又以鳝为鼍，此误深矣，今明鱑鱼，体有三行甲，上龙门化为龙也。

石鮅[1]**鱼**味甘，平，有小毒。主疮疥癣。出南海方山涧中，长一寸，背里腹下赤，南人取之作鲊。

鱼鲊味甘，平，无毒。主癣，和柳叶捣碎，热炙傅之。又主马瘑疮，取酸臭者，和糁及屋上尘傅之。瘑，似疥而大，凡鲊皆发疮疥，可合杀虫疮药用之。

鱼脂主牛疥，狗瘑疮，涂之立愈。脂是和灰泥船者，腥臭为佳。又主癥，取铜器盛二升，作大火炷，脂上燃之，令暖彻，于癥上熨之，以纸藉腹上，昼夜勿息火，良。

鲙味甘，温。蒜齑食之，温补，去冷气，湿痹，除膀胱水，喉中气结，心下酸水，腹内伏梁，冷痃，结癖，疝气，补腰脚，起阳道。鲫鱼鲙，主肠澼，水谷不调，下利，小儿、大人丹毒，风眩。鲤鱼鲙，主冷气，气块结在心腹，并宜蒜齑进之。鱼鲙以菰菜为羹，吴人谓之金羹玉鲙，开胃口，利大小肠。食鲙不欲近夜，食不销，

① 鮅：原注“音必”。

兼饮冷水，腹内为虫。时行病起食鲙，令人胃弱。又不可同乳酪食之，令人霍乱。凡羹以蔓菁煮之，蔓菁去鱼腥。又万物脑能消毒，所以食脍，食鱼头羹也。

昌侯鱼味甘，平，无毒。腹中子有毒，令人痢下。食其肉肥健，益气力。生南海，如鲫鱼，身正圆，无硬骨，作炙食之至美，一名昌鼠也。

鲩鱼无毒。主喉闭，飞尸，取胆和暖水搅服之。鲩[①]，似鲤，生江湖间，内喉中飞尸上。此胆至苦。

鯸鱼肝及子有大毒。入口烂舌，入腹烂肠。肉，小毒，人亦食之，煮之不可近铛，当以物悬之。一名鹕夷鱼，以物触之即嗔，腹如气球，亦名嗔鱼。腹白，背有赤道如印鱼，目得合，与诸鱼不同，江、海中并有之，海中者大毒，江中者次之，人欲收其肝、子毒人，则当反被其噬。为此人皆不录，唯有橄榄木及鱼茗木解之，次用芦根、乌蓝草根汁解之。此物毒疾，非药所及。橄榄、鱼茗已出木部。

鱼虎有毒。背上刺著人如蛇咬，皮如猬有刺，头如虎也。生南海，亦有变为虎者。

鮏[②]鱼、鲲鱼、鳅[③]鱼、鼠尾鱼、地青鱼、鯆魮鱼[④]、

① 鲩：原注“音患”。

② 鮏：原注“音拱”。

③ 鳅：原注“鳝同音”。

④ 鯆魮鱼：原注“鯆魮，普胡反，音毗”。

邵阳鱼尾刺人者，有大毒，三刺中之者死，二刺者困，一刺者可以救。候人溺处钉之，令人阴肿痛，拔去即愈。海人被其刺毒，煮鱼簄竹及海獭皮解之。以上鱼并生南海，总有肉翅，尾长二尺，刺在尾中，逢物以尾拨之，食其肉而去其刺，其鯆魮鱼已在《本经》鮔[①]鱼注中。

鲵鱼鳗鲡注，陶云：鳗鲡能上树。苏云：鲵鱼能上树，非鳗鲡也。按鲵鱼一名王鲔，在山溪中，似鲇，有四脚，长尾，能上树，天旱则含水上山，叶覆身，鸟来饮水，因而取之。伊、洛间亦有，声如小儿啼，故曰鲵鱼，一名鳠鱼，一名人鱼，膏燃烛不灭，秦始皇冢中用之。陶注鲇鱼条云：人鱼即鲵鱼也。

诸鱼有毒者鱼目有睫杀人，目得开合杀人，逆鳃杀人，脑中白连珠杀人，无鳃杀人，二目不同杀人，连鳞者杀人，白鬐杀人，腹下丹字杀人，鱼师大者有毒，食之杀人。

水龟无毒。主难产，产妇戴之，亦可临时烧末酒下。出南海，如龟，长二三尺，两目在侧傍。

疟龟无毒。主老疟发无时者，亦名痎疟，下俚人呼为妖疟，烧作灰，饮服一二钱匕，当微利，取头烧服弥佳，亦候发时煮为沸汤，坐中浸身。亦悬安病人卧处。生高山石下，身偏头大，嘴如鹗鸟，亦呼为鹗龟。

本草品汇精要卷之二十九

① 鮔：《证类本草》作“鳝”。

本草品汇精要

·卷之三十·

虫鱼部 中品

一十六种 神农本经 朱字

三种 名医别录 黑字

二种 唐本先附 注云唐附

一十种 宋本先附 注云宋附

二种 唐慎微附

一种 今移

二种 海药余

二十种 陈藏器余

已上总五十六[1]种，内一十五种今增图

① 五十六：原作“五十三”，据总目改。

猬皮	露蜂房土蜂房附	鳖甲肉、能、鳉附
蟹爪附	蚱[①]蝉蝉蜕附	蝉花唐慎微附
蛴螬	乌贼鱼[②]肉、柔鱼、章举、石距附	
白僵蚕蚕蛹子附	原蚕蛾屎、蚕沙[③]附	
蚕退宋附，蚕纸布附，今增图		缘桑螺唐慎微附，今增图
鳗[④]鲡[⑤]鱼鱿鱼、海鳗附		鮀[⑥]鱼甲肉、鼍甲附，今增图
樗[⑦]鸡	蛞[⑧]蝓[⑨]	蜗牛今增图
石龙子	木虻	蜚虻今增图
蜚蠊[⑩]今增图	䗪[⑪]虫	鲛鱼皮唐附
白鱼宋附，今增图		鳜[⑫]鱼宋附，今增图
青鱼宋附，眼、胆、枕骨附		河豚宋附，今增图
石首鱼宋附，今增图	嘉鱼宋附，今增图	
鲻鱼宋附，今增图	紫贝唐附	鲈鱼宋附，今增图
鲎宋附，今增图	海马自陈藏器今移并增图	

① 蚱：原注“音笮，又音侧”。
② 鱼：此后原有“骨”字，据正文药名标题删。
③ 蚕沙：原无，据正文药下附品项补。
④ 鳗：原注“音谩”。
⑤ 鲡：原注“音黎”。
⑥ 鮀：原注“音驼”。
⑦ 樗：原注“丑如切”。
⑧ 蛞：原注“音阔”。
⑨ 蝓：原注“音俞”。
⑩ 蠊：原注“音廉”。
⑪ 䗪：原注“音柘”。
⑫ 鳜：原注“居卫切”。

二种海药余

郎君子　海蚕沙[1]

二十种陈藏器余

鼋　齐蛤　柘虫屎
蚱蜢　寄居虫　蛐蟮
负蠜　蠼螋　蛊虫
土虫　鳙鱼　予脂
砂挼子　蛔虫汁[2]　蟲螽
灰药　吉丁虫　腆颗虫
鼷鼠　诸虫有毒

① 沙：原无，据正文药名补。
② 汁：原无，据正文药名补。

本草品汇精要卷之三十

虫鱼部中品

○ 毛虫

猬皮

无毒　胎生

猬皮出神农本经。主五痔，阴蚀，下血，赤白五色，血汁不止，阴肿痛引腰背，酒煮杀之。以上朱字神农本经。**疗腹痛疝积，亦烧为灰，酒服之。**以上黑字名医所录。

地〔图经曰〕生楚山川谷及田野间，山林中皆有之。状类猯、豚，脚短多刺，尾长寸余，人触近便藏头足，因外皆刺不可向尔。陶云：能跳入虎耳中，惟见鹊则仰腹受喙，盖物或有相制然耳。又云：恶鹊声，故欲掩取之，犹蚌鹬[1]也。此类亦多，惟苍白色，脚似猪蹄者佳，鼠脚者次。其毛端有两歧者，名山枳鼠。肉味酸者，名虎鼠。味苦而皮褐色类兔皮者，名山㺜。凡此皆不堪用，尤宜详识耳。〔唐本注云〕猬极狞钝，大者如小豚，小者犹瓜大，或恶鹊声，故反腹令啄。其虎耳不受鸡卵，且去地三尺，猬何能跳之而入？此野俗鄙说，未可轻信。

时〔生〕无时。〔采〕无时。

用皮。

质如猯、豚而身多刺。

色苍白。

味苦。

性平。

气味厚于气，阴中之阳。

臭腥。

主五痔，下血。

助得酒良。

反畏桔梗、麦门冬。

制酥炙黄，或烧灰用。

治〔疗〕〔药性论云〕皮，炙末，白饮下方寸匕，主肠风泻血，痔病有头，多年不瘥者。烧末，吹，止鼻衄。〔日华子云〕开胃

① 鹬：原注“音聿”。

气，止血、汗，肚胀痛，疝气。○脂，治肠风泻血。〔孟诜云〕猬，食之肥下焦，理胃气。又煮汁服，止反胃。〔别录云〕皮，烧末，水调服方寸匕，治蛊毒，下血，当吐出蛊毒。及搽乳头上，与小儿饮，治卒惊啼，状如物刺者。

合治 皮烧灰，合酒服，疗胃逆。○皮方三指大，合熏黄如枣大及熟艾，右穿地作坑，调和取便熏之，以口中熏黄、烟气出为佳，火气稍尽即停，三日将息，更熏之，疗五痔，不过三度，永瘥。勿犯风冷，羹臛将补，慎忌鸡、猪、鱼生冷，二十日后补之。○皮烧灰，合生油，傅肠痔，下部如虫啮。○合穿山甲等分，烧存性，入肉豆蔻末一半，空腹米饮，调服二钱，疗痔。

禁 勿使中湿，及其骨能瘦人，不可食。误食，令人瘦劣。

解 甚解一切药力。

露蜂房

有毒　附土蜂房

露蜂房出神农本经。主惊痫，瘛疭，寒热邪气，癫疾，鬼精，蛊毒，肠痔，火熬之良。以上朱字神农本经。又疗蜂毒，毒肿。以上黑字名医所录。

名 石蜂窠、蜂肠、独蜂窠、革蜂窠、百穿、草蜂窠、蜂勦[①]、大黄蜂窠。

地〔图经曰〕生牂牁山谷，今处处山林中皆有之。此木上大黄蜂窠也。大者如瓮，小者如桶，其蜂黑色，长寸许，螫牛、马及人，乃至欲死者，用此多效。人家屋间亦往往有之，但小而力慢，不堪用，不若山林中得风露气者最佳。〔衍义曰〕露蜂房有两种，一种小而色淡黄，窠长六七寸至一尺者，阔三四寸，如蜜脾下垂，一边是房，多在丛木郁翳之中，世谓之牛舌蜂；又一种或在高木上，或屋之下作房，大如三四斗许，小者亦一二斗，中有窠如瓠之状，由此得名，蜂色赤黄，其形大于诸蜂，世谓之玄瓠蜂也。

时〔生〕无时。〔采〕七月七日、十一月、十二月取。

收 阴干。

用 树上得风露气者佳。

色 青黑。

味 苦、咸。

性 平，泄。

气 味厚于气，阴中之阳。

臭 腥。

主 牙疼，痈肿。

反 恶干姜、丹参、黄芩、芍药、牡蛎。

制 火炙微黄。

治〔疗〕〔图经曰〕取十二分炙，以水二升，煮取八合，温

① 勦：原注“音窠”。

分再服，主乳石发动，头痛，烦热，口干，小便赤少者，服后当利诸恶毒，随小便出，瘥。又以半两水煎，重滤，洗目三四过，疗热病后毒气冲目。〔唐本注云〕水煮汁，每服五合，下乳石，热毒壅闷，小便中即下石末，大效。又疗上气，赤白痢，遗尿失禁，并洗狐尿刺疮。〔日华子云〕乳痈，蜂叮，恶疮，即煎洗入药，并炙用。〔别录云〕大者一枚，水三升，煮令浓赤，浴小儿，日三四次，疗卒痫。

合治 合猪膏调，傅蜂螫人。○以三指撮末，合酒调服，治崩中，漏下，青黄赤白，使人无子者，服之。○合细辛等分，含之，治眼翳。○火炙焦为末，合酒服方寸匕，日三，治鼻中外查瘤，脓水血出。○烧灰，合酒服，治阴痿。○合乱发、蛇皮烧灰，酒服方寸匕，日三，疗诸恶疽，附骨痈，根在脏腑，历节肿，出疔肿，恶脉诸毒，皆瘥。○以二枚炙末，合腊月猪脂和，涂瘰疬成风瘘作孔者。○土蜂房合醋，涂痈肿，干即易之，瘥。

解 蛊毒。

○ 甲虫

鳖甲

无毒　附肉、能、鲋　卵生

鳖甲出神农本经。主心腹癥瘕，坚积，寒热，去痞，息肉，阴蚀，痔，恶肉。以上朱字神农本经。**疗温疟，血瘕，腰痛，小儿胁下坚。○肉，味甘，主伤中，益气，补不足。**以上黑字名医所录。

地〔图经曰〕生丹阳池泽，今处处有之。以岳州、沅江其甲有九肋者为胜。仍生取甲，剔去肉为好，不用煮脱者，但看有连厌及干岩便真。若上两边骨出者，是已被煮熟过者，不堪入药。南人养鱼池中多畜鳖，云令鱼不随雾起。鳖之类，三足者为能[1]，大寒而有毒，主折伤，止痛，化血，生捣其肉及血傅之。道家云：可辟诸厌秽死气，画像亦能止之。无裙而头、足不缩者名鲄[2]，食之令人昏塞，误中其毒，以黄芪、吴蓝煎汤服之，立解。其壳亦主传尸劳及女子经闭病也。

时〔生〕无时。〔采〕无时。

收 阴干。

用 甲生脱、九肋、多裙、重七两者为上。

色 青绿。

味 咸。

性 平，软。

气 味厚于气，阴也。

臭 腥。

主 消癥癖，去劳热。

反 恶矾石、理石。

制〔雷公云〕治气破块，消癥，定心药中用之。每个鳖甲以六一泥固济瓶子底，待干，入于大火，以物揩于中，下头醋三升同煎之，以醋尽为度。去裙并肋骨，方炙干，然入药用。又治劳热药中用，依前泥，以童子小便一斗二升，昼夜煮，尽童便为度，

① 能：原注“奴来切”。
② 鲄：原注“奴荅切”。

取出，去裙，留骨于石臼中，捣成粉，以鸡肶皮裹之，取东流水三两斗，盛于盆内，将此阁于盆上一宿，至明任用，力有万倍，常用酥炙黄色。

治〔疗〕〔图经曰〕鳖甲，疗瘕癖虚劳方中多用之。○能[1]，生捣其肉，及血傅折伤，止痛，化血。又捣肉血，涂壁，道家云辟厌秽。○鲋壳，主传尸劳，女子经闭。〔唐本注云〕鳖头，烧灰，主小儿诸疾及产后阴脱，脱肛下坠，尸疰，心腹痛。〔药性论云〕消宿食，癥块，痃癖气，冷瘕，劳瘦，下气，除骨热，骨节间劳热，结实拥塞。〔日华子云〕鳖甲，去血气，破癥结，恶血，堕胎，消疮肿，并扑损瘀血，疟疾，肠痈。〔陈藏器云〕鳖，主热气湿痹，腹中激热，细擘，五味煮食之，当微泄。〔孟诜云〕鳖，主妇人漏下，羸瘦。〔别录云〕鳖甲，烧灰，服方寸匕，疗笃病新起，早劳食饮，多致复欲死者。

合治 鳖甲合诃梨勒皮、干姜末等分，为丸桐子大，空心下三十丸，再服，疗癥癖病。○又醋炙黄为末，合牛乳一合，调一匙，朝朝服之，治痃癖气。○又合琥珀、大黄作散，酒服二钱，下妇人蓄积恶血，血尽即休服。○又合鸡子白和，傅丈夫阴头痈。○又合酒服方寸匕，疗石淋。○又合蜜丸如小豆大服，疗小儿痫。○又以一大两，炙黄为末，食前合灯心一握，水二升，煎取五合，服一钱匕，食后合蜜水服一钱匕，疗上气急满，坐卧不得。

禁 目陷者及厌下有王字形者，亦不可食鳖。膏脱人毛发，涂孔中即不生。鳖颔下有软骨如龟形，食之令人患水病。又赤足者并独目者并有大毒，食之杀人。妊娠不可食其肉，令子项短。鳖

① 能：原注“奴来切”。

腹下成五字，食之作瘕。其三足者谓之能[①]，不可食。

忌 合鸡子食之杀人。合苋菜食之生鳖瘕。合芥子同食生恶疾。

① 能：原注“奴来切”。

○ 甲虫

蟹

有毒　附爪

蟹出神农本经。主胸中邪气，热结痛，㖞僻，面肿，败漆，烧之致鼠。以上朱字神农本经。解结散血，愈漆疮，养筋益气。○爪，主破胞，堕胎。以上黑字名医所录。

名 蛫、蠘、蝤蛑、桀步、彭蜎、蟳、蟧、拥剑、执火、彭蜞、拨棹子、蜎蠌[①]。

地〔图经曰〕生伊、洛池泽诸水中，今淮海、京东、河北陂泽中多有之，伊、洛反难得也。其蟹八足[②]二螯，大者箱角两出，足节屈曲，行则旁横，今人以为食品中之佳味。蟹于八月一日后方可食之，则味全，以前时长未成就，其毒尤猛也。然蟹之类甚多，六足者名蛫[③]，及四足者皆有大毒，不可食。阔壳而多黄者名蠘，生南海中，其螯最锐，断物如芟刈焉，食之动风气。扁而最大，后足阔者为蝤蛑，岭南人谓之拨棹子，以后脚形如棹也。一名蟳，随潮退壳，一退一长，甚大者如斗，小者如盏碟，两螯无毛，所以异于蟹，其力至强[④]，世传与虎

① 蠌：原注“音泽”。
② 足：原作“蛫”，据《证类本草》改。
③ 蛫：原注“音跪”。
④ 强：原作“彊”，据《证类本草》改。

斗者，此也。一螯大，一螯小者名拥剑，又名桀步，常以大螯斗小螯食物。一名执火，以其螯赤故也。其最小者，名彭蜎[①]，吴人语讹为彭越。《尔雅》云：蜎蠌[②]，小者蟧[③]。郭璞云：即彭蜎也。似蟹而小，其膏可以涂癣，食之令人吐下至困。彭蜞亦其类，蔡谟渡江误食之，即此也。〔衍义曰〕伊、洛绝少，今河北沿边沧、瀛州等处所出甚多，徐州亦有，但不及河北者。河北人取之，当八九月蟹浪之时，夜以灯火照，皆出，遂捕得之。此物每至夏末秋初，则如蝉蜕解，当日名蟹之意，必取此义尔。

时〔生〕无时。〔采〕八月、九月经霜后取。

用 壳、肉、爪、黄。

色 青黑。

① 蜎：原注“音滑”。
② 蠌：原注“音泽”。
③ 蟧：原注“力刀切”。

味 咸。

性 寒，软。

气 味厚于气，阴也。

臭 腥。

主 疗漆疮，破宿血。

治〔疗〕〔图经曰〕蠘，食之行风气。○蟹爪，疗孕妇僵仆，胎转上抢心困笃。〔日华子云〕蟹，生捣，炒罯，疗筋骨折伤。○蝤蛑，解热气，并小儿痞气。〔陈藏器云〕蟹脚中髓及脑与壳中黄，并能续断绝筋骨，取碎之，微熬，内疮中，筋即相连也。○彭蜞，主湿癣、疽疮不瘥者，涂之。〔孟诜云〕蟹，主散诸热，理脾胃气，调经脉，消宿食。〔别录云〕蟹捣烂，傅疮疥，效。

合治 蟹合醋食之，利肢节，去五脏中烦闷气。○合酒服，疗产后肚痛，血不下。○爪合酒及醋汤煎服，破宿血，止产后血闭，肚痛。○生蟹足骨，焙干为末，合白蔹末等分，用乳汁和，贴小儿解颅不合。

禁 独螯、独目及两目相向者，皆有大毒，不可食。其有六足、四足者，不可食，误食，急以豉汁解之。又蟹足斑目赤者，误食之杀人。十二月食之，伤神。妊娠食之，令儿横生。俱不可食。未经霜时，甚有毒。云食水莨[1]所为，人中之，不速疗即死。

解 中蟹毒，服冬瓜汁、紫苏汁，瘥。杀莨菪毒[2]。

① 莨：原注“音建”。

② 毒：原无，据《证类本草》补。

○ 羽虫

蚱蝉

无毒　附蝉蜕　化生

蚱[1]蝉出神农本经。主小儿惊痫，夜啼，癫病，寒热。以上朱字神农本经。**惊悸，妇人乳难，胞衣不出，又堕胎。**以上黑字名医所录。

① 蚱：原注“音笮，又音侧”。

名 蝉、马蝉、鸣蝉、蝒、马蜩、鸣蜩。〔壳〕蝉蜕、枯蝉、蝉壳、伏蜟。

地〔图经曰〕《本经》不载所出州土，但云生杨柳上，今在处有之。陶隐居以为哑蝉，苏恭以为鸣蝉。二说不同，按字书解，蚱字乃蝉声也。《月令》云：仲夏之月，蝉始鸣，言五月始有此蝉鸣也。而《本经》亦云五月采，正与《月令》所记始鸣者同时，苏说得之矣。蝉类甚多，《尔雅》云：蝒，马蜩。郭璞注云：蜩中最大者为马蝉。今夏中所鸣者，比众蝉最大。陶又引《诗》鸣蜩嘒，云是形大而黑，昔人所啖者。又礼冠之饰附蝉者，亦黑而大，皆此类也。然则《尔雅》所谓马蜩，诗人所谓鸣蜩，《月令》礼家所谓蝉，《本草》所谓蚱蝉，其实一种。蝉类虽众，而为时用者，独此一种尔。医方所用蝉壳，亦此蝉所蜕也。又名枯蝉，本生于土中，云是蜣螂所转丸，久而化成此虫，至夏便登木而蜕也。〔衍义曰〕蚱蝉，夏月身与声皆大者是。始终一般声，仍皆乘昏夜方出土中，升高处，背壳坼蝉出，所以皆夜出者，一以畏人，二畏日炙，干其壳而不能蜕也。至时寒则坠地，小儿蓄之，虽数日亦不须食。古人以为饮风露，信有之，盖不粪而溺，亦可见矣。

时〔生〕四月、五月。〔采〕六月、七月取。

用 壳不蠹佳。

色 土黄。

味 咸、甘。

性 寒。

气 气薄味厚，阴中之阳。

臭 腥。

主 去风热，杀疳虫。

制 去土，蒸熟用。

治 〔疗〕〔唐本注云〕除小儿痫，绝不能言。○蝉蜕，主女人生子不出。灰服之，止久痢。〔药性论云〕止小儿惊哭不绝，杀疳虫，去壮热，并肠中幽幽作声。○蝉蜕，疗小儿浑身壮热，惊痫，兼能止渴。〔衍义曰〕蝉蜕，治目昏翳。又水煎汁服，治小儿出疮疹不快，甚良。

合治 蝉壳微炒为末，合温酒，不拘时服一钱匕[①]，疗风头眩。○又合薄荷叶等分，为末，酒调一钱匕，日三服，疗风气客皮肤，瘙痒。

---

① 匕：原无，据《证类本草》补。

蝉花

无毒　化生

蝉花主小儿天吊，惊痫，瘛疭，夜啼，心悸。

名医所录。

地〔图经曰〕《本经》不载所出州土，今所在皆有之。生苦竹林中者良，花出土上。今蜀中有一种蝉，其蜕壳头上有一角，如花冠状，谓之蝉花。西人有赍至都下者，入药最奇。〔衍义曰〕西川有蝉花，乃是蝉在壳中不出而化为花，自顶中出者也。

时〔生〕五月。〔采〕七月取。

收 阴干。

用 花白全者良。

色 黄白。

味 甘。

性 寒。

气 气之薄者，阳中之阴。

臭 腥。

主 风痫，惊悸。

制〔雷公云〕凡收得，于屋下东角悬干，去甲土后，用浆水煮一日，至夜焙干，碾细用。

蛴螬

有毒　湿生

蛴螬出神农本经。主恶血，血瘀，痹气，破折血在胁下坚满痛，月闭，目中淫肤，青翳白膜。以上朱字神农本经。疗吐血在胸腹不去，及破骨踒折，血结，金疮内塞，产后中寒，下乳汁。以上黑字名医所录。

名 蟦[①]蛴、蜰[②]齐、教齐。

地〔图经曰〕生河内平泽及人家积粪草中，今处处有之。大者有如足大指，以背行反駃于脚，用之，以反行者良。《尔雅》所谓蟦，蛴螬。郭璞云：在粪土中者是也，而诸朽木中蠹虫，形亦相似，但洁白于粪土中者，即《尔雅》所云蝤蛴，蝎，又云蝎，蛣蝠。又云：蝎，桑虫。郭云：在木中，虽通名蝎，所在异者，是此也。苏恭以谓入药当用木中者，乃与《本经》云生粪草中相戾矣。有名未用中自有桑虫条，桑虫即蛣蝠也，与此主疗殊别。今医家与蓐妇下乳药用之，乃是掘粪土中者，其效殊速，乃知苏说未可据也。张仲景治杂病方大䗪虫丸中用蛴螬，以其主胁下坚满也。〔陈藏器云〕蛴螬居粪土中，身短足长，背有毛筋。但从水入，秋蜕为蝉，飞空饮露，能鸣高洁。蝎在朽木中，食木心，穿如锥刀。一名蠹，身长足短，口黑无毛，节慢。至春，羽化为天牛，两角状如水牛，色黑背有白点，上下缘木，飞腾不遥。二虫出处既殊，形质又别，苏乃混其状，总名蛴螬，异乎蔡谟彭蜞，几为所误。苏注乃千虑一失矣。〔衍义曰〕此虫诸腐木根下有之，构木津甘，故根下多有此虫。其本身未有完者，亦有生于粪土中者，虽肥大，但腹中黑，不若木中者，虽瘦而稍白。生研，水绞汁，滤清饮，下奶[③]。

时〔生〕无时。〔采〕无时。一云冬月取者佳。

收 阴干。

---

① 蟦：原注“扶文切”。
② 蜰：原注“音肥”。
③ 奶：原注“女蟹切，乳也”。

用 反行者良。

色 白。

味 咸。

性 温。一云微寒。

气 味厚于气，阴中之阳。

臭 腥。

主 下乳汁，傅恶疮。

助 蜚蠊为之使。

反 恶附子。

制〔雷公云〕凡使，与糯米同炒，待米焦黑为度，然后去米取之，去口畔并身上肉、毛及黑尘了，作三四截，碾成粉用之。

治〔疗〕〔图经曰〕除喉痹。〔药性论云〕取汁滴目中，去翳障，主血止痛。〔日华子云〕去目中瘀膜。○桑、柳木内者，去风疹。〔陈藏器云〕汁，涂赤白游疹。○桑蠹，主心暴痛并金疮。〔别录云〕取末，傅治丹走皮中浸淫，名火丹疮。○又捣，涂竹木刺在肉中不出，及傅痈疽，痔漏，恶疮，效。

合治 以青布覆目中，取蛴螬在布上磨之，治稻麦芒入眼，最良。

○ 羸虫

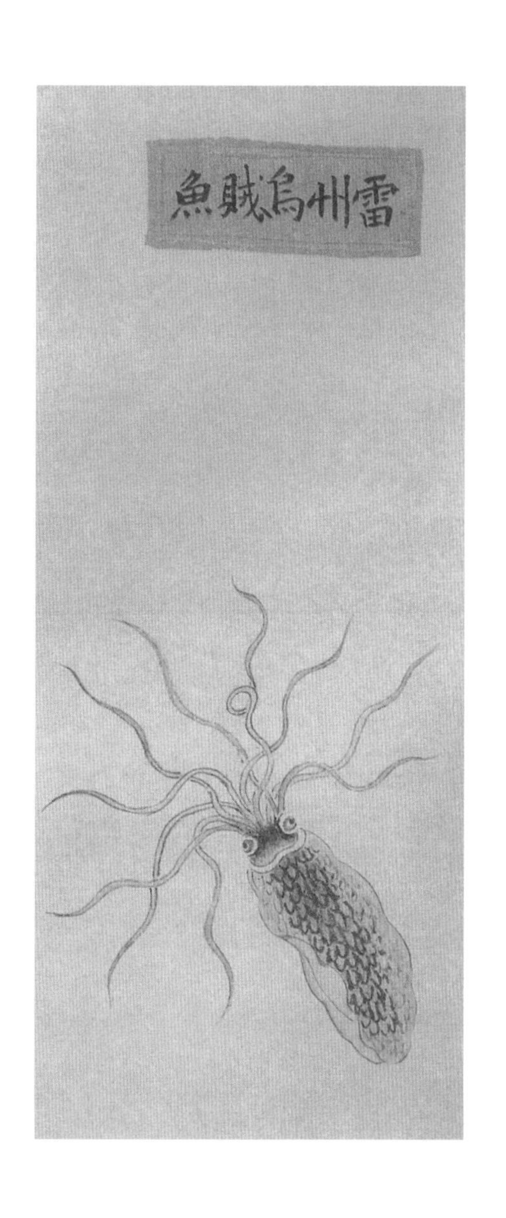

乌贼鱼

无毒　附肉、柔鱼、章举、石距

乌贼鱼骨出神农本经。主女子漏下，赤白经汁，血闭，阴蚀，肿痛，寒热，癥瘕，无子。以上朱字神农本经。**惊气入腹，腹痛环脐，阴中寒肿，令人有子。又止疮多脓汁不燥。○肉，味酸，平，主益气，强志。**以上黑字名医所录。

名 乌鲗、缆鱼。

地〔图经曰〕生东海池泽，今越州、近海州郡皆有之。云是鷃[①]乌所化，其口角犹存，颇相似，故名乌鲗，能吸波噀墨以[②]溷水，所以自卫，使水匿不能为人所害。又云：性嗜乌，每暴，水上有飞乌过，谓其已死，便啄其腹，则卷取而食之，以此得名，言为乌之贼害也。形若革囊，口在腹下，八足聚生口傍。只一骨，厚三四分，似小舟轻虚而白。又有两须如带，可以自缆，故别名缆鱼。《南越志》云：乌贼有碇，遇风便虬前一须下碇而住。碇亦缆之义也。腹中血及胆如墨，堪用书字，作好墨亦用之。世谓乌贼怀墨而知礼，故俗谓是海若白事小吏。其肉食之益人，其无骨者名柔鱼。又有章举、石距二物，与此相类而差大，味更珍好，食品所贵重，不入药用，故略焉。

时〔生〕无时。〔采〕无时。

用 骨、肉。

色 白。

味 咸。

性 微温，软。

气 气厚于味，阳中之阴。

臭 腥。

主 止精滑，去目翳。

反 恶白蔹、白及、附子。

制〔雷公云〕凡使，要上文顺，浑用血卤作水浸，并煮一伏

① 鷃：原注“音剥”。
② 以：原作“似”，据《证类本草》改。

时了，漉出，于屋下掘一地坑，可盛得前件乌贼骨多少，先烧坑子，去炭灰了，盛药一宿，至明取出用，其效倍多。或炙黄，去皮用之。

治〔疗〕〔素问曰〕肉主女子血枯。〔唐本注云〕去牛、马目中障翳。〔药性论云〕骨，止妇人漏血及耳聋。〔日华子云〕肉，能通经。○骨，疗血崩，杀虫。〔陈藏器云〕骨末饮之，主小儿痢下及妇人血瘕，杀小虫。〔孟诜云〕骨为末，治眼中热泪。〔别录云〕骨为末，傅丈夫阴头疮，效。

合治 骨为末，合蜜点眼中，去一切浮翳。○骨末一两，合龙脑少许，点治伤寒热毒攻眼，生赤白翳。○骨合醋磨，疗疬疡风及三年者，先以布磨肉赤，即傅之，效。○骨合鸡子黄，傅之喉及舌下，疗小儿重舌。○腹中墨合醋磨服，疗血刺心痛。

赝 沙鱼骨为伪。

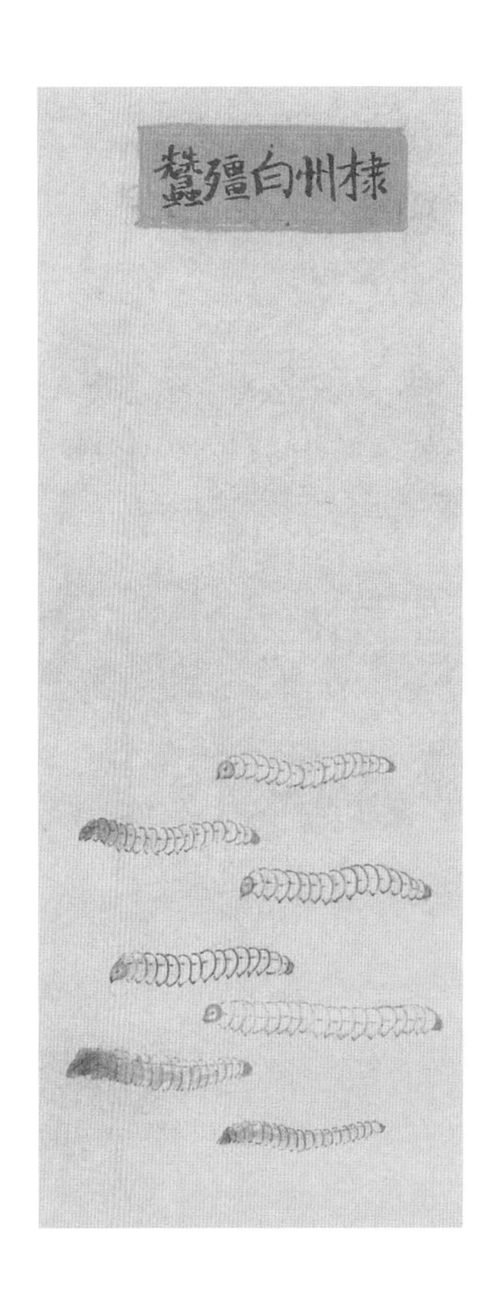

白僵蚕

无毒　附蚕蛹子[1]　卵生

白僵蚕出神农本经。主小儿惊痫，夜啼，去三虫，灭黑皯，令人面色好，男子阴易[2]病。以上朱字神农本经。女子崩中赤白，产后余痛，灭诸疮瘢痕。以上黑字名医所录。

---

① 子：原脱，据目录补。
② 易：原注“音亦”。

地〔图经曰〕生颖川平泽，今所在养蚕处皆有之。用自僵死白色而条直者为佳。〔衍义曰〕然蚕有三番，惟头番僵者最佳，大而无蛆也。

时〔生〕三月。〔采〕四月取。

收 暴干。

用 头眠自僵者佳。

色 白。

味 咸、辛。

性 平，软。

气 味厚气薄，阴中之阳。

臭 腥。

主 去诸风，消疔肿。

反 恶桑螵蛸、桔梗、茯苓、茯神、萆薢。

制〔雷公云〕凡使，先用糯米泔浸一日，待蚕桑涎出如蜗牛涎，浮于水上，然后漉出，微火焙干，以布净拭蚕上黄肉毛并黑口甲及丝，单捣筛如粉用。

治〔疗〕〔唐本注云〕为末，封疔肿，根当自出。〔药性论云〕除口噤，发汗及妇人崩中，下血不止。〔日华子云〕疗中风失音，并一切风疾，小儿客忤，男子阴痒痛，女子带下。○蚕蛹子，食，治风及劳瘦，又研傅蚕瘑，恶疮。〔别录云〕白僵蚕为末，水调服五分，治瘰疬及治背疮，以针挑四畔，水调傅之，即拔出根。○又炒黄为末，傅一切金疮。

合治 合衣中白鱼、鹰屎白等分，治疮灭瘢。○为末，合生姜自然汁，调灌之，疗中风，急喉痹欲死者。○合蝎稍等分，天雄尖、附子尖共一钱，微炮过，为细末，每服一字或半钱，以生姜温水调下，治小儿惊风。〇合酒调两钱服，少顷，以脂麻茶一钱，热投之，梳乳[1]数十遍，下奶汁如泉。〇合天南星刮去皮等分，并生为末，每服一字，以生姜汁下，疗喉闭。如咽喉闭紧，即以小竹筒子擘口灌之，涎出后，用大姜一块，略炙含之。小可，只傅唇上即瘥。〇直者七个，细研，合姜汁一茶匙，温水调下，治风痰。〇微炒黄为末，合乌梅丸如桐子大，每服姜蜜汤下五丸，疗风痔忽生，痔头肿痛，又忽自消，发歇不时者。〇合慎火草捣，涂野火丹，从背上两胁起。〇炒黄，拭去蚕上黄肉毛，为末，合蜜，傅小儿口疮通白者及风疳疮蚀透者。〇合黑牵牛等分，为末，如澡豆用之。去黑皯，令人面色好，及浴小儿胎秽，良。

禁 勿令中湿，湿则有毒，不可用。

① 乳：《证类本草》作“头”。

○ 羽虫

原蚕蛾

雄者，有小毒　附蚕沙，无毒　化生

原蚕蛾主益精气，强阴道，交接不倦，亦止精。〇屎，温，主肠鸣，热中消渴，风痹，瘾疹。名医所录。

名 晚蚕蛾、魏蚕、夏蚕、热蚕。

地〔图经曰〕《本经》旧不载所出州土，今东南州郡养蚕处皆有之。此乃第二番重养者，即晚蚕蛾也，有原复敏速之义。北人不甚复养，恶其损桑。而《周礼》禁原蚕者，郑康成注云：为其伤马，伤马亦是一事耳。《淮南子》曰：原蚕一岁再登，非不利也。然王者之法禁之，为其残桑也，人既稀养，市者亦多早蛾，不可用也。至于用蚕沙，亦须晚而食桑者乃佳，食柘者不堪也。

时〔生〕四月、五月。〔采〕六月、七月取。

收 阴干。

用 蛾及屎。

色 黄、白。

味 咸。

性 温，软。

气 气厚于味，阳中之阴。

臭 腥。

主 壮阳，暖水脏，止血，疗金疮。

制 炒去丝用。

治〔疗〕〔日华子云〕蛾，止泄精，尿血及暴风，冻疮，汤火疮，灭疮瘢，入药炒用。○屎，治风痹顽疾不仁，肠鸣。〔陈藏器云〕屎，炒令热，以布袋盛，热熨之，主偏风，筋骨瘫缓，手足不随及腰脚软，皮肤顽痹。〔别录云〕屎一升，水二斗，煮取一斗二升，去滓，温热得所洗，治风瘙瘾疹，遍身痒成疮者，尤宜避风。又焙干为末，水服二钱，治渴疾不过数服。又取一枚，井华水下，日三服，治妇人始觉妊娠，转女为男法。

合治 蛾二枚，炙黄，研末，合蜜，涂口唇内，治小儿撮口及发噤者。

蚕退

无毒　附蚕纸布

蚕退主血风病，益妇人。名医所录。

名 马鸣退。

地〔图经曰〕今东南州郡养蚕处，所在皆有之。近世医家多用蚕退纸，而东方诸医家用蚕欲老眠起所蜕皮，虽二者之用各殊，然东人所用者为正。用之当微炒，和诸药，可作丸、散服也。〔衍义曰〕此则眠起时所蜕皮也。其蚕退纸，谓之蚕连，亦烧灰用之。

时〔生〕三月。〔采〕四月、五月取。

用 皮，以晚蚕眠而蜕者佳。

色 黑。

臭 腥。

主 消疳止䘌。

制 烧灰存性用。

治〔疗〕〔日华子云〕蚕布纸，止吐血，鼻洪，肠风泻血，崩中带下，赤白痢。〔衍义曰〕蚕退，烧灰，止妇人血露。〔别录云〕蚕退纸，烧灰存性，揩牙宣，牙痈，并傅口疮。

合治 蚕退纸，烧灰为末，合蜜丸如鸡头子大，含化咽津，治缠喉风，喉痹，牙宣，牙痈及口疮。○合麝香少许，傅小儿走马疳。○蚕纸烧灰，合酒水任下，疗风癫，狂发欲走，或自高贵称神，或悲泣呻吟者，瘥。

○ 甲虫

缘桑螺

无毒

缘桑螺主人患脱肛。烧末，和猪膏傅之，脱肛立缩。名医所录。

地〔图经曰〕此螺全似蜗牛而黄小，雨后好缘桑叶者，谓之缘桑螺也。今所在皆有之。

时〔采〕无时。

收 阴干。

用 壳、肉。

质 类蜗牛而黄小。

色 黄。

臭 腥。

制 烧为末用之。

○ 鸁虫

鳗鲡鱼

有毒　附鱿鱼、海鳗

鳗[1]鲡[2]鱼主五痔，疮瘘，杀诸虫。名医所录。

① 鳗：原注“音谩”。
② 鲡：原注“音黎”。

名 海鳗、慈鳗、猧狗鱼。

地〔图经曰〕《本经》不载所出州土，今在处有之。似鳝无鳞而腹大，青白色，善攻埼岸，使辄颓阤[1]，近江河居人畏之。此鱼虽有毒，能补五脏虚损。烧之熏毡中及舍屋，免竹木生蛀蚛，置其骨于衣箱中，亦断白鱼诸虫。歙州出一种，头似蝮蛇，背有五色纹，其功最胜。出海中者，名海鳗，相类而大，功用亦同。海人谓之慈鳗，又名猧狗鱼。又有鳅[2]，亦相似而短，常在泥中，主狗及牛瘦，取一二枚，以竹筒从口及鼻生灌之，立肥也。

时〔生〕无时。〔采〕无时。

收 暴干。

用 肥大者佳。

色 青、白。

味 甘。

性 平，寒。

气 气之薄者，阳中之阴。

臭 腥。

主 补虚劳，杀虫毒。

制 去肠及涎，煮食之。

治〔疗〕〔唐本注云〕鳗鲡膏，疗耳中有虫痛者。〔日华子云〕海鳗，治皮肤恶疮疥，疳䘌，痔瘘。○鳗鱼，杀传尸，疰气，恶疮，及治妇人产户疮虫痒。〔孟诜云〕治疬疡风及妇人带下百病，并一切风，常食甚验。〔衍义曰〕生割晒干，取少许，于火上微炙，

---

① 阤：原注“除尔切，小崩也”。

② 鳅：原注“音秋”。

油出，涂白刺风，以指擦即色转，凡五七次乃愈。〔别录云〕淡炙熟，令患人食三五度，治诸虫心痛，多吐，四肢不和，冷气上攻，心腹满闷，并痟心痛者佳。〇以干者空室烧之，即化蚊虫、鳖虱为水矣。〇鳗鲡鱼脂，傅颈项及面上白驳，浸淫渐长，有似癣，无疮者，先刮使燥痛，后以傅之，不过三五度便愈。〔补〕〔日华子云〕鳗鱼治劳，补不足，暖腰膝，起阳道。

合治 鳗鱼合五味、米煮，空腹食之，治腰肾间湿风痹，常如水洗者，甚补益。湿脚气人及久病罢瘵者亦可。〇以一条，治如食法，切作片，合椒、盐、酱，炙食之，治五痔，瘘疮。〇以二斤切作段子，治如食法，合酒二盏，入盐、醋少许，煮食之，治骨蒸劳瘦及肠风下血者，瘥。

解 诸草石药毒及杀蛊毒。

○ 甲虫

鮀鱼甲

有毒　附肉、鼍甲

鮀[1]鱼甲出神农本经。主心腹癥瘕，伏坚积聚，寒热，女子崩中，下血五色，小腹阴中相引痛，疮疥，死肌。以上朱字神农本经。**五邪，涕泣，时惊，腰中重痛，小儿气癃，眦溃。○肉，主少气吸吸，足不立地。**以上黑字名医所录。

① 鮀：原注“音驼”。

地〔图经曰〕生南海池泽，今江湖极多，即鼍也。形似守宫、陵鲤辈，而长一二丈，背、尾俱有鳞甲，善攻埼岸，夜则鸣吼，舟人甚畏之。其皮亦中冒鼓，其最大者为鼋。江中或有阔一二丈者，南人亦捕而食之。其肉有五色而白多，如鸡肉，卵大如鸡、鸭子，一产一二百枚，人亦掘取，以盐淹，可食之。〔陈藏器云〕鮀鱼，即鼍，合作鼍字，口内涎有毒。长一丈者，能吐气成雾致雨，力至猛，能攻陷江岸，性嗜睡，恒目闭，形如龙，大者自啮其尾，极难死，声甚可畏。人于穴中掘之，百人掘亦须百人牵，一人掘亦须一人牵，不然终不可出。此物灵强，不可食其肉，云是龙类，宜去鱼字，可也。

时〔生〕无时。〔采〕无时。

用 甲、肉、皮、骨、肝。

色 青白。

味 辛。

性 微温，散。

气 气之厚者，阳也。

臭 腥。

主 除带下积聚，祛百邪鬼魅。

助 蜀漆为之使。

反 畏狗胆、芫花、甘遂。

制 生剥其甲，火炙令黄用。

治〔疗〕〔图经曰〕鼋甲，主五脏邪气及妇人血热。〔药性论云〕鼍甲，治妇人带下，消腹内血积聚伏坚相引结痛。〔日华子云〕鼍，疗齿，疳䘌，宣露及五脏邪气，并续人筋骨。〔陈藏器云〕肉，主湿气，邪气，诸蛊。○膏，磨风及恶疮。〔孟诜云〕鼍，疗惊恐及止小腹气疼。〔补〕〔陶隐居云〕肉，益气。

合治 皮、骨烧灰，研末，合米饮服，治肠风痔疾甚者。合红鸡冠花末、白矾灰末，空腹服之。〇甲，炙，合酒浸，治瘰疬，杀虫风，瘘疮，风顽疥瘙。〇肝一具，炙熟，合蒜齑食之，治五尸。

禁 肉，发冷气，痼疾。

解 杀百虫毒、百药毒。

○ 羽虫

樗鸡

有小毒 化生

樗①鸡出神农本经。主心腹邪气，阴痿，益精，强志，生子，好色，补中轻身。以上朱字神农本经。又疗腰痛，下气，强阴多精，不可近目。以上黑字名医所录。

① 樗：原注“丑如切”。

名 酸鸡、樗鸠、螒[1]。

地 〔图经曰〕生河内山谷樗木上，今近都皆有之。形似寒螀而小。《尔雅》云：螒，天鸡。郭璞注云：小虫，黑身赤头，一云莎鸡，又曰樗鸡。李巡曰：一名酸鸡。《广雅》谓之樗鸠。苏恭云：五色具者为雄，良；青黑质白斑者是雌，不入药用。然今所谓莎鸡者，亦生樗木上，六月后出，飞而振羽，索索作声，人或畜之樊中，但头方腹大，翅羽外青内红，而身不黑，头不赤，此殊不类，盖别一种而同名也。今在樗木上者，人呼为红娘子，头、翅皆赤，乃如旧说，然不名樗鸡，疑即是此，盖古今之称不同耳。古方大麝香丸用之，近人少用，故亦鲜别。〔衍义曰〕东、西京界尤多，形类蚕蛾，但头、足微黑，翅两重，外一重灰色，下一重深红，五色皆具，腹大，

① 螒：原注“音翰”。

此即樗鸡也。

时〔生〕无时。〔采〕七月取。

收 暴干。

色 青、红。

味 苦。

气 味厚于气，阴中之阳。

主 益精强志。

制 去翅足，火炙干用。

治〔疗〕〔衍义曰〕行瘀血，血闭。

蛞蝓

无毒

蛞[1]蝓[2]主贼风㖞[3]僻，轶[4]筋及脱肛，惊痫，挛缩。神农本经。

① 蛞：原注“音阔”。
② 蝓：原注“音俞”。
③ 㖞：原注“口乖切”。
④ 轶：原注“音益”。

名 陵蠡、土蜗、附蜗、蛞蜗。

地 〔图经曰〕生泰山池泽及阴地沙石垣下，今处处有之。《本经》蛞蝓一名附蜗，蛞蜗无壳，不应有蜗名，或以其头形相类，犹似蜗牛，故以名之。或云：多是一物有二名，如鸡肠、蘩蒌之比。按郭璞注《尔雅》：蚹蠃[1]、螔[2]蝓，蜗牛也。《字书》解蝓字亦云：螔蝓，蜗牛也。如此，一物明矣。然今下湿处有一种，大于蜗牛，亦有角而无壳，相传云是蜗牛之老者，若然，本一物而久脱壳者为异耳。〔衍义曰〕蛞蝓、蜗牛为二物矣。蛞蝓，其身肉止一段。蜗牛，背上别有肉，以负壳而行，显然异矣。若为一物，《经》中焉得分为二条也？其治疗亦大同小异，故知别类。又谓：蛞蝓，是蜗牛之老者，甚无谓。蛞蝓二角，蜗牛四角，兼背负壳，岂得谓一物哉！

时 〔生〕无时。〔采〕八月取。

质 类蜗牛而无壳。

色 青黑。

味 咸。

性 寒，软。

气 气薄味厚，阴也。

臭 腥。

主 诸风。

解 能辟蜈蚣、蚰蜒，若娱蚣、蚰蜒遇其涎围之，则不得出。

① 蠃：原注“力果切”。
② 螔：原注“思移切”。

蜗牛

无毒　湿生

蜗牛主贼风㖞僻，踠跌，大肠下脱肛，筋急及惊痫。名医所录。

名 蠡牛。

地 〔图经曰〕生泰山池泽及阴地沙石人家墙垣下，今处处有之。陶隐居注云：蜗牛，形似蛞蝓，但背上负壳耳。《庄子》所谓战于蜗角是也。久雨晴，竹林池沼间多有出者。其城墙阴处一种，扁而小者，无力，不堪用。蜗牛入婴、孺药为最胜，其壳堪用。〔蜀本云〕形似小螺，白色，生池泽草树间，头有四角，行则出，惊之则缩，首尾俱能藏入壳中。

时 〔生〕无时。〔采〕无时。

用 形圆大者胜。

质 类蛞蝓而负壳。

色 青白。

味 咸。

性 寒，软。

气 气薄味厚，阴也。

臭 腥。

主 祛风热，消疮肿。

制 入药炒用，或捣取汁用。

治 〔疗〕〔图经曰〕蜗牛涎，主消渴。〔别录云〕蜗牛壳，二十枚烧灰，细研，每用揩齿，疗齿䘌有虫。○蜗牛，取汁，治蜈蚣咬痛不可忍，滴入即瘥。

合治 蜗牛一两，烧灰，合猪脂和，傅大肠久积虚冷，每因大便脱肛不收。○蜗牛二百个，入小净瓶中，用新汲水一盏，浸瓶中封系，自晚至明，取蜗牛放之其水如涎，合真蛤粉不以多少，旋调傅，以鸡翎扫，治发背疮，日可十余度，其热痛止，疮愈矣。

○蜗牛壳十枚，洗去尘土，令干，内[1]酥蜜中，瓷盒盛之，却，用纸糊，于饭甑内蒸之，下饋即安之，至饭熟取出，细研，渐渐吃，一日食尽之，治小儿一切疳疾。

① 内：原作“向”，据印本改。

○ 鳞虫

石龙子

有小毒　卵生

石龙子主五癃邪结气，破石淋，下血，利小便水道。神农本经。

名 蜥[1]蜴[2]、守宫、石蜴、蝾螈、蝘[3]蜓[4]、蛇医、虺蜴、刺易、蠦[5]蠷[6]、易蜥、山龙子。

地〔图经曰〕生平阳川谷及荆山山石间，今处处有之。《尔雅》云：蝾螈，蜥蜴，蝘蜓，守宫，四者一物，形状相类而异名也。《字林》云：蝾螈，蛇医也。《说文》云：在草曰蜥蜴，在壁曰蝘蜓。秦、晋、西夏谓之守宫，或谓之蠦蠷，或谓刺易，南阳人呼蝘蜓，在泽中者谓之易蜥，楚谓之蛇医。东方朔云：非守宫即蜥蜴。按此诸说，盖在草泽中者名蝾螈、蜥蜴，在壁者名蝘蜓、守宫也。汉武于午日取蜥蜴，饲以丹砂，其体尽赤，次年此日打之，涂宫人臂，如赤痣，有犯即消，故谓之守宫。〔衍义曰〕大者长七八寸，身有金碧色。仁庙朝有一蜥蜴在右掖门西浚沟庙中，是真蜥蜴也。郑状元有诗，昔有樵者于涧下行，见一蜥蜴自石罅中出，饮水讫而入，良久，凡百十次尚不已，樵者疑之，不免翻石视之，有冰雹一二升，樵人讶而去，行方三五里，大雨至，风雹暴作。今用祈雨，《经》云：治五癃，破石淋，利水道，亦此义尔。

时〔生〕无时。〔采〕三月、四月、五月、八月、九月取。

用 身有金碧色者。

色 青。

味 咸。

---

① 蜥：原注“音锡”。
② 蜴：原注“音亦”。
③ 蝘：原注“音偃”。
④ 蜓：原注“音电”。
⑤ 蠦：原注“音卢”。
⑥ 蠷：原注“音厘”。

性 寒。

气 气薄味厚，阴也。

臭 腥。

主 破诸淋，消结气。

反 恶硫黄、斑蝥、芫荑。

制 去腹内物，火炙干，研细。或著石上，令干用。

木虻

有毒

木虻[1]主目赤痛，眦伤泪出，瘀血，血闭，寒热酸㾜[2]，无子。神农本经。

① 虻：原注“音萌”。
② 㾜：原注“音西”。

名 魂常。

地 〔图经曰〕生汉中川泽，今处处有之，而襄、汉近地尤多。虻有数种，皆能啖牛、马血，木虻最大而绿色，几若蜩蝉。蜚虻状若蜜蜂，黄色，医方所用虻虫，即此也。又一种小虫名鹿虻，大如蝇，咂牛、马亦猛。三种大抵同体，俱能治血，方家相承，只用蜚虻，它不复用。〔陈藏器云〕木虻从木叶中出，卷叶如子，形圆，著叶上，破之初出如白蛆，渐大羽化，坼破便飞，即能啮物。塞北亦有，岭南极多，如古度花成蚁耳。

时 〔生〕无时。〔采〕五月取。

收 阴干。

质 类蝉而小。

色 绿。

味 苦。

性 平，泄。

气 味厚于气，阴中之阳。

制 去翅足，炒用。

羽虫

蜚虻

有毒

蜚虻出神农本经。主逐瘀血，破下血积，坚痞，癥瘕，寒热，通利血脉及九窍。以上朱字神农本经。女子月水不通，积聚，除贼血在胸腹五脏者，及喉痹结塞。以上黑字名医所录。

地〔图经曰〕生江夏川谷，今处处有之，而襄、汉近地尤多。状如蜜蜂，黄色，医方所用虻虫即此也。《本经》以腹有血者良，但得之即堪用。然物性能破血，何假充腹用耳？〔衍义曰〕虻虫，今人多用之，大如蜜蜂，腹凹扁，微黄绿色者，雄、霸州、顺安军、沿塘泺界甚多。以其惟食牛、马等血，故治瘀血，血闭也。

时〔生〕无时。〔采〕五月取。

收 阴干。

用 腹有血者良。

质 类蝇而大。

色 黄绿。

味 苦。

性 微寒。

气 味厚于气，阴也。

主 下血积，通月经。

反 恶麻黄。

制 去翅足，炒用。

治〔疗〕〔日华子云〕破癥结，消积脓。

禁 妊娠不可服，服之堕胎。

○ 羽虫

蜚蠊

有毒

蜚蠊出神农本经。主血瘀癥坚，寒热，破积聚，喉咽痹内塞①，无子。以上朱字神农本经。通利血脉。以上黑字名医所录。

① 塞：原作“寒”，据同卷“蜚虻”条《别录》文“喉痹结塞”句改。

名 石姜、负盘、滑虫、蟅蜰[①]。

地〔图经曰〕生晋阳川泽，及金、房等州山中，今人家屋间亦有之。此物多生林树中，百十为聚，山人采而啖之，谓之石姜。《尔雅》云：蜚，蟅蜰，即负盘臭虫也。〔陶隐居云〕形似虻虫而轻小，能飞，本在草中，八九月知寒，多逃入人家尔。有两三种，以作廉姜气者为真，南人亦食之。〔唐本注云〕形似蚕蛾，腹下赤，其味辛辣而臭，汉中人食之，言下气，即南人谓之滑虫者是也。

时〔生〕无时。〔采〕立秋取。

用 廉姜气者为真。

质 类虻虫而轻小。

味 咸。

性 寒。

气 味厚于气，阴也。

臭 臭。

主 通血脉，破积聚。

---

① 蜰：原注“音肥”。

䗪虫

有毒

䗪[1]虫主心腹寒热洗洗，血积，癥瘕，破坚，下血闭，生子大良。

神农本经。

① 䗪：原注“音柘”。

名 地鳖、土鳖、簸箕虫。

地 〔图经曰〕生河东川泽及沙中、人家墙壁下土中湿处。状似鼠妇，而大者寸余，形扁如鳖，故名土鳖。但有鳞而无甲，不能飞，小有臭气。今小儿多捕，以负物为戏。张仲景治杂病方：主久瘕积结，有大黄䗪虫丸。又大鳖甲丸及治妇人药，并用䗪虫，以其有破坚积、下血之功也。〔衍义曰〕䗪虫，今人谓之簸箕虫，为其像形也。

时 〔生〕无时。〔采〕十月取。

收 暴干。

质 形扁似鳖而小。

色 青紫。

味 苦、咸。

性 寒。

气 气薄味厚，阴也。

臭 腥。

主 消血积，破癥瘕。

反 畏皂荚、菖蒲、屋游。

治 〔疗〕〔药性论云〕主月水不通，破留血，积聚。〔衍义曰〕研一枚，水半合，滤清，服，疗乳脉不行，勿使服药人知，甚效。

鲛鱼皮

无毒

鲛鱼皮主蛊气，蛊疰方用之。即装刀靶[①]鲭[②]鱼皮也。名医所录。

① 靶：原注“音霸”。
② 鲭：原注“音鹊”。

名 沙鱼、鳆鱼。

地 〔图经曰〕旧不著所出州土，今南海有之。陈藏器云：其形似鳖，无脚而有尾，圆广尺余。尾长尺许，子随母行，惊即从口入于母腹。其鱼状貌非一，皮上有沙，堪揩木，如木贼也。《山海经》云：鲛、沙鱼，其皮可以饰剑，今南人但谓之沙鱼。然有二种，其最大而长喙如锯者，谓之胡沙，性善而肉美；小而皮粗者，曰白沙，肉僵而有小毒。二种彼人皆盐为修脯，其皮刮治去沙，剪为脍，皆食品之美者，食之益人。然皆不类鳖，盖其种类之别耳。

时 〔生〕无时。〔采〕腊月取。

收 暴干。

用 皮上有珍珠斑者佳。

色 青紫。

味 甘、咸。

性 平，缓。

气 气厚于味，阳中之阴。

臭 腥。

治〔疗〕〔图经曰〕除心气，鬼疰，蛊毒，吐血。〔补〕〔食疗云〕作脍食之，补五脏。

合治 合朱砂、雄黄、金牙、椒、天雄、细辛、鬼臼、麝香、干姜、鸡舌香、桂心、莽草各二[①]两，贝母半两，蜈蚣、蜥蜴各炙二枚，共十六味，同为末，温清酒服半钱匕[②]，日三，渐增至五分匕，亦可带之，疗五尸鬼疰，百毒恶气。○胆汁和白矾灰，丸如豆颗，绵裹内喉中，治患喉闭良久，吐恶涎沫，即喉咙开。

解 中鱼毒，烧灰服之。

① 二：《证类本草》作“一”。
② 匕：原无，据《证类本草》补。

○ 鳞虫

白鱼

无毒　卵生

白鱼主胃气，开胃下食，去水气，令人肥健。名医所录。

地〔图经曰〕生江湖中，大者六七尺，色白，头昂，鳞细而扁长者是也。

时〔生〕无时。〔采〕无时。

色 白。

味 甘。

性 平，缓。

气 气之薄者，阳中之阴。

臭 腥。

治〔疗〕〔日华子云〕炙疮不发，作脍食之，良。〔孟诜云〕主肝家不足气。〔补〕〔日华子云〕助血脉，明目。

合治 炙之，合葱、醋中重煮，食之，调五脏，助脾气，能消食，理十二经脉。

禁 患疮疖人不可食，甚发脓。又多食泥人心。若经宿者不堪食，食则令人腹冷，生诸疾。

○ 鳞虫

鳜鱼

微毒　卵生

鳜[1]鱼主腹内恶血，益气力，令人肥健，去腹内小虫。名医所录。

① 鳜：原注“居卫切”。

名 鳜豚、水豚。

地 〔图经曰〕生江汉间，细鳞，大腹，背有黑点，味尤重。昔仙人刘凭，常食石桂鱼，今此鱼犹有桂名，恐是此也。

时 〔生〕无时。〔采〕腊月中取胆。

收 胆于腊月北檐下悬令干。

用 肉及胆。

质 类鲈鱼。

色 黑黄。

味 甘。

性 平，缓。

气 气厚于味，阳中之阴。

臭 腥。

主 补虚劳，益脾，除肠风泻血。

合治 腊月胆，每用一皂子许，合酒煎化，温温呷之，治大人、小儿一切骨鲠或竹木签刺喉中不下者。服后若得逆便吐，骨即随顽涎出。若未出，更吃温酒，以吐为妙。酒即随性量力饮之。若更不出，再煎一块服之，无不出者。此药应是鲠在脏腑中日久痛，黄瘦甚者，服之皆出。

禁 患寒湿病人不可食。

○ 鳞虫

青鱼

无毒　附眼、胆、枕骨

卵生

青鱼主脚气湿痹，作鲊与服石人相反。○眼睛，主能夜视。○头中枕，蒸取干，代琥珀用之。磨服，主心腹痛。○胆，主目暗，滴汁目中，并涂恶疮。

名医所录。

地〔图经曰〕生江湖间，今北地或有之。似鲤、鲩而背正青色，南人多以作鲊。古作鲭字，所谓五侯鲭鲊是也。头中枕，蒸令通气，暴干，状如琥珀，云可以代琥珀，非也。荆楚间取此鱼枕煮拍作器皿，甚佳。胆与目睛并入药用。

时〔生〕无时。〔采〕无时。

用 肉、眼睛、头中枕、胆。

质 类鲤而身圆头小。

色 青。

味 甘。

性 平，缓。

气 气之薄者，阳中之阴。

臭 腥。

治〔疗〕〔日华子云〕除脚软，烦懑。〔萧炳云〕除卒气。研服，止腹痛。白煮吃，除脚气脚弱。〔孙真人云〕胆，阴干，以少许口中含之，咽津，治喉闭及着骨鲠者，愈。〔食疗云〕头中枕，疗卒心痛，平水气，以水研服之。〔补〕〔日华子云〕益气力。

合治 合韭白煮食之，治脚气弱，烦闷，益心力也。○头中枕，醋磨，治水气，血气，心痛者。

忌 不可同葵、蒜食之。服术人亦勿啖也。

○ 蠃虫

河豚

无毒，《衍义》曰有大毒

卵生

河豚[1]主补虚，去湿气，理腰脚，去痔疾，杀虫。名医所录。

① 豚：原注“音屯”。

名 胡夷鱼、鯸鱼、吹肚鱼、规鱼。

地 〔图经曰〕生江河淮间皆有之，此鱼无颊无鳞，口小腹大，背青有黑斑，腹白有刺者是也。〔衍义曰〕河豚，《经》言无毒，此鱼实有大毒。味虽珍，然修治不如法，食之杀人，不可不慎也。厚生者，不食亦好。梅圣俞云：河豚于此时，贵不数鱼虾。庖厨一失手，入口为镆铘。然此物多怒，触之则怒气满腹，翻浮水上，遂为人获也。

时 〔采〕二月取。

用 肉。

色 青白有斑。

味 甘。

性 温，缓。

气 气之厚者，阳也。

臭 腥。

主 补虚劳，去湿气。

助 和秃菜食，良。

反 荆芥。

制 去睛并脊血。

禁 燕尾者杀人。○子有大毒，煮不熟者胀，杀人。○肝有大毒。

忌 梁上挂尘。

解 中其毒，以橄榄并芦根汁解之。

○ 鳞虫

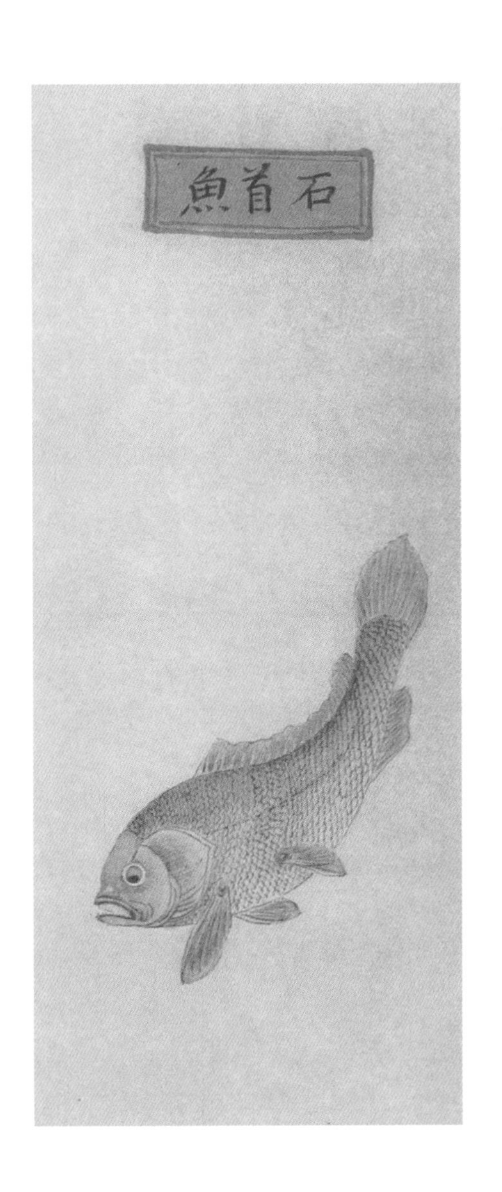

石首鱼

无毒

石首鱼头中有石如棋子。主下石淋，磨石服之，亦烧为灰末服。和莼菜作羹，开胃益气。候干食之，名为鲞[1]。炙食之，主消瓜成水，亦主卒腹胀，食不消，暴下痢。名医所录。

① 鲞：原注“音想”。

地〔图经曰〕生东海。此鱼头大身小，细鳞而黄，初出水时能鸣，夜视有光，其鳔为胶，有夺木之功。宁波等处以盐腌，晒干，色白，谓之白鲞。头中有石如棋子，故名石首也。又野鸭头中亦有石者，云是此鱼所化也。

时〔生〕无时。〔采〕四五月取。

收 盐腌暴干。

用 肉及头中石。

质 类鲈鱼而无斑。

色 黄。

味 甘。

性 平，缓。

气 气厚味薄，阳中之阴。

臭 腥。

主 消宿食。

○ 鳞虫

嘉鱼

无毒，《食疗》云微有毒
卵生

嘉鱼食之令人肥健，悦泽。此乳穴中小鱼，常食乳水，所以益人。能久食之，力强于乳。有似英鸡，功用同乳。

名医所录。

地〔陈藏器云〕《吴都赋》谓：嘉鱼出于丙穴。李善注云：丙日出穴，今则不然，丙者，向阳穴也。阳穴多生此鱼，鱼复何能择丙日耶？此注误矣。〔谨按〕《诗传》云：嘉鱼鲤质，鳟鲫肌肉。美食乳泉，出于丙穴。先儒谓穴在汉中沔阳县北，穴口向丙，故曰丙也。

时〔生〕无时。〔采〕无时。

用 肉。

色 鳞青，目赤。

味 甘。

性 温，缓。

气 气之厚者，阳也。

臭 腥。

主 肾虚，消渴，劳损，羸瘦。

鲻鱼

无毒　卵生

鲻鱼主开胃，通利五脏。久食，令人肥健。

名医所录。

地〔图经曰〕此鱼似鲤，身圆，头扁骨软。生江海浅水中，食泥，与百药无忌。

时〔生〕无时。〔采〕无时。

用 肉。

色 青白。

味 甘。

性 平，缓。

气 气之薄者，阳中之阴。

臭 腥。

○ 甲虫

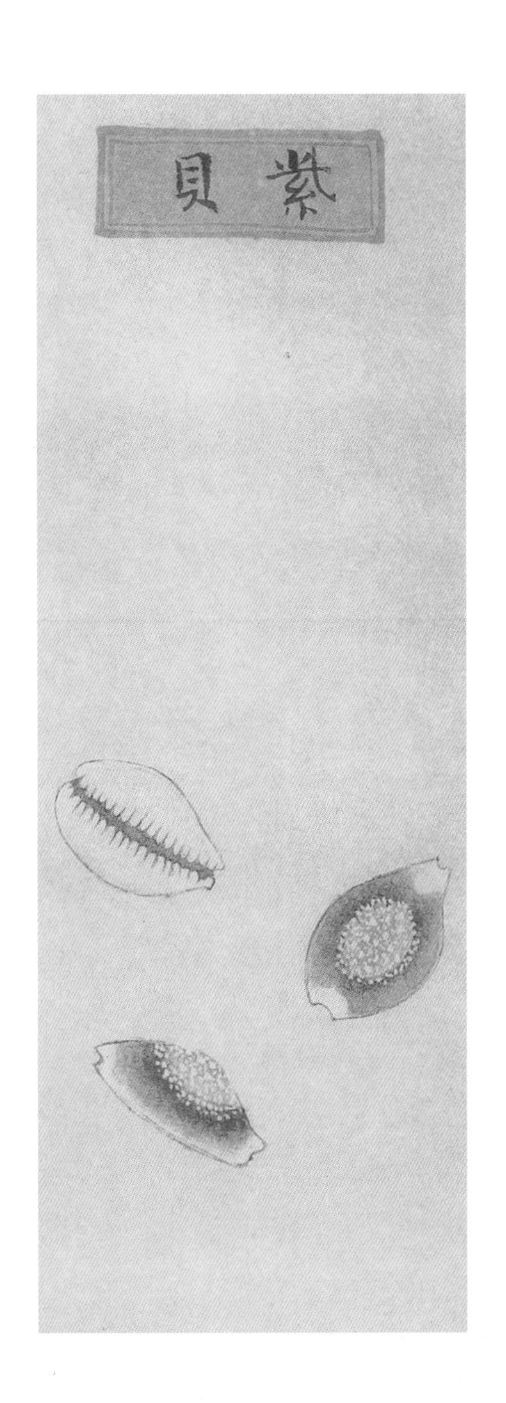

紫贝

紫贝主明目，去热毒。

名医所录。

名 砑磦。

地 〔图经曰〕《本经》不载所出州土。苏恭注云：出东海及南海，南海多有之，即砑磦也。形似贝而圆，大二三寸，儋振夷黎采以为货币，北人惟画家用砑物。按《尔雅》云：余貾[1]，黄白文，谓以黄为质，白为文点。余泉，白黄文，谓以白为质，黄为文点。今紫贝则以紫为质，黑为文点也。贝之类极多，古人以为宝货，而此紫贝尤为世所贵重。汉文帝时，南越王献紫贝五百。后世以多见贱，而药中亦稀用之。

时 〔生〕无时。〔采〕无时。

用 肉及壳。

色 紫。

味 咸。

性 软。

气 味厚于气，阴也。

臭 腥。

① 貾：原注“直其切”。

鲈鱼

有小毒　卵生

鲈鱼主补五脏，益筋骨，和肠胃，治水气。多食宜人，作鲊[1]犹良。又暴干，甚香美。虽有小毒，不至发病。名医所录。

① 鲊：《证类本草》作“脍”。

地〔谨按〕此鱼出松江，巨口，细鳞，背有黑点，一尾四鳃，作脍食之甚佳，即张翰思之者也。

时〔生〕无时。〔采〕秋取。

收 暴干。

色 青白。

味 甘。

性 平，缓。

气 气之薄者，阳中之阴。

臭 腥。

治〔补〕〔食疗云〕安胎，补中。

禁 一云：多食，发痃癖及疮肿。

忌 不可与乳酪同食。

○ 甲虫

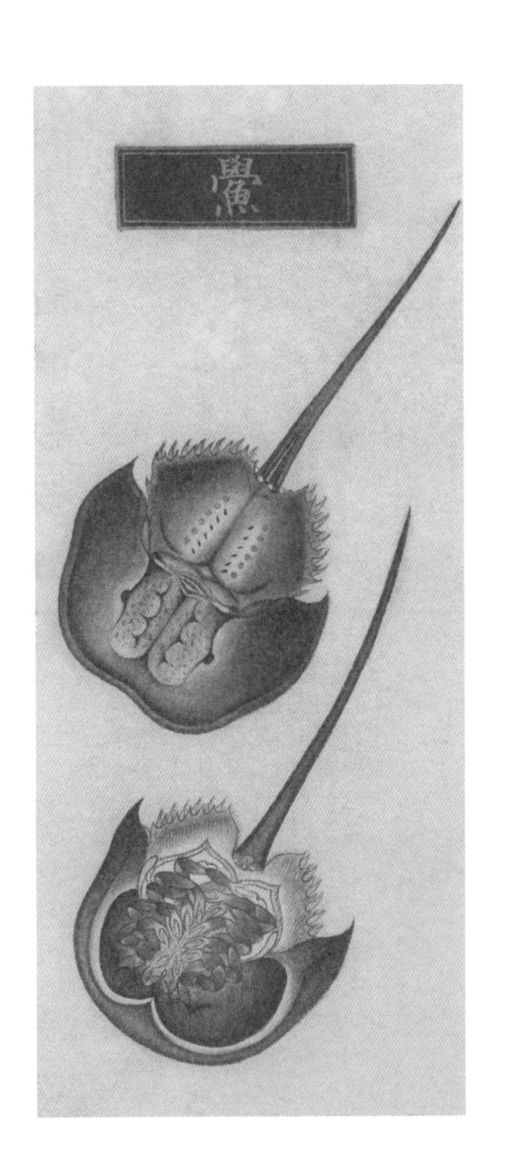

鲎

微毒，陈藏器云无毒

卵生

鲎主痔，杀虫。壳，入香，发众香气。尾，烧焦，治肠风泻血，并崩中带下及产后痢。脂，烧，集鼠。名医所录。

地〔陈藏器云〕生南海，大小皆牝、牡相随。牝无目，得牡始行，牡去牝死，以骨及尾，尾[①]长二尺。按《山海经》云：形如车，纹青黑色，十二足，长五六尺，似蟹，雌常负雄，渔者必得其双。子如麻子，南人为酱食之。

时〔生〕无时。〔采〕无时。

用肉、壳、尾、脂。

色青黑。

味辛。

性平，散。

气气厚于味，阳中之阴。

臭腥。

合治尾烧黑灰，米饮下，大主产后痢。先服地黄、蜜等煎讫，然后服尾，无不断也。

禁多食，发嗽并疮癣。

① 尾：原脱，据《证类本草》补。

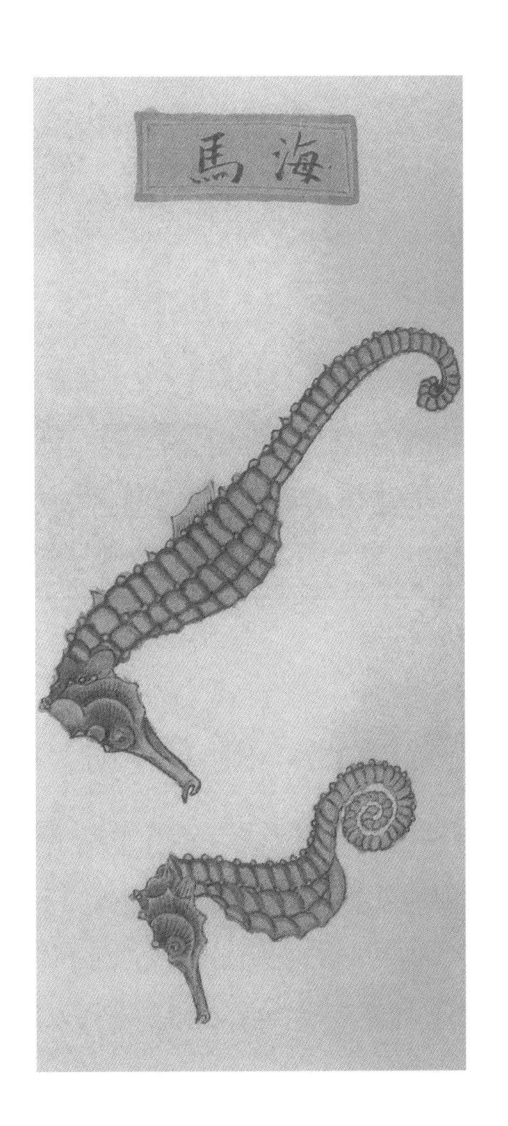

海马

无毒

海马主难产。名医所录。

名 水马。

地〔图经曰〕生西海中。大小如守宫虫，头形若马，身如虾，背伛偻，有竹节纹，长五六寸，乃虾之类也。渔人布网罟，此物多系网上得之，以雌雄为对也。

色 黄褐。

味 咸。

性 温，平。

气 气薄味厚，阴中之阳。

臭 腥。

主 调气，和血。

制 凡采得，以酒浸，酥炙用。或烧存性，捣末用。

治〔疗〕〔图经曰〕产妇带之，或手持之，易产。又临产烧一对，为末，饮调服，易生。

二种海药余

郎君子谨按《异志》云：生南海，有雄雌，青碧色，状似杏仁。欲验真假，先于口内含令热，然后放醋中，雄雌相趁，逡巡便合，即下其卵如粟粒状，真也。主妇人难产，手把便生，极有验也。乃是人间难得之物，今无之。

海蚕沙谨按《南洲记》云：生南海山石间，其蚕形大如拇指，沙甚白，如玉粉状，每有节。味咸，大温，无毒，主虚劳冷气，诸风不遂。久服令人光泽，补虚羸，轻身，延年不老。难得真者，多只被人以水搜葛粉、石灰以梳齿隐成，此即非也。纵服无益，反损人，审服之。

二十种陈藏器余

鼋鳝鱼注，陶云：鼋肉，补。此老者能变化为魅。按鼋甲，功用同鳖甲，炙浸酒，主瘰疬，杀虫，逐风恶疮瘘，风顽疥瘙。肉，主湿气，诸邪气蛊，消百药毒。张鼎云：膏涂铁磨之便明。膏磨风及恶疮。子如鸡卵，正圆，煮之白不凝，今时人谓藏卵为鼋子，似此非为木石机也。至难死，剔其肉尽，头犹咬物，可以张鸢鸟。《食疗》云微温，主五脏邪气，杀百虫蛊毒，消百药毒，续筋。又，膏涂铁磨之便明。淮南术方中有用处。

齐蛤远志注，陶云：远志畏齐蛤。苏云：《药录》下卷有蛤而不言功状。注又云：蜡畏齐蛤。按齐蛤如蛤，两头尖小，生海水中，无别功用，海人食之。

柘虫屎詹糖注，陶云：詹糖伪者，以柘虫屎为之。按即今之柘木虫，在木间食木注为屎。其屎破血，不香，詹糖烧之香也，既不相似，不堪为类。

蚱蜢石蟹注，陶云：石蟹如蚱蜢，形长小，两股如石蟹，在草头能飞，蟲螽之类，无别功，与蚯蚓交，在土中得之，堪为媚药，入《拾遗记》。

寄居虫蜗牛注，陶云：海边大有，似蜗牛，火炙壳便走出，食之益颜色。按寄居在壳间，而非螺也，候螺、蛤开，当自出食，螺、蛤欲合，已还壳中，亦名寄生。无别功用，海族多被其寄。又南海一种似蜘蛛，入螺壳中，负壳而走，一名辟，亦呼寄居，无别功用之也。

蚰[1]**蟱**蜘蛛注，陶云：悬网状如鱼罾者，亦名蚰蟱。在孔穴中及草木稠密处，作网如蚕丝为幕络者，就中开一门出入，形段小，似蜘蛛而斑小，主疔肿出根，作膏涂之。陶云：罾网，此正蜘蛛也。非为蚰蟱，此物族类，非一也。

负蠜葵注，苏云：戎人重薰渠，犹巴人重负蠜。按

① 蚰：原注“音拙”。

蜚蠊[1]，一名负盘，蜀人食之辛辣也。已出《本经》。《左传》云：蜚不为灾。杜注云：蜚，负蠜也，如蝗虫。又夜行，一名负盘，即蠹盘虫也。名字及虫相似，终非一物也[2]。

蠼螋鸡肠注，陶云：鸡肠草，主蠼螋溺。按蠼螋能溺人影，令发疮，如热沸而大，绕腰匝，不可疗。虫如小蜈蚣，色青黑，长足。山蠼螋溺毒更猛，诸方中大有主法，其虫无能，惟扁豆叶傅即瘥。

蛊虫败鼓皮注，陶云：服败鼓皮，即唤蛊主姓名。按古人愚质，造蛊图富，皆取百蛊瓮中盛，经年间开之，必有一虫尽食诸虫，即此名为蛊。能隐形，似鬼神，与人作祸，然终是虫鬼，咬人至死者。或从人诸窍中出信候，取之暴干。有患蛊人，烧为黑灰，服少许立愈，亦是其类，自相伏耳。新注云：凡蛊虫疗蛊，是知蛊名，即可治之，如蛇蛊用蜈蚣蛊虫，蜈蚣蛊用虾蟆蛊虫，虾蟆蛊病复用蛇蛊虫，是互相能伏者，可取治之。

土虫蚰蜒并马陆注，陶云：今有一细黄虫，状如蜈蚣，俗呼为土虫。按土虫无足，如一条衣带，长四五寸，身扁似韭叶，背上有黄黑襇，头如铲子，行处有白涎，生湿地，有毒，鸡吃即死。陶云：如蜈蚣者，正是蚰蜒，

① 蜚蠊：原作“飞廉”，据同卷“蜚蠊”条改。
② 也：其后有小字，“蠜，音烦，蠜螽也”。

非土虫。苏云：马陆如蚰蜒，按蚰蜒色正黄不斑，大者如钗股，其足无数，正是陶呼为土虫者。此虫好脂油香，能入耳及诸窍中，以驴乳灌之，化为水。苏云似马陆，误也。

鳙鱼鲍鱼注，陶云：鱼是臭者，按鳙鱼，岭南人作鲍鱼。刘元绍云：其臭如尸，正与陶云相背，海人食之，所谓海上有逐臭之夫也。其鱼以格额，目旁有骨，名乙。《礼》云：鱼去乙。郑云：东海鰫鱼也。只食之，别无功用也。

予脂有毒。主风肿，痈毒，瘾疹，赤瘙，瘑疥，痔瘘，皮肤顽痹，踠跌折伤，肉损瘀血，以脂涂上，炙手及热磨之，即透。生岭南，蛇头鳖身。《广州记》云：予，蛇头鳖身，亦水宿，亦树栖，俗谓之予膏，主蛭刺。以铜及瓦器盛之，浸出，唯鸡卵盛之不漏，磨理毒肿大验，其透物甚于醍醐也。

砂挼子有毒，杀飞禽走兽，合射罔用之。人亦生取置枕，令夫妻相好。生砂石中，作旋孔，有虫子如大豆，背有刺，能倒行，一名倒行狗子。性好睡，亦呼为睡虫，是处有之。

蛔虫汁大寒。主目肤赤热痛，取大者净洗，断之，令汁滴目中，三十年肤赤亦瘥。

蠮螉蚯蚓二物，异类同穴，为雄雌，令人相爱。五月五日收取，夫妻带之。蠮螉如蝗虫，东人呼为舴艋，有毒，有黑斑者，候交时取之。

灰药令人喜好相爱，出岭南陶家，如青灰，彼人以竹筒盛之，云是蛲[①]所作，以灰拭物皆可。喜损小儿、鸡、犬等，不置家中，未知此事虚实。

吉丁虫功用同前，人取带之。甲虫背正绿，有翅在甲下，出岭南宾、澄州也。

腆颗虫[②]功用同前，人取带之，似屭盘，褐色，身扁。出岭南，人重之也。

鼷鼠有毒。食人及牛马等皮肤成疮，至死不觉。此虫极细，不可卒见。《尔雅》云：有虫毒，食人至尽不知。《左传》曰：食郊牛角者也。《博物志》云：食人死肤，令人患恶疮，多是此虫食。主之法，当以狸膏磨之，及食狸肉。凡正月食鼠残，多为鼠瘘，小孔下血者，是此病也。

诸虫有毒不可食者。鳖目白杀人。腹下有卜字及五字，不可食。颔下有骨如鳖，不利人。虾煮白食之，腹中生虫。蟹腹下有毛，两目相向，腹中有骨，不利人。鳖肉共鸡肉食，成瘕病也。

本草品汇精要卷之三十

① 蛲：原注"蛲，音蛔，虫也"。

② 腆颗虫：原注"一作颙"。

本草品汇精要

·卷之三十一·

虫鱼部下品

一十八种 神农本经 朱字

一十二种 名医别录 黑字

二种 唐本先附 注云唐附

一十三种 宋本先附 注云宋附

三十六种 陈藏器余

已上总八十一[1]种，内一十六种今增图

① 八十一：原作“七十一”，据总目改。

虾[1]蟆[2]蟾蜍、山蛤、田父附
牡鼠肉、粪附，今增图
马刀
蛤蜊[3]宋附，今增图
蚬[4]宋附，今增图
蝛[5]蜼[6]宋附，今增图
蚌蛤宋附
车螯宋附，今增图
蚶宋附，今增图
蛏宋附，今增图
淡菜宋附
虾今增图
蚺蛇胆膏附
蛇蜕今增图
蜘蛛壁钱附
蝮蛇胆肉、千岁蝮附，今增图
白颈蚯蚓
蠮[7]螉[8]
葛上亭长今增图
斑蝥
芫青
地胆今增图
蜈蚣
蛤蚧宋附
水蛭[9]
田中螺蜗螺附，今增图
贝子
石蚕草石蚕附
雀瓮
白花蛇宋附
乌蛇
金蛇宋附，银蛇、金星地[10]鳝附
蜣螂
五灵脂宋附
蝎宋附
蝼[11]蛄[12]
马陆今增图

---

① 虾：原注“音遐”。
② 蟆：原注“音麻”。
③ 蜊：原注“音梨”。
④ 蚬：原注“音显”。
⑤ 蝛：原注“乎咸切”。
⑥ 蜼：原注“音进”。
⑦ 蠮：原注“音噎”。
⑧ 螉：原注“乌红切”。
⑨ 蛭：原注“音质”。
⑩ 地：原脱，据正文药下附品项补。
⑪ 蝼：原注“音娄”。
⑫ 蛄：原注“音姑”。

鼃[①]	鲮鲤甲今人谓之穿[②]山甲	
珂唐附，今增图	蜻蛉	鼠妇湿生虫也
萤火今增图[③]	甲香唐附	衣鱼

三十六种陈藏器余

海螺	海月	青蚨
豉虫	乌烂死蚕	茧卤汁
壁钱	针线袋	故锦烧作[④]灰
故绯帛	赦日线	荷印
溪鬼[⑤]虫	赤翅蜂	独脚蜂
蜡[⑥]	盘蝥虫	蝗蟷
山蛩虫	溪狗	水黾
飞生虫	芦中虫	蓼螺
蛇婆	朱鳖	担罗
青腰虫	虱	枸杞上虫
大红虾鲊	木蠹	留师蜜
蓝蛇[⑦]	两头蛇	活师

① 鼃：原注“音蛙”。
② 穿：原作“川”，据印本改。
③ 今增图：原无，据总目补。
④ 烧作：原无，据正文药名补。
⑤ 鬼：原作“鱼”，据正文药名改。
⑥ 蜡：原注“音蛇”。“蛇”，原作“蛇”，据正文改。
⑦ 蓝蛇：此后原衍“头”一字。按“头”字属正文下文，误入药名中，因据删。

本草品汇精要卷之三十一

虫鱼部下品

○ 羸虫

虾蟆

有毒　附蟾蜍、山蛤、田父

卵生

虾蟆出神农本经。主邪气，破癥坚血，痈肿，阴疮，服之不患热病。以上朱字神农本经。疗阴蚀，疽疠[1]恶疮，猘犬伤疮，能合玉石。以上黑字名医所录。

① 疠：原注“音赖”。

名 去甫、苦蠪[①]、䵶[②]。

地 〔图经曰〕生江湖池泽，今处处有之。腹大形小，皮上多黑斑点，能跳接百虫食之，时作呷呷声，在陂泽间，举动极急。入药以东行者良。《本经》以蟾蜍与此为一物，似非的也。郭璞注云：蟾蜍似虾蟆，居陆地。又蝌蚪注云：虾蟆子也。是非一物明矣。且蟾蜍形大，背上多痱磊，其肪涂玉则软，刻削如蜡。行极迟缓，不能跳跃，亦不解鸣，多在人家下湿处。其腹下有丹书八字者为真。蟾蜍，其屎谓之土槟榔也。二物虽一类而功用小别，亦当分而用之。又一种大者，名田父，能食蛇。蛇行，田父逐之，蛇不得去，田父衔其尾，良久，蛇死也。又有一种，大而黄色，多在山石中藏蛰，能吞气，饮风露，不食杂虫，谓之山蛤。山中人亦食之。主小儿劳瘦及疳疾等，最良。〔衍义曰〕虾蟆品类甚多，蟾蜍最大者也。遇阴雨或昏夜即出食，取眉间白汁，谓之蟾酥，以油单裹眉裂之，酥出单上，入药用。

时 〔生〕无时。〔采〕五月五日取。

收 阴干。

用 肉。〔蟾蜍〕屎、眉酥。

色 青黑。

味 辛。

性 微寒。

气 气之薄者，阳中之阴。

臭 腥。

---

① 蠪：原注“音龙”。

② 䵶：原注“音秋”。

主 消恶疮，祛邪气。

制 〔雷公云〕日干及火干。一法：剥去皮肠，酒浸一宿，又用黄精自然汁浸一宿，涂酥炙干用。

治 〔疗〕〔图经曰〕虾蟆眉酥，主蚛牙及小儿疳瘦。〔唐本注云〕脑，主明目，疗青盲。〔药性论云〕虾蟆，主辟百邪鬼魅，涂痈肿及热结肿。○蟾蜍，杀疳虫，治鼠漏，恶疮。及烧灰，傅一切有虫痒滋胤疮。〔日华子云〕虾蟆，治犬咬及热狂，贴恶疮，解烦热。○蟾蜍，破癥结，治疳气，小儿面黄，癖气。〔陈藏器云〕蟾蜍，主温病身斑者，取一枚生捣绞汁服。亦烧末服，及狂犬咬发狂欲死，作脍食之，瘥。○土槟榔，主恶疮。〔别录云〕治蝮蛇螫，用虾蟆一枚，烂杵，傅之，愈。又小儿风脐及脐疮久不瘥者，以干者烧末傅之，日三四度，瘥。小儿口疮，以五月五日收者杵末，傅疮上。亦治小儿蓐疮。

合治 端午日取蟾酥，合朱砂、麝香为丸，如麻子大，小孩子疳瘦者空心服一丸。如脑疳，以奶汁调，滴鼻中亦可。○粪炒，合吴茱萸苗汁调，傅恶疮，疔肿，杂虫咬。○粪合油调，傅瘰疬，瘘疮。○干虾蟆烧灰，合朱砂等分为末，水调服一钱，日三四次，治风邪。○烧杵末，合酒服方寸匕，日三，治卒狂言鬼语。○以五月收者烧，杵末，合猪膏，傅小儿初得月蚀疮。○取长股青背者一枚，合鸡骨一分烧为灰，内入下部令深，治虫食谷道，肛尽肠穿者，数用有验。○烧末，合米饮调服方寸匕，疗小儿洞泄下痢。○蟾蜍眉酥合牛酥磨，傅腰眼并阴囊，治腰肾冷，并助阳气。○烧灰为末，和猪脂，傅癣疮。

○ 毛虫

牡鼠

无毒　附肉、粪[1]　胎生

牡鼠主踒折，续筋骨，捣傅之，三日一易。○四足及尾，主妇人堕胎易出。○肉，热，无毒，主小儿哺露大腹，炙食之。○粪，微寒，无毒，主小儿痫疾，大腹，时行劳复。名医所录。

① 粪：原作“屎”，据目录改。

名 父鼠。

地 〔陶隐居云〕牡鼠即父鼠也。生人家房室间，及土穴处处有之，其粪多遗于虚器中。得两头尖而硬者是牡，入药用之。否则是牝，不堪用也。胆主目疾，但方死其胆即消，故难得之。

时 〔生〕无时。〔采〕无时。

用 肉、尾、足、胆、粪。

色 苍黑。

味 甘。

性 微温。

气 气之厚者，阳也。

臭 腥。

治 〔疗〕〔图经曰〕肉，主骨蒸劳极，四肢羸瘦，杀虫。及小儿疳瘦。○脂，主汤火疮。〔陶隐居云〕目，主明目，夜见书。○腊月烧鼠，辟恶气。○膏，煎之，疗诸疮。○胆，主目暗。〔日华子云〕鼠，治小儿惊痫疾及生捣罯折伤筋骨。○粪，亦治痫疾，明目。○足，烧食，催生。〔别录云〕雄鼠脊骨末，能长齿，多年不生者傅之，效。○鼠皮一枚，烧灰，细研，封痈疮中冷，疮口不合者，效。○鼠脑，疗因医人针折在肉中，涂之即出。○鼠胆，疗卒耳聋，内耳中不过三次，愈。○鼠肝及脑，傅箭镝[1]及针、刀刃在咽喉、胸膈隐处不出，兼竹木诸刺入肉者，傅之，愈。○烧死鼠研，傅蛇骨刺人毒痛，愈。○活鼠破腹去五脏，就热治项强身中急者，傅之，瘥。○雄鼠屎三七枚，水研服，治食马肝有毒，杀人者，立愈。○鼠屎二升烧末，傅狂犬咬人疮上，瘥。○鼠烧末，

① 镝：原注“丁狄切”。

以井花水调方寸匕，日三，与临月孕妇食之，令易产。○雌鼠屎三七枚，一日一枚拭小儿齿，不生拭之即生。○妇人无乳，以鼠作臛与食，勿令知，乳即下。

合治 活鼠油煎为膏，疗汤火疮，灭瘢疵，良。或用油煎令消，入蜡亦傅汤火疮。○雄鼠粪二十枚，合豉五合，水二升，煮取一升，顿服，治劳复。○正月取鼠头烧灰，合腊月猪膏，细捣，傅鼻中外瘡瘤，脓血出者。○屎一两烧灰，研半钱，合温酒空心服，治室女月水不通。○目一枚，烧作屑，合鱼膏和，注目眦，治人目涩喜睡，及取鼠两目缝囊盛带之。○屎烧末，合猪脂和，傅从高坠下伤损，筋骨瘀血疼痛，叫唤不得，裹之不过半日，痛止。○以头和尾烧作灰，细研，合腊月猪脂，傅因疮中风，腰脊反张，牙关口噤，四肢强直者，瘥。○腊月老鼠一个，和肠肚劈破，合油半斤煎令焦黑，以瓷罐收贮，用时以鸡翎扫，傅打伤疮上即干，瘥。○死鼠头一枚，烧末，合酒调服方寸匕，治妇人无乳汁，与服勿令知。

马刀

有毒　化生

马刀出神农本经。主漏下赤白，寒热，破石淋，杀禽兽贼鼠。以上朱字神农本经。除五脏间热，肌中鼠𪕪[1]，止烦满，补中，去厥痹，利机关。用之当炼。得水烂人肠。又云：得水良。以上黑字名医所录。

① 𪕪：原注“蒲利切”。“利”，《证类本草》作“剥”。

名 马蛤。

地〔图经曰〕生江湖池泽及东海，今处处有之。蝏[①]蛢[②]之类也。长三四寸，阔五六分，头小锐，多在沙泥中。江汉间人名为单姥[③]，亦食其肉，方书稀用也。〔衍义曰〕马刀，京师人谓之烳[④]岸，春夏人多食。又顺安军界河中亦出蝛，大抵与马刀相类，此等皆不可多食，过多则发风也。

时〔生〕无时。〔采〕无时。

用 肉。

质 类蚌而狭锐。

色 青黄。

味 辛。

性 微寒。

气 气之薄者，阳中之阴。

臭 腥。

主 脏热、石淋。

禁 多食发风疾。

---

① 蝏：原注“音亭”。

② 蛢：原注“蒲幸切，亦谓之蚌”。

③ 姥：原注“音母”。

④ 烳：原注“丑涉切”。

○ 甲虫

蛤蜊

无毒 化生

蛤蜊主润五脏，止消渴，开胃，解酒毒。主老癖，能为寒热者及妇人血块，煮食之。此物性虽冷，乃与丹石相反。服丹石人食之，令腹结痛。名医所录。

地〔图经曰〕生东海，及登、莱、沧州皆有之。其形正圆一二寸，大小不一，背表有纹理，其肉鲜美，人多啖之。

时〔生〕九月。〔采〕正月、二月、三月取。

用 壳、肉。

质 类蚌而圆小。

色 青白。

味 甘、微咸。

性 冷。

气 气薄味厚，阴中之阳。

臭 腥。

主 老痰，血积。

制 壳烧灰，以瓜蒌仁和，再煅研细用。

合治 壳煅灰，为末合油调，涂汤火伤，效。

禁 服丹石人不可食。

解 酒毒。

〇 甲虫

蚬

无毒

蚬[1]主时气，开胃，压丹石药及疔疮。下湿气，下乳，糟煮服，良。生浸取汁，洗疔疮。〇陈壳，治阴疮，止痢。〇肉，寒，去暴热，明目，利小便，下热气，脚气，湿毒，解酒毒，目黄。浸取汁服，主消渴。〇烂壳，温，烧为白灰，饮下，主反胃吐食，除心胸痰水。壳陈久，疗胃反及失精。名医所录。

① 蚬：原注“音显”。

地〔图经曰〕生江湖池泽及水泥中，处处有之。陈藏器言：候风雨，亦能以壳为翅飞也。

时〔生〕无时。〔采〕无时。

收 暴干。

用 肉、壳。

质 类蛤蜊而小。

色 青黑。

味 甘。

性 冷。

气 味厚于气，阴中之阳。

臭 腥。

合治 白蚬壳不计多少，捣研极细，合米饮调服一钱匕，日三四服，治卒咳嗽不止。

禁 多食，发嗽并冷气，消肾。

解 肉，解酒毒。

○ 甲虫

蜮蜼

无毒

蜮[①]蜼壳烧作末服之，主痔病。名医所录。

① 蜮：原注“火咸切”。“火”，《证类本草》作“呼”。

名 生进。

地 〔图经曰〕此种亦蚌属，其形似蛤，长扁而有毛，生江海，及湖泽中有之。人取壳为药，食其肉无功用也。

时 〔生〕无时。〔采〕无时。

用 壳。

色 青黑。

臭 腥。

制 烧灰为末用。

治 〔疗〕〔陈藏器云〕主野鸡病，烧作末服之，效。

〇 甲虫

蚌蛤

无毒

蚌蛤主明目，止消渴，除烦，解热毒，补妇人虚劳，下血并痔瘘，血崩带下。〇烂壳粉，饮下，治反胃，痰饮。〇蚌粉，冷，无毒，治疳，止痢并呕逆。痈肿，醋调傅。兼能制石亭脂。名医所录。

名 蜃。

地〔图经曰〕生江湖池泽，及东海间皆有之。此即宝装大者也。〔谨按〕《埤雅》云：蚌孚乳以秋，闻雷声则痳，其孕珠若怀妊然，故谓之珠胎。一名蜃，乃蚌之大者也。物有非其类而化者，若牡蛎、蚌蛤，无阴阳牝牡，须雀、鸽以化，故蚌之久者能生珠，专一于阴也。《海物异名记》曰：蜃，布泥有疆界，其蒸气为楼台。《月令》云：雉入大水为蜃是也。

时〔生〕十月。〔采〕无时。

用 壳及肉。

质 类马刀而阔大。

色 青白。

味 微甘。

性 冷。

气 味厚于气，阴也。

臭 腥。

主 止烦渴，消酒毒。

治〔疗〕〔别录云〕除湿，清大热。

合治 以黄连末内蚌中，取汁点赤眼并暗，良。

禁 多食，动冷病。

解 压丹石药毒。

○ 甲虫

车螯

无毒 化生

车螯主酒毒，消渴，酒渴并痈肿。○壳，治疮疖肿毒，烧二度，各以醋煅捣为末。又甘草等分，酒服，以醋调傅肿上，妙。名医所录。

地〔图经曰〕是大蛤，能吐气为楼台，海中春夏间依约岛溆，常有此气。

时〔生〕无时。〔采〕无时。

收 暴干。

用 肉及壳。

味 咸。

性 冷。

气 味厚于气，阴也。

制 捣碎用。

禁 不可多食。

○ 甲虫

蚶

无毒

蚶主心腹冷气，腰脊冷风，利五脏，健胃，令人能食。每食了，以饭压之，不尔令人口干。又云：温中，消食，起阳，益血色。○壳，烧，以米醋三度淬后，埋令坏，醋膏丸，治一切血气，冷气，癥癖。名医所录。

名 瓦垄子。

地 〔图经曰〕出海中，今浙人畜种于田而生，是谓之蚶田。其形似蚬，壳有纹理，横直如瓦屋棱，故名瓦垄子。时亦重之。

时 〔生〕无时。〔采〕无时。

用 肉及壳。

色 白。

味 咸。

性 温。

气 气薄味厚，阴中之阳。

主 补中益阳。

○ 甲虫

蛏

无毒　化生

蛏主补虚，冷利。煮食之，主妇人产后虚损，又主胸中邪热，烦闷气。与服丹石人相宜。名医所录。

地〔图经曰〕生海泥中，长二三寸，大如指，而两头开者是也。

时〔生〕无时。〔采〕无时。

用 肉。

色 青白。

味 甘、咸。

性 温。又云：寒。

气 气薄味厚，阴中之阳。

臭 腥。

主 胸中邪气。

治〔疗〕〔图经曰〕饭后食之，止渴。

禁 天行病后不可食。

淡菜

无毒 化生

淡菜主补五脏，理腰脚气，益阳事，能消食，除腹中冷气，消痃癖气。亦可烧令汁沸出，食之。补虚损，产后血结，腹内冷痛，治癥瘕腰痛，润毛发，崩中带下，烧一顿令饱，大效。名医所录。

名 壳菜、东海夫人。

地〔陈藏器云〕出东南海隅间多有之。其形似珠母，一头尖，中衔少毛。然有二种，肉赤者属阳，肉白者属阴，形虽不典而甚益人，其味甘美，人好食之。浙人谓之壳菜也。

时〔生〕无时。〔采〕十月、十一月取。

收 焙干。

用 肉。

色 土褐。

味 甘。

性 温，缓。

气 气厚于味，阳也。

臭 腥。

主 虚羸劳损，血气结聚。

制〔图经曰〕常时频烧食即苦，不宜人。与少菜[1]先煮熟后，除肉内两边镍[2]及毛，再入萝卜或紫苏或冬瓜皮同煮，即更妙。

治〔疗〕〔陈藏器云〕除腹冷，肠鸣，下痢，腰疼，妇人带下，漏下，疝瘕及吐血，丈夫久痢。〔补〕〔陈藏器云〕主产妇瘦瘠及虚劳伤惫，精血少者。

禁 多食，令头闷目暗，可微利即止。久食，令人发脱。

---

① 菜：《证类本草》作“米”。
② 镍：《证类本草》作“锁”。

○ 介虫

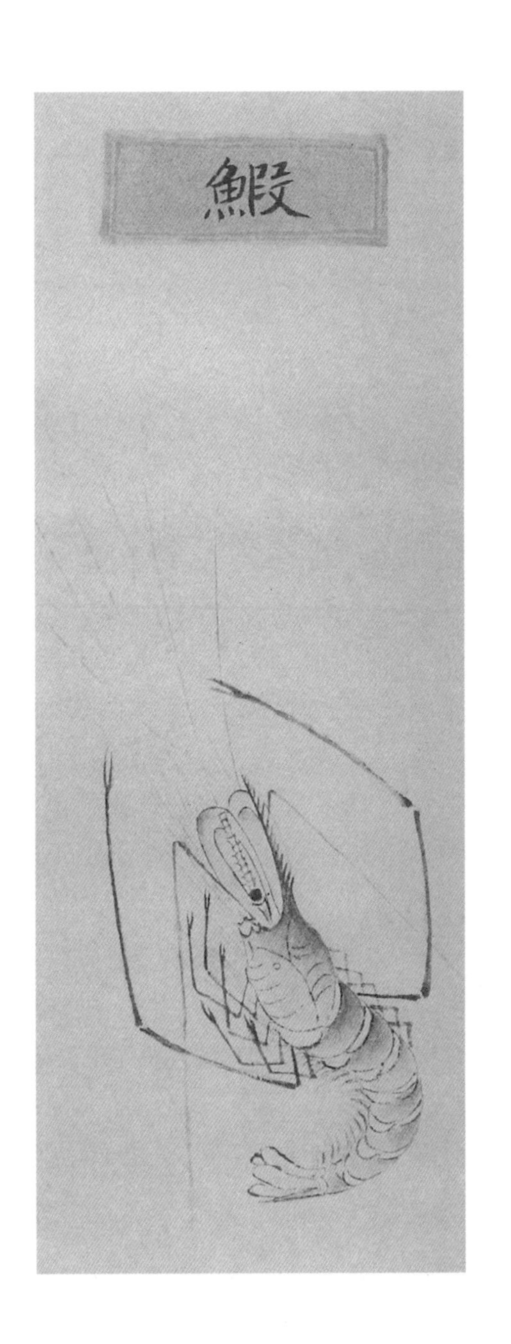

虾

卵生

虾主小儿患赤白游肿，捣碎傅之。名医所录。

地〔谨按〕生江湖池泽，水田及沟渠中处处皆有之。种类虽有大小、青白之分，其形皆似蜻蛉，背伛偻有节，蟹目，长须，头多芒刺，游则冉冉而进退捷速。又谓之长须虫也。

时〔生〕无时。〔采〕无时。

色 青、白。

味 甘。

性 微寒。

气 气薄味厚，阴中之阳。

臭 腥。

制 生捣烂用。

治〔疗〕〔陈藏器云〕除五野鸡病。

禁 作鲊食之，毒人至死。小儿及鸡、狗食之，脚屈不能行。又动风，发疮疥，多食损人。又虾无须者，不可食。

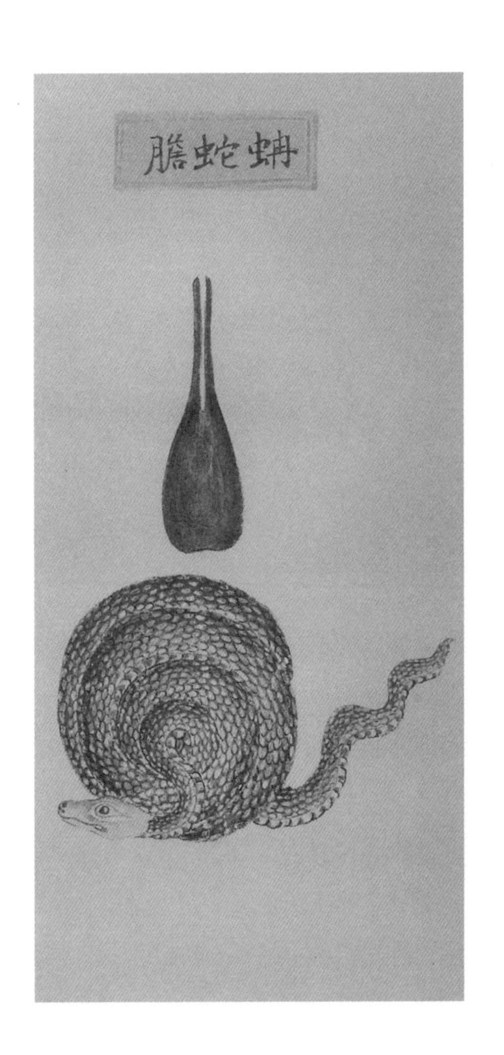

蚺蛇胆

有小毒　附膏

蚺[1]蛇胆主心腹䘌痛，下部䘌疮，目肿痛。○膏，主皮肤风毒，妇人产后腹痛余疾。

名医所录。

① 蚺：原注“音髯”。

地〔图经曰〕《本经》不载所出州土。苏恭云：出桂、广以南，高、贺等州，今岭南州郡有之。此蛇极大，牙有长五六寸者，彼土人多食其肉，取其牙辟邪以利远行。其胆及膏为药用也。《岭表录异》云：雷州有蛇户，每岁五月五日即担舁蚺蛇入官以取胆，每一蛇两人担舁，致大笼中藉以软草屈盘于内，将取之，则出置地上，用杈拐十数，翻转蛇腹，旋复按之，使不得转侧，约分寸，于腹间剖出肝胆。其胆状若鸭卵，剖取之，复内肝于腹中，以线缝合疮口，仍放于川泽，蛇亦复活。其胆暴干，以充上贡。此物极多伪，欲试之，剔取如粟米许，著净水上，浮游水上，回旋行走者为真，其径沉者，诸胆血也。试之不可多，多亦沉矣。其膏真者，磥磥如梨豆子，他蛇膏皆大如梅、李子，此为别也。《埤雅》云：大蛇可食，尾圆，无鳞，身有斑纹如故暗锦缬，难死，似鼍。行地常俯其首，胆随日转，上旬近头，中旬在心，下旬近尾。南人云：俗取其胆以充药材，即以线合其疮，纵之后遇捕者，辄自见金疮以明无胆，亦其知也。

时〔生〕无时。〔采〕五月五日取胆。

收 暴干。

用 胆、膏、肉。

色 青黄。

味 甘、苦。

性 寒。

气 气薄味厚，阴中之阳。

臭 腥。

主 䘌疮瘘，目肿痛。

治〔疗〕〔药性论云〕胆，主下部虫，杀小儿五疳。〔陈藏器云〕胆，主破血，止血痢，蛊毒，下血，小儿热丹，口疮，疳痢。〇肉，主飞尸，游蛊，喉中有物，吞吐不得出者，作脍食之。〔孟诜云〕膏，主皮肉间毒气。〇肉，作脍食之，除疳疮。及主小儿脑热，水渍注鼻中，良。〔食疗云〕肉，主瘟疫气，可作脍食。〇膏，主小儿疳痢。〔海药云〕胆，主小儿八痫。〔别录云〕肉，治风。

合治 膏合麝香末，傅齿根宣露。〇胆如豆大二枚，合通草汁研，以意多少饮之，并涂五心及下部，治温痢久不断，体瘦，昏多睡，坐则闭目，饮食不下者。

禁 四月勿食之。

○ 鳞虫

蛇蜕[①]

无毒

蛇蜕出神农本经。主小儿百二十种惊痫，瘛[②]疭[③]，癫疾，寒热，肠痔，虫毒，蛇痫。以上朱字神农本经。弄舌摇头，大人五邪，言语僻越，恶疮，呕咳，明目。以上黑字名医所录。

① 蜕：原注“音税”。
② 瘛：原注“尺曳切”。
③ 疭：原注“子用切”。

名 龙子衣、蛇符、龙子单衣、弓皮。

地 〔图经曰〕出荆州川谷及田野间，今南中于木石上及人家屋拱间多有之。古今方书用之最多。或云：蛇蜕无时，但著不净之，物则脱矣。〔陶隐居云〕草中不甚见虺、蝮蜕，惟有长者，多是赤鲢、黄颔辈，其皮不可复识。今往往得尔，皆须完全，石上者弥佳。〔衍义曰〕蛇蜕，从口翻退出，眼睛亦退，今合眼药多用，取此义也。

时 〔生〕无时。〔采〕五月五日、十五日取之良。

用 皮白如银色者佳，其青、黄、苍色者勿用。

色 白。

味 咸，甘。

性 平，软。

气 气薄味厚，阴中之阳。

臭 腥。

制 〔雷公云〕凡使，先于屋下掘一坑，深一尺二寸，安蛇皮于中，一宿，至卯时取出，以醋浸一时，于火上炙干用，或洗浸即用之。

治 〔疗〕〔药性论云〕辟百鬼魅，除喉痹。〔日华子云〕疗蛊毒，辟恶，止呕逆，及小儿惊悸，客忤，催生，疬疡，白癜风。〔食疗云〕治诸恶疮并安胎。〔别录云〕烧末傅小儿重腭、重龈、重舌肿痛，及紧唇。又水调，傅蛇露疮。又全蜕一条，盛以绢袋，疗日月未足而欲产，痛时绕于腰中。

合治 烧末合醋调傅，治白驳疮。○烧全者一条为末，合猪脂，傅恶疮十年不瘥似癞者，及小儿初生月蚀疮，并头面身上生疮。○烧末合乳汁服一钱匕，疗小儿喉痹肿痛及吐血者。○以一条内瓶中，盐泥固济，烧灰存性，合榆白皮汤调服二钱，疗横生难产。〇炙黄，合当归等分为末，温酒调服一钱匕，疗缠喉，咽中如束，气不通。〇烧灰存性，合鸡子黄[①]一弹子同研，治陷甲生入肉，常有血，疼痛。先以温浆水洗疮，针破贴药。〇以一尺七寸烧令黑，研末，合好酒一盏，微温顿服，疗儿吹奶肿疼。

① 鸡子黄：《证类本草》作“雄黄”。

○ 蠃虫

蜘蛛

有毒　附壁钱　卵生

蜘蛛主大人、小儿㿗。○网，疗喜[1]忘。名医所录。

① 喜：原注“音戏”。

名 次蠹[1]、鼅鼄[2]、土鼅鼄、草鼅鼄、蚍[3]蜉[4]、蝃[5]蝥、络新妇、喜子、鼄蝥、蟏[6]蛸[7]。

地〔图经曰〕旧本不著所出州土，今处处有之。其类极多。《尔雅》云：次蠹，鼅鼄。鼅鼄，鼄蝥。郭璞云：江东呼蝃蝥者。又云：土鼅鼄，在地布网者；草鼅鼄，络幕草上者；蟏蛸，长踦。小鼅鼄，长脚者，俗呼为喜子。陶隐居云：当用悬网状如鱼罾者，亦名蚍蜉，即《尔雅》所谓鼄蝥，郭璞所谓蝃蝥者是也。一种壁钱虫，平，无毒，是壁上作茧蜘蛛也，亦入药用。〔衍义曰〕蜘蛛种类亦多，《经》不言是何种，今人多用人家檐角、篱头、陋巷之间，空中作圆网，大腹，深灰色，遗尿着人作癣疮者也。

时〔生〕三月、四月。〔采〕七月七日取。

用 身。

色 灰黑。

性 微寒。

气 气之薄者，阳中之阴。

臭 腥。

主 断疟，辟忘。

制〔雷公云〕凡用，去头足，研如膏，投入药中用。

治〔疗〕〔图经曰〕蛇啮伤，取汁涂之。小儿腹疳者，烧

---

① 蠹：原注“音秋”。
② 鼅鼄：原注“上音知，下音朱”。
③ 蚍：原注“章悦切”。
④ 蜉：原注“音谋”。
⑤ 蝃：原注“音掇”。
⑥ 蟏：原注“音萧”。
⑦ 蛸：原注“音鞘”。

熟啖之。赘疣者，取其网丝缠之，七日消烂。蜂及蜈蚣毒者，生置痛上，令吸其毒，皆有验。〔陶隐居云〕除干呕，霍乱。〔唐本注云〕疗小儿大腹丁奚，三年不能行者。除温疟，止呕逆。〔日华子云〕消疔肿。○网，七夕朝取食，令人巧，去健忘。○壁钱虫，治小儿吐逆，止鼻洪并疮，滴汁，傅鼻中及疮上。并傅鼠瘘疮。〔别录云〕蜘蛛子，治中风，口喎僻，取磨其偏急颊车，候视正即止。亦可向火磨之。○烧蜘蛛二七枚，傅鼠瘘，肿核痛，若已有疮出脓水者及傅肛上[①]疗卒脱肛。○研汁，傅蝎螫人。

合治 大蜘蛛五枚，日干，细研，合酥调如面脂，疗瘰疬，无问有头无头者，日两度贴之，效。○户边蜘蛛，杵，以醋调，疗背疮。先挑四畔令血出，根稍露，用药傅，干即易，旦至夜拔根出，有效。○蜘蛛十四枚熬焦，合桂半两为末，每服八分匕[②]，日再服，治阴狐疝气，偏有大小，时时上下者，蜜丸亦得。

禁 五色者，兼大，身上有毛，生者及薄小者，并不堪用。

解 蛇、蜂、蜈蚣毒。

① 肛上：原脱，据《证类本草》补。

② 八分匕：《证类本草》作“八分一匕”。

蝮蛇胆

有毒　附肉、千岁蝮

胎生

蝮蛇胆主䘌疮。〇肉，酿作酒，疗癞疾，诸瘘，心腹痛，下结气，除蛊毒。其腹中吞鼠，有小毒，疗鼠瘘。名医所录。

名 蚖蛇。

地〔图经曰〕蝮蛇形不长，头扁口尖，头斑，身赤纹斑，亦有青黑色者，人犯之，头足贴着是也。东间诸山甚多，草行不可不谨之。又有一种，状如蝮而短，有四脚，能跳来啮人，东人名为千岁蝮，人或中之必死。然其啮人已，即跳上木作声，其声云斫木、斫木者，不可救也。若云博叔、博叔者，犹可急疗之。〔陈藏器云〕按蛇既众多，入用非一，《本经》虽载，未能分析。其蝮蛇形短，鼻反，锦纹，亦有与地同色者，着足断足，着手断手，不尔，合身糜溃。其蝮蛇七八月毒盛时，啮树以泄其气，树便死。又吐口中涎沫草木上，着人身肿成疮，卒难主疗，名曰蛇蟆疮。蝮所主略与虺同，众蛇之中，此独胎产。出山南金州、房州、均州皆有之。

时〔生〕无时。〔采〕无时。

收 阴干。

用 胆。

色 赤斑，亦有青黑者。

味 苦。

性 微寒，泄。

气 味厚于气，阴也。

臭 腥。

主 杀下部虫，五痔，肠风。

治〔疗〕〔图经曰〕胆，主䘌疮。○肉，酿作酒，治诸恶风，疮瘘，瘰疬，皮肤顽痹。〔唐本注云〕屎，疗痔瘘。器中养取之。○皮灰，疗疔肿，恶疮，骨疽。○蜕皮，主身痒，瘑，疥，癣。〔陈藏器云〕蝮蛇腹中死鼠，主鼠瘘，脂着物皆透。○骨，烧为黑末，饮下三钱匕，主赤痢。〔别录云〕死蛇一条，水煮浓汁，洗臂腕肿痛。

合治 活蛇一条，著器中以醇酒一斗投之，埋于马溺处。周年已后开取，酒味犹存，蛇已消化。有患大风及诸恶风，恶疮，瘰疬，皮肤顽痹，半身枯死，手足脏腑间重疾，并主之。服一升已来，当觉身习习，服讫，服他药不复得力。亦有小毒，不可顿服。○大蛇一条，勿令伤，合酒渍之，大者一斗，小者五升，以糠火温，令稍稍热，治白癞。取蛇一寸许，以腊月猪脂和傅上。

解 中千岁蝮咬毒，以细辛、雄黄等分为末，内咬伤疮中，及诸蛇、虎伤，俱解之。

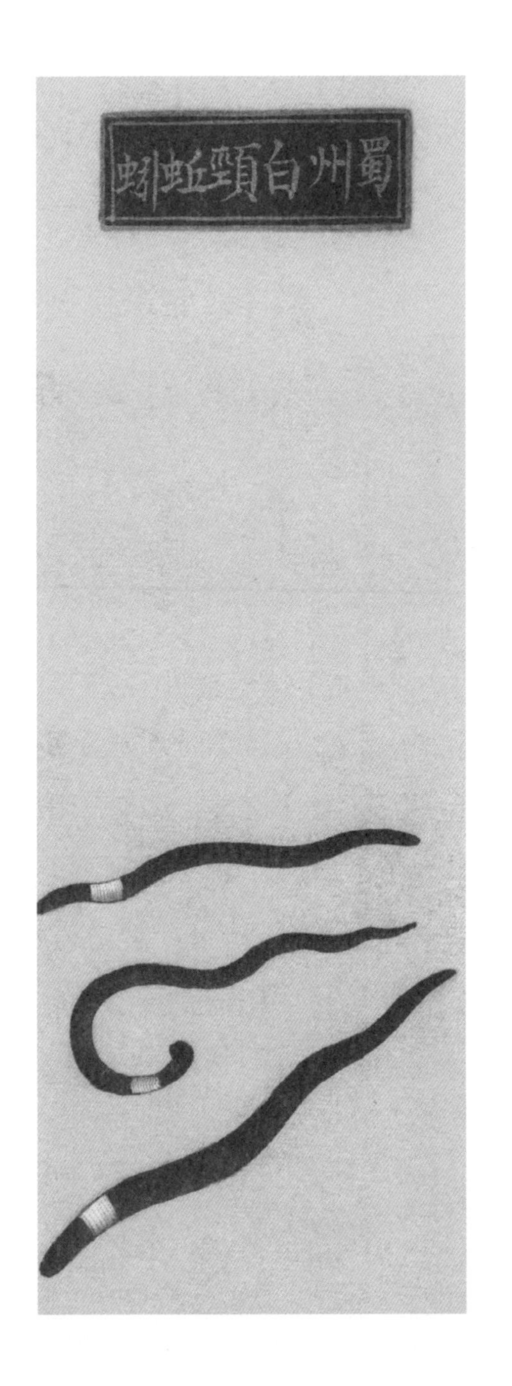

白颈蚯蚓

无毒　湿生

白颈蚯蚓出神农本经。主蛇瘕，去三虫，伏尸，鬼疰，蛊毒，杀长虫，仍自化作水。以上朱字神农本经。疗伤寒伏热，狂谬，大腹，黄疸。以上黑字名医所录。

名 土龙、地龙子、千人踏、曲蟺、蚓蝼。

地 〔图经曰〕生平泽皋壤地，今处处皆有之。〔谨按〕《埤雅》云：蚓，乃土之精也，其为物不息，引而后伸，善长吟于地中。江东人谓之歌女，亦曰鸣砌。又名千人踏，即行路人踏死者，亦入药用。《月令》云：蚯蚓结言，蚯蚓穴居，首阳下向，阳动则穴而上首，故其身结而屈也。白颈是其老者尔。

时 〔生〕无时。〔采〕三月取。

收 阴干。

用 白颈自死者良。

色 颈白，身紫。

味 咸。

性 大寒，软。

气 气薄味厚，阴也。

臭 腥。

制 〔雷公云〕凡使，用糯米泔水浸一宿，至明漉出，以无灰酒浸一日，至夜漉出，焙令干后，细切。取蜀椒并糯米及切了蚯蚓，三物同熬之，待糯米熟，去米、椒了，拣净用之。凡修事二两，使米一分、椒一分为准。今用先捶碎，去中沙土，置竹筛内，于水面上洗净，暴干用之。

治 〔疗〕〔陶隐居云〕蚯蚓，为汁，除温病大热狂言，饮之皆瘥。○干蚓，熬作屑，去蛔虫。〔唐本注云〕屎，封狂犬伤毒，出犬毛，效。〔药性论云〕干蚓熬末，傅蛇伤。〔日华子云〕蚯蚓，除中风并痫疾，治传尸，天行热疾喉痹，蛇[①]虫伤。〔陈藏器云〕屎，无沙者一升，

① 蛇：原作“蛔”，据《证类本草》改。

炒令烟尽，水沃，取半升，滤去滓，空腹服之，疗赤白久热痢，瘥。〔衍义曰〕治肾脏风，下疰病。〔丹溪云〕解诸毒，行湿病。〔别录云〕蚯蚓杵为泥，傅伐[1]指。又干杵为末，傅裂齿痛，良。又杵烂，以水滤过浓汁，治小便不通，服半碗，立通。兼大解热疾，不知人事欲死者，服之亦效。又以数条绞取汁服之，治交接劳复，阴卵肿，或缩入腹绞痛，气欲绝者。○粪，以水和，傅一切丹毒流肿。又为末，傅小儿患�武耳，出脓水成疮，兼吹耳中，效。

合治 以十条为末，每服三钱匕，合冷茶调下，治风赤眼。○以一条内葱叶中，化水滴耳中，治蚰蜒入耳，亦化为水。又合盐贮葱尾内，为水点之，治耳聋，及疗蜘蛛咬，遍身疮。○以十四条合苦酒三升渍之，蚓死，但服其汁，治中蛊毒或吐下血若烂肝。○粪合盐研傅，治蛇、犬咬并热疮。○合生甘草汁调，轻轻涂小儿阴囊，虚热肿痛。○又水和为泥，火干极赤，研细如粉，合腊月猪脂调傅，疗齿龈宣露，日三，瘥。○又合猪脂，傅小儿耳后月蚀疮，有效。

解 解诸毒及射罔毒。又人中蚯蚓毒，先饮盐汤一盏，次以盐汤浸足，愈。

① 伐：原作“代”，据罗马本改。

○ 羽虫

蠮螉

无毒　化生

蠮[①]螉[②]出神农本经[③]。主久聋，咳逆，毒气出刺，出汗。以上朱字神农本经。疗鼻窒[④]。○土房，主痈肿，头风。以上黑字名医所录。

---

① 蠮：原注“音噎”。
② 螉：原注“乌红切”。
③ 出神农本经：原脱，据义例补。
④ 窒：原注“陟栗切”。

名 土蜂、蜾蠃。

地〔图经曰〕生熊耳川谷及牂牁，或人家屋间，今处处有之。黑色细腰，虽一名土蜂，而不在土中作穴，但摙[①]土于人家壁间或器物傍作房，如竹管者是也。郭璞注《尔雅》云：蜾蠃，蒲芦，即细腰蜂也，俗呼为蠮螉。《诗·小雅》云：螟蛉有子，蜾蠃负之。注：螟蛉，桑虫也。蜾蠃，蒲芦也。言蒲芦取桑虫之子负持而去，妪养之，以成其子。又杨雄《法言》云：螟蛉之子殪，而逢蜾蠃祝之曰：类我类我。注云：蜾蠃遇螟蛉而受化，久乃变成蜂尔。陶隐居乃谓生子如粟米大，在其房中，乃捕取草虫以拟其子大为粮耳。又有人坏其房而看之，果见有卵如粟在死虫之上，皆如陶说。又段成式云：书斋中多蠮螉，好作窠于书卷，或在笔管中，祝声可听。有时开卷视之，悉是小蜘蛛，大如蝇虎，旋以泥隔之，乃知不独负桑虫也。数说虽不同，人或疑之，然物类变化，固不可度。蚱蝉生于转丸，衣鱼生于瓜子，龟生于蛇，蛤生于雀，白鹅之相视，负螽之相应，其类非一。若桑虫、蜘蛛之变为蜂，不为异矣。如陶所说卵如粟者，未必非祝虫而成之也。宋齐丘所谓蠮螉之虫，孕螟蛉之子，传其情，交其精，混其气，和其神，随物大小，俱得其真。蠢动无定情，万物无定形。斯言得之矣。

时〔生〕无时。〔采〕无时。

收 阴干。

用 身及房。

质 类蜂而小。

色 黑。

---

① 摙：原注“刀展切”。

味 辛。

性 平，散。

气 气之薄者，阳中之阴。

臭 腥。

主 痈肿。

制 炒碾，入药用。

治 〔疗〕〔日华子云〕除呕逆。生研，罯竹木刺。

合治 窠微炙为末，合乳汁调下一字，治小儿霍乱吐泻，立止。○房合醋调涂蜂虿。○土蜂烧末合油，傅蜘蛛咬疮。

○ 介虫

葛上亭长

有毒 化生

葛上亭长主蛊毒，鬼疰，破淋结，积聚，堕胎。名医所录。

地〔陶隐居云〕葛花开时取之，身黑而头赤，喻如人著玄衣赤帻，故名亭长。此一虫五变，为疗皆相似。二月、三月在芫花上，即呼为芫青；四月、五月在王不留行上，即呼为王不留行虫；六月、七月在葛花上，即呼为葛上亭长；八月在豆花上，即呼为斑蝥；九月、十月欲还地蛰，即呼为地胆。此是伪地胆尔，主疗犹同。〔唐本注云〕今检《本草》及古今[①]诸方，未见用王不留行虫者。若尔，则四虫专在一处，今地胆出豳州，芫花出宁州，亭长出雍州，斑蝥所在皆有，四虫出四处，其虫可一岁周游四州乎？且芫青、斑蝥，形段相似；亭长、地胆，貌状大殊。豳州地胆，三月至十月草菜上采，非地中取。陶之所言，恐浪证之尔。〔绍兴校定云〕葛上亭长，乃斑蝥、芫青之类，然别是一种，验其破血之性，亦不远矣。大抵破蓄血坚积，多见用之。《本经》云：味辛，微温，有毒是矣。注云：一虫五变，若以一岁能周游四州者，即无据矣。惟山东州郡多产之。

时〔生〕无时。〔采〕六月、七月取。

收暴干。

用身黑头赤者良。

色黑。

味辛。

性微温，散。

气气厚于味，阳也。

臭腥。

主淋。

制〔雷公云〕凡用亭长之类，当以糯米同炒，看米色黄黑

---

① 今：原作“方”，据《证类本草》改。

即出，去头、足及翅、脚，以乱发裹悬屋栋上一宿，然后入药用。

治〔疗〕〔图经曰〕取得折断腹，腹中有白子如小米，著白板子上，阴干药成。久患淋，服三枚或二枚，服时以水著小杯中，内药盏中，爪甲研，当扁扁见于水中，乃令病人饮之，勿令著牙。药虽微小，直至下焦淋所，少顷，药当作烦，随饮干麦饭汁，或饮水亦可，则药势止也。老、小者服三分之一，当下如脓血。石淋状如指头，或青或黄，男女服之皆愈。

禁 妊娠不可服。

斑蝥

有毒　化生

斑蝥出神农本经。主寒热，鬼疰，蛊毒，鼠瘘，恶疮，疽蚀，死肌，破石癃。以上朱字神农本经。疥癣，血积，伤人肌，堕胎。以上黑字名医所录。

名 龙尾、晏青、腱发、斑蚝[①]、龙苗、斑菌、盘蛩、龙蚝。

地 〔图经曰〕生河东川谷，今处处有之。七八月大豆盛时，此虫多在豆叶上，长五六分，甲上黄黑斑纹，乌腹尖喙，如巴豆大，就叶上采之。古方书多有用此，其字或作斑蠡，亦作斑蚝也。

时 〔生〕四月、五月。〔采〕七八月露中取。

收 阴干。

用 身。

色 黄黑斑纹。

味 辛。

性 寒，散。

气 气之薄者，阳中之阴。

主 鼠瘘，淋沥。

助 马刀为之使。

反 畏巴豆、丹参、空青，恶肤青、豆花。

制 〔衍义曰〕凡使，须在糯米中炒，待米色黄为度。去翅、足用。

治 〔疗〕〔药性论云〕消瘰疬，利水道。〔日华子云〕疗淋疾，傅恶疮，瘘烂[②]。〔别录云〕治疔肿，以一枚捻破，用针划疮上作米字封之，即根出。又治沙虱毒，以二枚，一枚为末服之，一枚烧令烟绝，研末傅之，立瘥。及妊娠或已不活，欲下胎者，烧末服一枚即下。

---

① 蚝：原注“音刺”。

② 烂：原脱，据《证类本草》补。

合治 以半两微炒为末，合蜜调傅干癣积年生痂，搔之黄水出，每逢阴雨即痒者。○以一两去翅、足，用粟米一升同炒，令米焦黄，去米不用，细研，入干薄荷末四两，同研令匀，合乌鸡子清丸，如绿豆大，空心腊茶下一丸，加至五丸，每日减一丸，减至一丸后，每日服五丸，治大人、小儿瘰疬内消。

禁 妊娠不可服，为能溃人肉。治淋药多用，极苦，人尤宜斟酌。凡入药不可令生，生即吐泻人。

○ 介虫

芫青

有毒　化生

芫青主蛊毒，风疰，鬼疰，堕胎。名医所录。

地〔图经曰〕《本经》不载所出州土，今处处有之。其形颇与斑蝥相类，但纯青绿色，背上有一道黄纹，尖喙，三四月芫花发时乃生，多就花上采之。〔雷公云〕芫青、斑蝥、亭长、地胆等四件，其样各不同，所居、所食、所效，亦各不同。其芫青嘴尖，背上有一画黄；斑蝥背上一画黄，一画黑，嘴尖处一小点赤，在豆叶上居，食豆叶汁；亭长形黑黄，在蔓叶上居，食蔓胶汁；地胆额上有大红一点，身黑，用各有处。

时〔生〕三月、四月。〔采〕三月、四月取。

收 暴干。

用 身。

质 类斑蝥。

色 碧。

味 辛。

性 微温，散。

气 气厚于味，阳也。

制〔雷公云〕用糯米、小麻子相拌同炒，待米黄黑出，去麻子等，去头及翅、足，更以乱发裹之，挂于东壁角上一宿，去毒，至明取用。

治〔疗〕〔陶隐居云〕治鼠瘘疮。

禁 妊娠不可服。

○ 介虫

地胆

有毒 化生

地胆出神农本经。主鬼疰，寒热，鼠瘘，恶疮，死肌，破癥瘕，堕胎。以上朱字神农本经。蚀疮中恶肉，鼻中息肉，散结气石淋。去子，服一刀圭即下。以上黑字名医所录。

名 蚢青、青蛙[1]。

地 〔陶隐居云〕出梁州及汶山川谷，今邠州亦有之。状如大马蚁，有翼。《本经》一名蚢青，蚢字乃异，恐是相承误矣。

时 〔生〕春。〔采〕八月取。

用 身。

质 类大马蚁。

色 黑。

味 辛。

性 寒。

气 气之薄者，阳中之阴。

主 鼻齆，瘰疬。

反 恶甘草。

禁 妊娠不可服。

---

① 蛙：原注“乌娲切”。

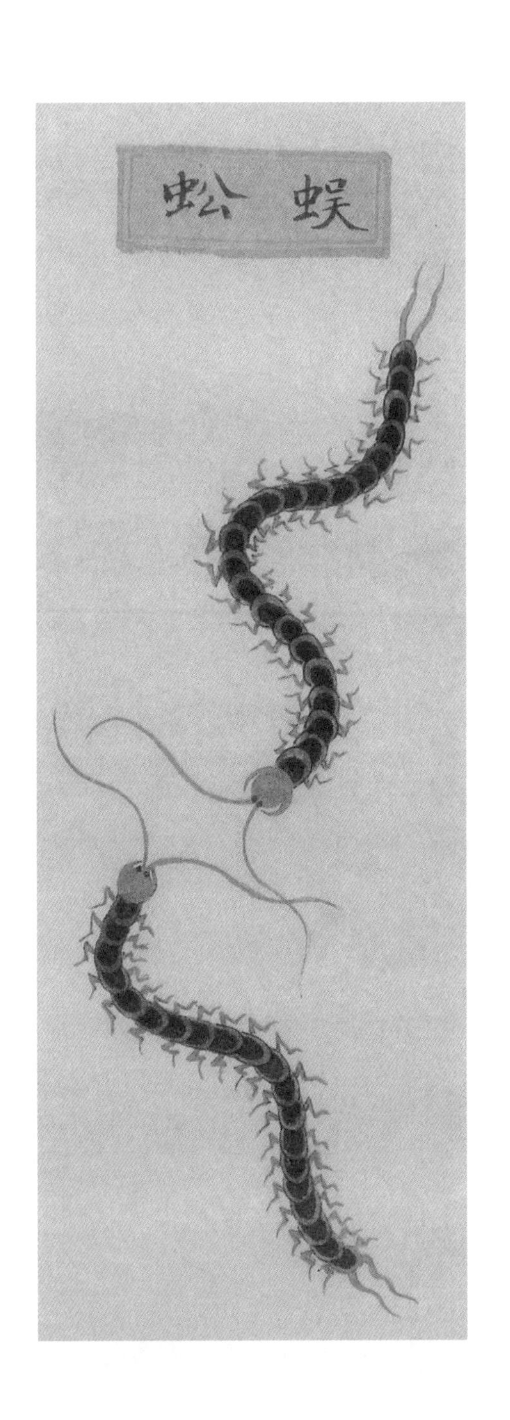

蜈蚣

有毒　卵生

蜈蚣出神农本经。主鬼疰，蛊毒，啖诸蛇、虫、鱼毒，杀鬼物，老精，温疟，去三虫。以上朱字神农本经。疗心腹寒热结聚，堕胎，去恶血。以上黑字名医所录。

地〔图经曰〕生吴中川谷及江南，今江浙、山南、唐、邓间皆有之，多在土石及人家屋壁间。以头、足赤者为胜。其性能制蛇，见大蛇便缘而啖其脑。若黄足者最多，人以火炙令赤以当之，不堪用也。〔衍义曰〕蜈蚣背光黑绿色，足赤，腹下黄者是。畏蛞蝓，遇其所行之路辄不敢过，若触其身则死，故人取以治蜈蚣毒也。

时〔生〕无时。〔采〕七月、八月取。

收 暴干。

用 头、足赤者良。

味 辛。

性 温，散。

气 气之厚者，阳也。

臭 腥。

制〔雷公云〕凡使蜈蚣，先以木末或柳蚛末于土器中同炒，令木末焦黑后，去木末，用竹刀刮去足、甲，或炙用亦可。

治〔疗〕〔图经曰〕去尸疰，恶气，诸方皆用。〔日华子云〕除癥结，邪魅。〔别录云〕为末，治蛇疮。○汁，治小儿撮口病，但看舌上有疮如粟米大者是也。刮破指甲，研，傅两头内[1]，瘥。

合治[2] 以一枚炙黄为末，合苦酒傅之，大治射工水弩毒，亦治口噤。○炙黄，去足为末，合猪乳二合调半钱，分三四服，温灌之，主初生儿口噤不开，不收乳者。○以干者一条，合白矾皂子大，雷丸一个，百部二钱，同为末，以醋调，涂丹毒瘤。

---

① 内：《证类本草》作“肉”。

② 合治：原文为“治”，据义例改。

解 人中其毒，以乌鸡屎水稠调，涂咬处。或用大蒜，又桑汁、白盐涂之，并效。

赝 千足虫真似，只是头上有白肉、面并嘴尖。

○ 鳞虫

蛤蚧

有小毒　卵生

蛤蚧主久肺劳，传尸，杀鬼物，邪气，疗咳嗽，下淋沥，通水道。名医所录。

地〔图经曰〕生岭南山谷及城墙或榕树间。首若虾蟆，背有细鳞如蚕子，色黄如土，长四五寸，尾与身等，形如大守宫，一雄一雌，常自呼其名。蛤蚧最护惜其尾，或见人欲取之，多自啮断其尾，人即不取之。凡采之者，须存其尾，则用之力全在尾故也。人欲得其首尾完者，乃以长柄两股铁叉，如黏黐[1]竿状，伺于榕木间，以叉刺之，皆一股中脑，一股著尾，故不能啮也。行常雌雄相随，入药亦须两用之。或云阳人用雌，阴人用雄。

时〔生〕无时。〔采〕无时。

收 暴干。

用 首尾全者佳。

质 类守宫而大。

色 土黄。

味 咸。

性 平，软。

气 味厚气薄，阴中之阳。

臭 腥。

主 肺痿。

制〔雷公云〕凡使，须认雌雄。雄者为蛤，皮粗口大，身小尾粗；雌者为蚧，口尖，身大尾小。凡修事服之，去甲上、尾上并腹上肉毛，毒在眼，如斯修事了，用酒浸，才干，以纸两重于火上缓隔焙纸炙，待两重焦干透后，去纸，取蛤蚧于瓷器中盛，于东舍角畔悬一宿，取用，力可十倍。勿伤尾，效在尾也。〔日华子云〕去头、足，洗去鳞鬣内不净，以酥炙用，良。

① 黐：原注“丑知切”。

治〔疗〕〔日华子云〕清肺气，止嗽，并通月经，下石淋，及治血。〔海药云〕除肺痿上气，咯血，咳嗽。〔补〕〔衍义曰〕补肺虚劳嗽，有效。

合治 合阿胶、生犀角、鹿角胶、羚羊角各一两，除胶外皆为屑，次入胶，分四服，每服用河水三升，于银石器中慢火煮至半升，滤去滓，临卧微温细细呷，其滓候服尽再捶，都作一服，以水三升煎半升，如前服。治久嗽不愈，肺间积虚热，久则成疮，故嗽出脓血，晓夕不止，喉中气塞，胸膈噎痛。

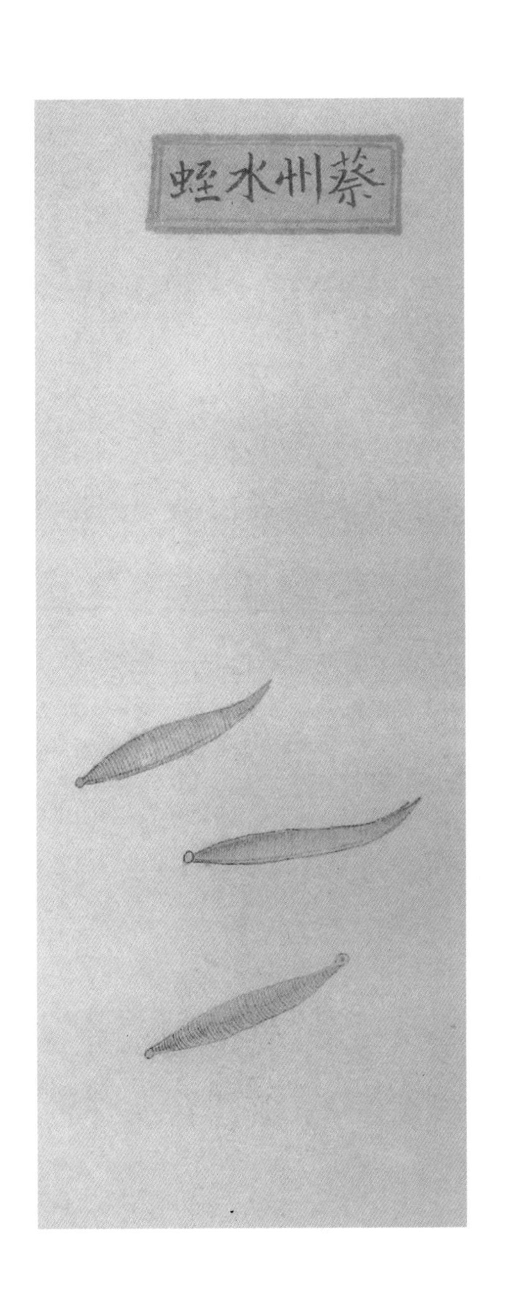

水蛭

有毒

水蛭出神农本经。主逐恶血，瘀血，月闭，破血瘕，积聚，无子，利水道。以上朱字神农本经。堕胎。以上黑字名医所录。

名 蚑[1]、至掌、马蟥、石蛭、草蛭、泥蛭。

地〔图经曰〕生雷泽池泽，今近处河中多有之。此有数种：生水中者名水蛭，亦名马蟥。生山中者名石蛭，生草中者名草蛭，生泥中者名泥蛭，并皆著人及牛、马股胫间，啮咂其血，甚者入肉中产育，为害甚大。水蛭有长尺者，用之当以小者为佳。古法有用水蛭啖疮者，缓急所须，亦不可得。崔知悌令预收养之，以备用。此物极难死，如火炙，经年，得水犹可活也。石蛭等并头尖腹粗，不堪入药。误用之，则令人目中生烟不已，渐致枯损，不可不辨也。

时〔生〕无时。〔采〕五月、六月取。

收 暴干。

用 水中小者为佳。

色 黄。

味 咸、苦。

性 平、微寒，泄。

气 味厚于气，阴也。

臭 腥。

主 通经脉，破血积。

反 畏石灰、盐。

制〔图经曰〕采得当以篁竹筒盛之，待干，又用米泔浸经宿，然后出之。暴已，又用冬月猪脂煎令黄，乃堪用。干蛭，当展令长，腹中有子者去之。

---

① 蚑：原注“音蜞”。

治〔疗〕〔药性论云〕主女子月候不通，欲成血劳癥块，并一切血积聚。

合治 以一两剉碎，炒令烟出，合麝香末酒调一钱，治从高坠下及打击内伤，当下蓄血，效。

禁 妊娠不可服。

○ 甲虫

田中螺

无毒　附螭[1]螺　胎生

田中螺汁主目热赤痛，止渴。名医所录。

① 螭：原注“户扬切”。

地〔陶隐居云〕状类蜗牛，形圆而极高大，小者如桃、李，大者如梨、橘，人亦煮食之。今湖滨岸侧多有，入药以水田中者佳。一种小而有棱者，名蝻螺，亦止渴，不能下水。此物至难死。烂壳烧灰为末服，主反胃、胃冷。及卒心痛，或用之。

时〔生〕无时。〔采〕夏秋取。

色 青黄。

味 甘。

性 寒。

气 气之薄者，阳中之阴。

臭 腥。

治〔疗〕〔陶隐居云〕汁，除热，醒酒。〔唐本注云〕壳，疗尸疰，心腹痛。又主失精，水渍饮汁，止泻[①]。〔日华子云〕田螺，治手足肿及热疮，生研汁，傅之。〔陈藏器云〕田中螺，煮食之，利大小便，去腹中结热，目下黄，脚气冲上，小腹急硬，小便赤涩，手脚浮肿。○碎其肉，傅热疮。〔食疗云〕汁，服之，压丹石。

合治 水中螺、蚌肉合葱、豉、椒、姜煮汁饮三两盏，治连月饮酒，咽喉烂，舌上生疮。○田中螺大者七枚，洗净，新汲水养去秽泥，重换水一升浸洗，旋取于干净器中，着少盐花于口上，承取自出者，用点目中，治肝热，目赤肿痛。

禁 不可常食。

---

① 泻：《证类本草》作“渴”。

贝子

有毒

贝子出神农本经。主目翳，鬼疰，蛊毒，腹痛，下血，五癃，利水道，烧用之良。以上朱字神农本经。除寒热，温疰，解肌，散结热。以上黑字名医所录。

名 贝齿、白贝。

地〔图经曰〕生东海池泽，今南海亦有之，乃贝类之最小者，其中肉如蝌蚪而有首尾。《交州记》曰：大贝出日南，如酒杯。小贝，贝齿也。贝皆紫色，此则洁白如鱼齿，故名贝齿。古人用饰军容服物，今亦稀用，但穿之与小儿戏。髢[①]头家以饰鉴带，画家以研物用之。盖兽二为友，贝二为朋。《诗》曰：锡我百朋，是也。

时〔生〕无时。〔采〕无时。

用 壳。

质 类紫贝而小。

色 白。

味 咸。

性 平。

气 气味俱薄，阴中之阳。

臭 腥。

制〔雷公云〕凡使，勿用花虫壳，其二味相似，只是用之无效。凡用，先以苦酒与蜜相对秤[②]，二味相和了，将贝齿于酒、蜜中蒸，取出，却，于清酒中淘令净，研用之。

治〔疗〕〔药性论云〕能破五淋，利小便，治伤寒狂热。〔日华子云〕除目中翳障并鬼毒，鬼气，下血。〔海药云〕主水气浮肿及孩子疳蚀，吐乳，并烧过，入药用。〔别录云〕治食物中毒，取一枚含之，自吐。

合治 以十枚烧灰，合珠子等分细研，除目中息肉，取一胡豆

---

① 髢：原注“达计切”。

② 秤：原作“称”，据《证类本草》改。

大点上，仰卧如炊一石米饭久乃灭。○以一两烧灰，研如面，合龙脑少许，点小儿黑花眼翳，涩痛。

解 食面朧毒、漏脯毒、射罔在诸肉毒。

石蚕

有毒　附草石蚕　化生

石蚕主五瘻，破石淋，堕胎。〇肉，解结气，利水道，除热。神农本经。

名 沙虱。

地 〔图经曰〕生江汉池泽石上。形如蚕，为生气之物，犹海中蛎蛤辈，附石而生，不动，皆活物也。所在水石间亦有之，取以为钩饵。今马湖石门出此最多，彼人亦好啖之。福州及信州山石上一种草，四时常有，苗青色，有节，其根亦名石蚕。三月采根，焙干，主走注风，散血，止痛，其节亦堪单用，捣筛取末，酒温服之。〔衍义曰〕草根似蚕，而名石蚕者，别是一种。若以水中石上者谓之草，则谬矣。《经》曰：肉，解结气，《注》中更辩不定此物在处有之。附生水中石上，作茧如钗股，长寸许，以蔽其身，色如泥，蚕在其中，此所谓之石蚕也。

时 〔生〕无时。〔采〕无时。

色 灰褐。

味 咸。

性 寒。

气 气薄味厚，阴也。

臭 腥。

○ 毛虫

雀瓮

无毒　卵生

雀瓮主小儿惊痫，寒热，结气，蛊毒，鬼疰。

神农本经。

名 天浆子、雀儿饭瓮、蛓[①]毛虫、棘刚子、蚝[②]虫、蛄[③]蟴[④]、躁舍、雀痈。

地〔图经曰〕雀瓮，蛄蟴房也。生汉中木枝上，今处处有之。蛄蟴，蚝虫也，亦曰蛓毛虫。好在石榴木上，似蚕而短，背上有五色斑，刺螫人有毒。欲老者口吐白汁，凝聚渐坚硬，正如雀卵，故名之。又名雀痈，痈、瓮声相近耳。其子在瓮中作蛹，如蚕之在茧也。久而作蛾出，枝间叶上放子如蚕子，复为虫也。一曰：雀好食其瓮中子，故俗呼为雀儿饭瓮，旧注以瓮为虫卵，非也。

时〔生〕无时。〔采〕八月取。

用 窠。

质 类雀卵而小。

色 紫白而斑。

味 甘。

性 平。

气 气厚于味，阳中之阴。

臭 腥。

主 小儿惊痫。

制 蒸之或捣汁用。

治〔疗〕〔陈藏器云〕小儿撮口病，先剺[⑤]小儿口傍，令见血，以瓮击碎，取汁涂之。及与平常小儿饮之，令无疾。

---

① 蛓：原注“与蚝同”。
② 蚝：原注“七吏切”。
③ 蛄：原注“音髯”。
④ 蟴：原注“音斯”。
⑤ 剺：原注“力咨切，剥也”。

合治 天浆子有虫者，合白僵蚕、干蝎，三物各三枚，微炒，捣罗为末，煎麻黄汤调服一字，治小儿慢惊，日三服之，随儿大小与之，大效。○合鼠妇生捣汁，涂小儿口傍，治撮口不得饮乳者。

○ 鳞虫

白花蛇

有毒　卵生

白花蛇主中风，湿痹不仁，筋脉拘急，口面㖞斜，半身不遂，骨节疼痛，大风疥癞及暴风瘙痒，脚弱不能久立。名医所录。

名 褰鼻蛇。

地〔图经曰〕生南地及蜀郡诸山中，今黔中及蕲州、邓州皆有之。其纹作方胜白花，喜螫人足。黔州人有螫者，立断之。补养既愈，或作木脚续之，亦不妨行。治风速于诸蛇，然有大毒，头、尾各一尺尤甚，不可用，只用中断干者。以酒浸，去皮骨，炙过收之，不复蛀坏。其骨须远弃之，不然刺伤人，与生者殆同。此蛇入人室屋中，忽作烂瓜气者，便不可向，须速辟除之。用干蛇，亦以眼不陷者为真。

时〔生〕无时。〔采〕九月、十月取。

收 炙干。

用 肉中断，以白花者良。

色 白。

味 甘、咸。

性 温。

气 气厚味薄，阳中之阴。

臭 腥。

主 疠风，湿痹。

制〔雷公云〕凡使，去头兼皮、鳞、带子了，二寸许剉之，以苦酒浸之一宿，至明漉出，向柳木炭火焙之令干，即以酥炙之，酥尽为度。炙干后，于屋下以地上掘一坑，可深一尺已来，安蛇于中一宿至明，再炙令干，任用。凡修事一切蛇，并去胆并上皮了，干湿须酒煮过用之。

治〔疗〕〔药性论云〕除肺风鼻塞，身生白癜风，疬疡斑点及浮风[1]瘾疹。

---

① 风：原脱，据《证类本草》补。

合治 生取蛇中段，先用火烧一大砖令通红，沃醋令热气蒸，便置蛇于上，以盆覆宿昔，如此三过，去骨取肉，芼以五味令过熟。治疥癣[1]遍体，诸药不效者，使顿啖之，瞑眩一昼夕乃醒。疕随皮便退，其人即愈。

禁 四月勿食，食之害人。

解 遭恶蛇所螫，贴蛇皮于患处炙之，引去毒气，即止。

① 癣：《证类本草》作“癞”。

乌蛇

无毒　卵生

乌蛇主诸风瘙瘾疹，疥癣，皮肤不仁，顽痹诸风。用之炙，入丸散，酒浸、合膏。名医所录。

地〔图经曰〕生商洛山，今蕲州、黄州山中有之。背有三棱，色黑如漆，性至善，不噬物，多在芦丛中嗅其花气，亦乘南风而吸。最难采捕，多于芦枝上得之。至枯死眼不陷，称之重三分至一两者为上。粗大者转重，力弥减也。又头有逆毛二寸一路，可长半分以来，头尾相对，用之入神，此极难得也。江东有黑梢蛇，能缠物至死，亦如其类。作伪者用他蛇生熏之至黑，亦能乱真，但眼不光为异尔。〔衍义曰〕乌蛇，尾细长，能穿小铜钱一百文者佳，有身长一丈余者。蛇类中此蛇入药最多。尝于顺安军塘泺堤上见一乌蛇，长一丈余，有鼠狼啮蛇头，曳之而去，是亦相畏伏尔。乌蛇脊高，世谓之剑脊乌梢也。

时〔生〕无时。〔采〕无时。

用肉。

质类诸蛇，但极小而黑如漆。

色黑。

味甘。

性平，温。

气气厚于味，阳中之阴。

臭腥。

主诸风疥癣。

制去皮、骨，炙用。

治〔疗〕〔药性论云〕消热毒风及肌生疮，眉髭脱落，瘑痒疥等。〔别录云〕以绵裹蛇膏塞耳中，治耳聋。

合治用二两烧灰为末，合腊月猪脂调傅，治面上疮及皯。○以蛇一条酒浸服，治大风，效。

金蛇

无毒　附银蛇、金星地鳝

卵生

金蛇解生金毒。人中金药毒者，取蛇四寸，炙令黄，煮汁饮，频服之，以瘥为度。人中金毒，候之之法，合瞑取银内口中含，至晓，银变为金色者是也。令人肉作鸡脚裂。名医所录。

地〔图经曰〕出宾、澄州，大如中指，长尺许，常登木饮露，身作金色，照日有光。亦有银蛇，解银药毒，今不见有捕得者。而信州上饶县灵山乡出一种蛇，酷似此，彼人呼为金星地鳝，冬月捕之，亦能解众毒，止泄泻及邪热，然方书未见其用者。

时〔生〕无时。〔采〕无时。

色 黄。

味 咸。

性 平。

气 味厚于气，阴也。

臭 腥。

制 炙黄，煮汁用。

解 金蛇解金毒，银蛇解银毒及众毒。

○ 羽虫

蜣螂

有毒　化生

蜣螂出神农本经。主小儿惊痫，瘛疭，腹胀，寒热，大人癫疾狂易[①]。以上朱字神农本经。手足端寒，肢满，奔豚。以上黑字名医所录。

① 易：原注“音羊”。

名 蛣蜣、推丸、胡蜣螂。

地〔图经曰〕生长沙池泽，今处处有之。其类极多，取其大者。又鼻高目深者，名胡蜣螂，用之最佳。〔陶隐居云〕蛣蜣之智在于转丸，其喜入人粪中，取粪丸而却推之，俗名为推丸，当取大者。其类有三四种，以鼻头扁者为真。〔衍义曰〕有大、小二种，一种大者为胡蜣螂，身黑光，腹翼下有小黄，子附母而飞行，昼则不行，夜方飞出，至人家庭户中，见灯光则来。一种小者，身黑暗，昼方飞出，夜则不飞。今当用胡蜣螂。其小者，研三十枚，以水灌牛、马，治胀结，绝佳。狐遇而必尽食之。

时〔生〕无时。〔采〕五月五日取。

收 蒸过藏之。

色 黑。

味 咸。

性 寒。

气 味厚于气，阴也。

臭 腥。

反 畏羊肉、羊角、石膏。

制〔图经曰〕凡使，去足，炒用。

治〔疗〕〔图经曰〕捣烂，贴疔疮，半日许可再易，血尽根出遂愈。又沙尘入眼不可出者，取一枚，手持其背，遂于眼上影之，沙尘自出。〔唐本注云〕捣为丸，塞下部，引痔虫出尽，永瘥。〔药性论云〕治小儿疳虫蚀。〔日华子云〕治疰忤。○粪，窒痔瘘出虫。〔别录云〕治疬疡风，取途中自死者杵烂，当揩令热，封之一宿，瘥。又治大人、小儿忽得恶疮，未辨识者，杵绞取汁，傅其上，良。

合治 合干姜，傅恶疮及出箭头。○以巴豆微炒并研匀，涂箭镞入骨不可拔者，罯所伤处，斯须痛定必微痒，且忍之，待极痒不可忍，便撼动箭镞，拔之立出。○以自死者烧为末，和醋傅，治蜂瘘。○端午日收干者十枚，杵末合油调，傅一切恶疮及沙虱水䗁，恶疽。○用七枚和大麦烂捣封之，治附骨痈。○烧末，以唾调傅小儿舌上，疗重舌。

禁 妊娠不可用之。勿置水中饮，饮之令人吐。

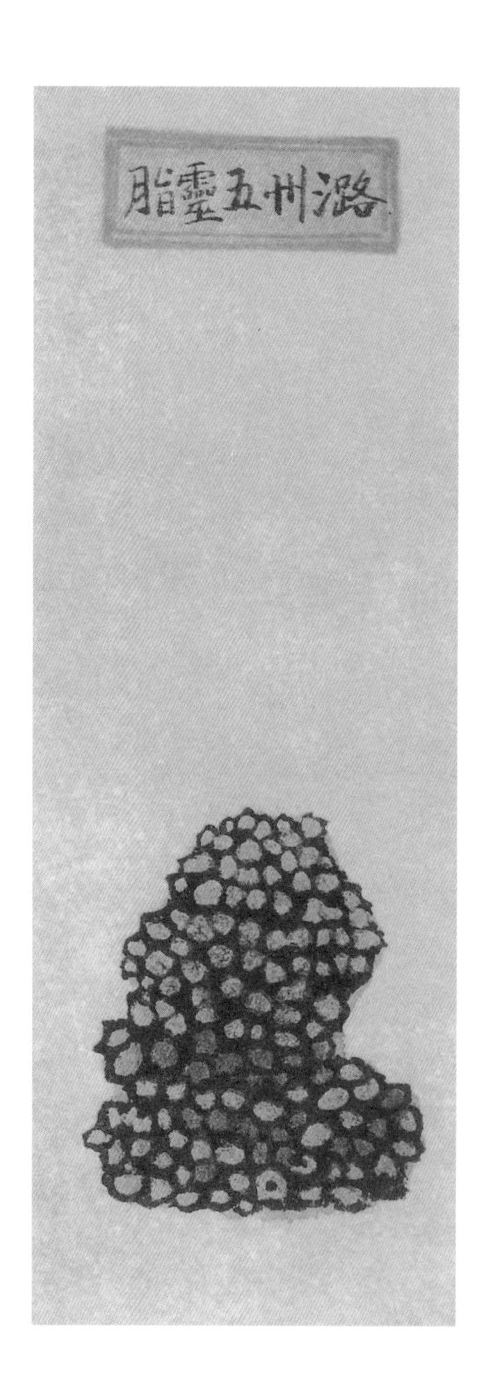

五灵脂

无毒

五灵脂主疗心腹冷气，小儿五疳，辟疫，治肠风，通利气脉，女子月闭。名医所录。

名〔虫〕寒号虫。

地〔图经曰〕出北地，今惟河东州郡有之。云是寒号虫粪也。此虫四足，有肉翅，不能远飞，所以不入禽部。其粪色黑如铁，多夹砂石，绝难修治。〔衍义曰〕五灵脂行经血有功，不能生血。尝有人病眼中翳，往来不定，如此乃是血所病也。盖心生血，肝藏之，肝受血则能视，目病不治血则为背理，此物入肝最速也。

时〔生〕无时。〔采〕无时。

用 类。

色 黑。

味 甘。

性 温。

气 气之厚者，阳也。

臭 腥。

主 伤寒积聚，心腹冷痛。

制〔图经曰〕若用之，先以酒研飞炼，令去砂石乃佳。

治〔疗〕〔图经曰〕除伤冷积聚，小儿、女子药中多用之。又治产妇血晕昏迷，上冲闷绝，不知人事者，用二两，一半炒熟，一半生用，捣末，每服一钱，温熟水调下。如口禁者，以物斡开灌之，入喉即愈。

合治 取十两捣罗为末，以水五盏煎三盏，去滓澄清，再煎为膏，入神曲末二两，和丸如桐子大，每服二十丸，空心温酒服，治血崩不止。〇拣精好者，不计多少，捣罗为末，研狗胆汁和丸，如芡实大，每服一丸，以生姜汤、酒磨令极细，更以少生姜、酒化令极热，与患人服之，不得嗽口，急与粥吃，不令太多，治丈夫、妇人吐逆，粥食、汤药不能下者。〇合蒲黄等分为末，每服二钱，用好醋一杓熬成膏，再入水一盏煎七分，热服，治妇人心痛，血气刺不可忍者，效。〇末炒令烟尽，每服二钱，合当归少许，酒一盏，与药末同煎六分，去滓，热服，治妇人经血不止，连三五服，瘥。〇取二两合乳香、没药半两，川乌头一两半，炮去皮，同为末，滴水丸如弹子大，每服一丸，生姜、温酒磨服，治风冷气血闭，手足身体疼痛，冷麻。〇取一两合雄黄半两，同为末，每服二钱，以酒调灌之，治毒蛇所伤，仍以滓涂咬处。

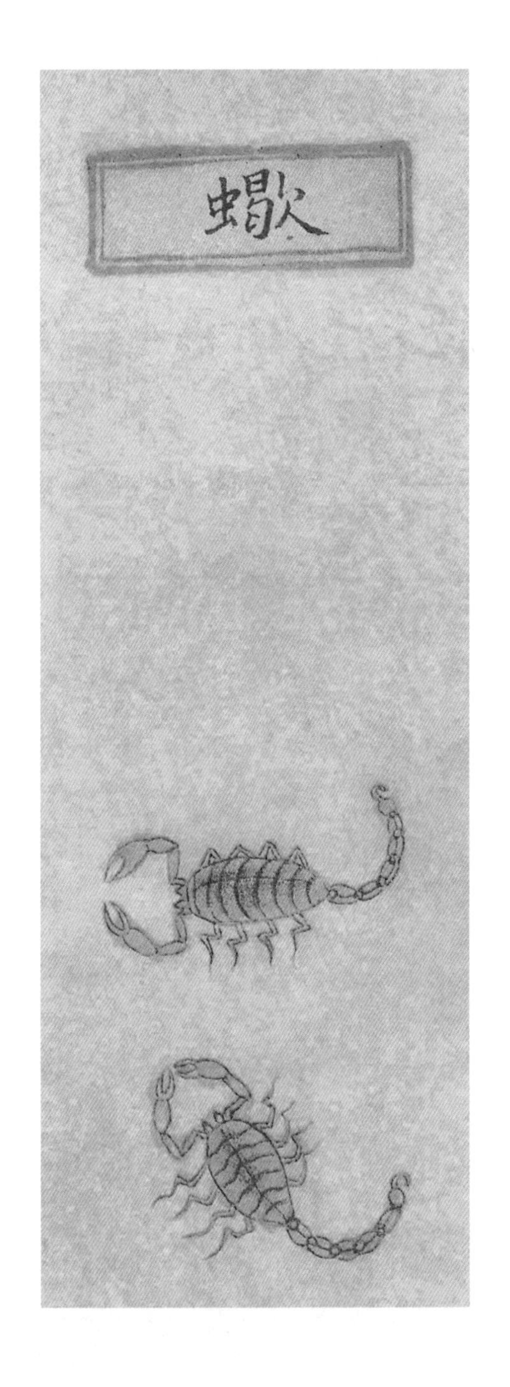

蝎

有毒　胎生

蝎疗诸风瘾疹及中风，半身不遂，口眼㖞斜，语涩，手足抽掣。

名医所录。

名 蛜蝌、主簿虫。

地 〔图经曰〕旧不著所出州土，今河、陕州郡皆有之，惟青州者良。其身似虾族，八足二螯，尾如蜻蜓，尾端有毒，如刺螫人，痛不可忍。然有雌雄二种，雄者螫人痛在一处，雌者痛牵诸处，盖毒有轻重故也。〔衍义曰〕蝎，大人、小儿通用，治小儿惊风，不可阙也。有用全者，有只用梢者，梢力尤功。今青州山中石下捕得，慢火逼或烈日中晒，蝎渴热时，乃与青泥食之，既满腹，以火逼杀之，故其色多赤，售之而欲其体重也。

时 〔生〕无时。〔采〕夏秋取。

收 焙干。

用 紧小者良。

色 青黄。

味 甘。

性 平，缓。

气 气之薄者，阳中之阴。

臭 腥。

主 诸风。

制 去毒，炒干用。

治 〔疗〕〔图经曰〕除大人中风，小儿惊搐。

合治 取五枚，以大石榴一个，割头去子，作瓮，内蝎其中，以头盖之，纸筋黄泥封裹，微火炙干，渐加火烧令通赤，去火，取中焦黑者细研，乳汁调半钱匕，灌之，治小儿风痫。儿稍大，则以防风汤调末服之。〇取至小者四十九枚，合生姜如蝎大四十九片，二物于铜器内炒，候生姜干为度。捣末，作一服，晚用温酒下，至夜尽量饮酒醉，治耳聋，因肾虚所致，次日耳中如笙篑，即效。

解 若雄蝎螫人，用井泥傅之，温则易之。雌蝎螫者，当用瓦屋沟下泥傅之。或不值天雨泥，可新汲水从屋上淋下，取泥用。又可画地作十字，取上土，水服五分匕。又云：曾经螫毒，痛苦不可忍，诸法疗不效，有人令以冷水渍指，亦渍手，即不痛。水微暖复痛即易冷水。余处不可用冷水浸，则以故布拓之，小暖则易之，皆验。

○ 羽虫

蝼蛄

无毒，《日华子》云有毒

生①

蝼蛄主产难，出肉中刺，溃痈肿，下哽噎，解毒，除恶疮。夜出者良。神农本经。

① 生：此前，疑脱“化”字。

名 蟪蛄、天蝼、硕鼠、梧鼠、螜[1]。

地〔图经曰〕生东城平泽，今处处有之。穴地粪壤中而生，夜则出求食。人夜行忽见，多打杀之，言其为鬼所使也。《尔雅》云：螜，天蝼。《夏小正篇》云：三月螜则鸣是也。蔡邕《劝学篇》云：硕鼠五能不成一技术。注云：能飞不能过屋，能缘不能穷木，能游不能度谷，能穴不能掩身，能走不能免人。《荀子》云：梧鼠五技而穷，并为此蝼蛄也。及《魏诗》硕鼠刺重敛。《传》注：皆谓大鼠。即《尔雅》所谓硕鼠，关西呼为鼩[2]鼠者。陆机云：今河东有大鼠，能人立，交见两脚于颈上，能舞善鸣，食人禾苗，人逐则走木空中，亦有五技，或谓之雀鼠，其形大。然蝼蛄与此鼠二物同名硕鼠也，蝼蛄有技而穷，此鼠技不穷，故不同耳。蝼蛄又名梧鼠，《本经》盖未见也。〔衍义曰〕此虫当立夏后，至夜则鸣，《月令》谓之蝼蝈鸣者是矣。其声如蚯蚓，此乃是五技而无一长者也。

时〔生〕春。〔采〕夏至取。

收 暴干。

用 脑及身。

味 咸。

性 寒，软。

气 味厚于气，阴也。

臭 腥。

主 消水肿，除恶疮。

---

① 螜：原注“音斛”。

② 鼩：原注“音瞿”。

制 去翅、足，炒用。

治 〔疗〕〔日华子云〕主恶疮，水肿，头面肿。〔孙真人云〕治箭镞在咽喉、胸膈及针刺不出，捣取汁，滴上三五度，箭头自出。〔别录云〕治十种水病，肿满喘促不得卧，用五枚，干为末，食前汤调下半钱匕至一钱，小便通，效。治鲠，用脑吞之，瘥。亦治刺不出，傅之即出。

合治 取七枚合盐二两，同于新瓦上铺盖焙干，研末，温酒下一钱匕，治石淋导水即愈。

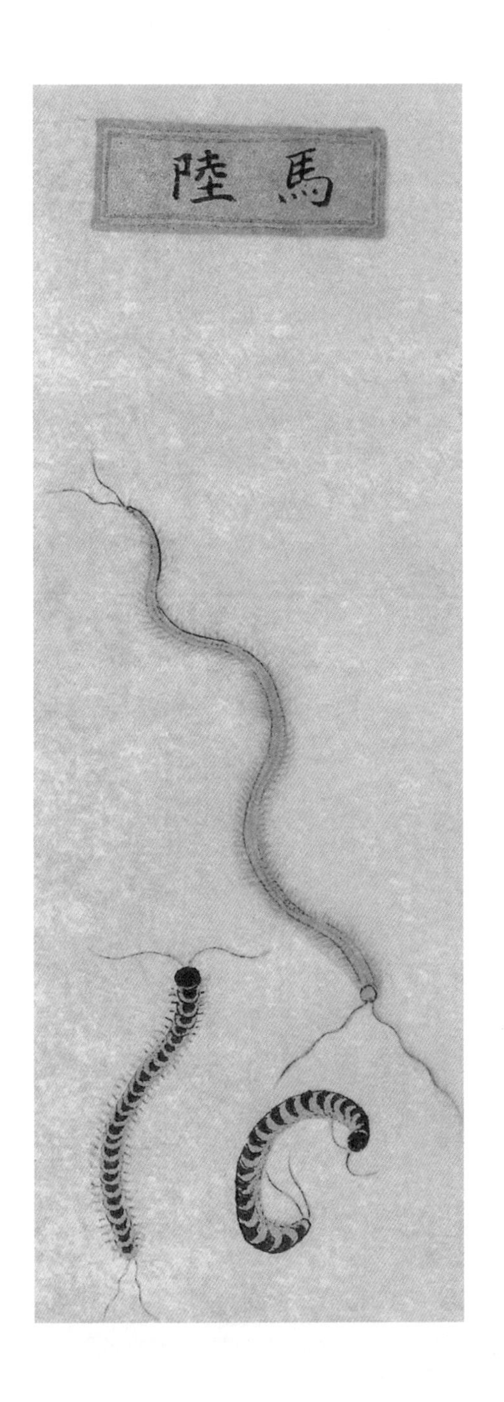

马陆

有毒 湿生

马陆出神农本经。主腹中大坚癥，破积聚，息肉，恶疮，白秃。以上朱字神农本经。疗寒热痞结，胁下满。以上黑字名医所录。

名 百足、马轴、土虫、飞蚿[①]虫、马蚿、刀环虫。

地 〔图经曰〕生玄菟川谷。〔陶隐居云〕此虫形长五六寸，状如大蛩，夏月登树鸣，冬则蛰。今人呼为飞蚿虫也，恐不必是马陆尔。今有一细黄虫，状如蜈蚣而甚长，俗名土虫，鸡食之醉闷亦至死。〔唐本注云〕此虫大如细笔管，长三四寸，斑色，一如蚰蜒，襄阳人名为马蚿，亦名马轴，亦呼刀环，此虫之死，其身侧卧状如刀环也。有人自毒，服一枚便死也。〔衍义曰〕马陆即今百节虫也，身如槎节，节有细蹙纹起，紫黑色，光润，百足，死则侧卧如环，长二三寸，尤者粗如小指。西京上阳宫及内城砖墙中甚多，入药至鲜。

时 〔生〕无时。〔采〕夏月取。

收 暴干。

用 身。

质 类蜈蚣而粗。

色 紫黑。

味 辛。

性 温、散。

气 气厚于味，阳也。

臭 腥。

主 破坚积，消恶疮。

制 〔雷公云〕凡使，收得后糠头炒，令糠头焦黑，取马陆出，用竹刮足去头，研成末用之。

---

① 蚿：原注“音玄”。

○ 羸虫

鼃

无毒　卵生

鼃[1]主小儿赤气，肌疮，脐伤，止痛，气不足。名医所录。

① 鼃：原注“音蛙”。

名 长股、青蛙、水鸡、金线鼃、土鸭、鼃子。

地〔图经曰〕《本经》不载所出州土，云生水中，今处处有之。似虾蟆而背有青绿色，俗谓之青蛙。背有黄纹者，谓之金线鼃。陶隐居云：蜂、蚁、鼃、蝉，其类最多。大腹而脊青者，俗名土鸭，其鸣甚壮，即《尔雅》所谓在水曰鼃者是也。又一种黑色者，南人呼为蛤子，食之至美，即今所谓之蛤，亦名水鸡也。闽、蜀、浙东人以为珍馔。彼人云：食之补虚损，产妇尤宜食之，即此也。又一种形小善鸣者，名蛙子，即药中所用鼃是也。〔衍义曰〕鼃，其色青，腹细嘴尖，后脚长，故善跃。其声大则曰蛙，其声小则曰蛤也。

时〔生〕夏生。〔采〕无时。

用 肉。

质 类虾蟆而小。

色 青绿。

味 甘。

性 寒。

气 气之薄者，阳中之阴。

臭 腥。

主 去劳热，补虚损。

治〔疗〕〔日华子云〕青蛙，除小儿热疮。○金线鼃，杀尸疰病虫，去劳劣，解热毒。

鲮鲤甲

有大毒

鲮鲤甲主五邪，惊啼悲伤。烧之作灰，以酒或水和方寸匕，疗蚁瘘。名医所录。

名 穿山甲。

地〔图经曰〕旧不著所出州郡，今湖岭及金、商、均、房间，深山大谷中皆有之，似鼍而短小，色黑，又似鲤鱼而有四足，能陆能水。日中出岸，开鳞甲如死，令蚁入中，蚁满便闭而入水，蚁皆浮出，因接而食之，故主蚁瘘为最。〔衍义曰〕其鲮鲤甲，穴山而居，故今谓之穿山甲也。

时〔生〕无时。〔采〕无时。

用 甲。

质 类鼍而短小。

色 黑。

性 微寒。

气 气之薄者，阳中之阴。

臭 腥。

制 烧灰或炙用。

治〔疗〕〔图经曰〕主恶疮，疥癞，烧其甲末傅之。〔药性论云〕治山瘴疟。〔日华子云〕治小儿惊邪，妇人鬼魅悲泣。〔别录云〕治蚁入耳，烧为末，以水调，灌之即出。

合治 烧末，合肉豆蔻末少许，米饮调服，治肠痔疾。○取二七枚为末，合猪膏调，傅蚁漏。○炙黄，合木通各一两，自然铜半两，生用，三味捣罗为散，每服二钱，温酒调下，不计时候，治吹乳，疼痛不可忍者。○取一两，童子小便浸一宿，以慢火炙令黄，为散，每服一钱，合狗胆少许，热酒调下，治产后血气上冲心成血晕者。○合猬皮各一两，俱烧存性，肉豆蔻仁三个，同为末，米饮调服二钱，治气痔脓血甚者。中病即已，不必尽剂。

珂

无毒

珂主目中翳，断血，生肌。名医所录。

地〔图经曰〕珂，贝类也，生南海，大如腹[1]，皮黄黑而骨白，人取以为饰也。

时〔生〕无时。〔采〕无时或冬月取。

用 壳及骨。

质 类蚌。

色 皮黄黑，骨白。

味 咸。

性 平。

气 味厚于气，阴中之阳。

臭 腥。

制〔雷公云〕采得白色腻者，并有白旋水纹，勿令见火。凡用，以铜刀刮作末，细研，用重绢罗筛过后，再研千余下，用之。

治〔疗〕〔别录云〕主消翳膜及筋胬肉，并刮点之。

禁 不入妇人药中用。

① 腹：《证类本草》作“鳆”。

○ 羽虫

蜻蛉

无毒 化生

蜻[1]蛉[2]主强阴，止精。

名医所录。

① 蜻：原注“音青”。
② 蛉：原注“音零”。

名 蜻蜓、诸乘、胡蜊、马大头。

地〔图经曰〕旧不载所出州郡，今处处有之。六足四翼，其翅轻薄似蝉翼而狭长，取蚊、虻食之。将雨，多好集款飞溪渠水上。尾端亭午则亭，故名之曰蜻也。然有数种，当用青色大眼者为良。其余黄赤及黑者不入药用。〔衍义曰〕其中一种大者，名为马大头，身绿色。雌者腰间一遭碧色。入药当以雄者，若谓之青色大眼。一类之中，元无青者，眼一类皆大，盖此物生化于水中，故多飞水上也。俗间正名蜻蜓，道家虽多用之，而不甚入药也。

时〔生〕四月生。〔采〕夏秋取。

色 绿。

性 微寒。

气 气之薄者，阳中之阴。

臭 腥。

制 去翅、足，炒用。

治〔补〕〔日华子云〕壮阳，暖水脏。

鼠妇

无毒，《日华子》云有毒

湿生

鼠妇主气癃，不得小便，妇人月闭，血瘕，痫痓，寒热，利水道。

神农本经。

名 负蟠、蛜蝛、鼠姑、蛜[①]蝛[②]、鼠负、鼠黏、蟠。

地 〔图经曰〕生魏郡平谷及人家地上，今处处有之。多在下湿处、瓮器底及土坎中，常惹著鼠背负之，故名鼠负，俗亦谓之鼠黏，正犹莫耳名羊负来之义。今作妇字则谬矣。《尔雅》云：蟠，鼠负。郭璞云：瓮器底虫。又云：蛜蝛，蛜蝛。《诗·东山》云：蛜蝛在室。郑笺云：家无人则生。然《本经》亦有此名，是今人所谓湿生虫者也。〔衍义曰〕鼠妇，湿生虫也，多足，其色如蚓，背有横纹蹙起，大者长三四分，在处有之。砖甃及下湿处[③]多有，用处绝少。

时 〔生〕无时。〔采〕五月五日取。

色 微紫。

味 酸。

性 温、微寒。

气 气厚味薄，阳中之阴。

治 〔疗〕〔图经曰〕张仲景主久疟，大鳖甲丸中用之，以其主寒热也。

合治 用七枚熬为屑，作一服，合酒调下，治产后小便不利。

禁 妊娠不可服。

---

① 蛜：原注“音伊”。

② 蝛：原注“音威”。

③ 处：原无，据《证类本草》补。

萤火

无毒　化生

萤火主明目，小儿火疮，伤热气，蛊毒，鬼疰，通神精。神农本经。

名 夜光、放光、挟火、即炤[1]、据火、育烛、燐然，炤燐、熠[2]燿[3]。

地 〔图经曰〕生阶地池泽及阴湿地，处处有之。〔陶隐居云〕此是腐草及烂竹根所化，初犹未如虫，腹下已有光，数日遂变而能飞。方术家捕取，内酒中令死，乃干之。医家用之亦少。〔衍义曰〕萤，常在大暑前后飞出，是得大火之气而化，故如此明照也。《吕氏春秋》云：腐草化为萤。《月令》亦曰：腐草所化，然非阴湿处，终无有也。

时 〔生〕六月生。〔采〕七月七日取。

收 阴干。

色 黄。

味 辛。

性 微温。

气 气之厚者，阳也。

臭 朽。

治 〔疗〕〔药性论云〕治青盲。

---

① 炤：原注“音照”。

② 熠：原注“以入切”。

③ 燿：原注“以灼切”。

○ 甲虫

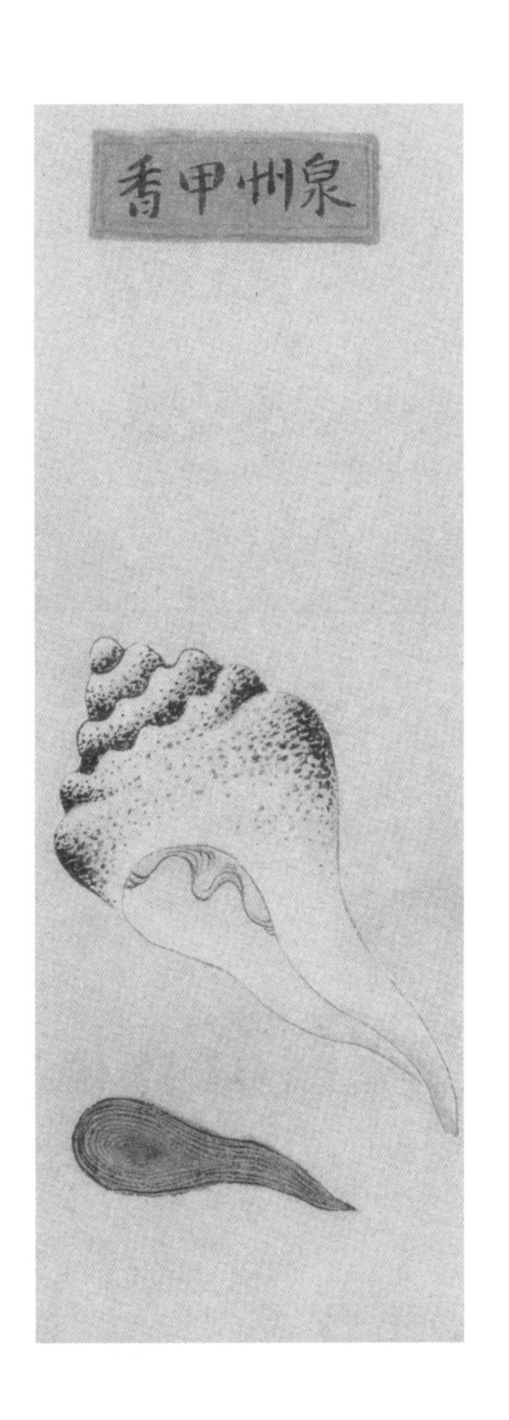

甲香

无毒　胎生

甲香主心腹满痛，气急，止痢，下淋。名医所录。

名 流螺。

地 〔图经曰〕甲香，海蠡[①]之掩也，生南海。今岭外、闽中近海州郡及明州皆有之。《南州异物志》曰：甲香，大者如瓯面，前一边直搀长数寸，围壳岨峿有刺，其掩杂众香烧之使益芳，独烧则臭。一名流螺，诸螺之中，流最厚味是也。其蠡大如小拳，青黄色，长四五寸，人亦啖其肉而无损益。今医家稀用，但合香家所须。用时先以酒煮去腥及涎，云可聚香，使不散也。台州小者尤佳。凡蠡之类亦多，绝有大者。珠蠡莹洁如珠，鹦鹉蠡形似鹦鹉头，并堪酒杯者，梭尾蠡如梭状。释辈所吹者，皆不入药，故不悉录。〔海药云〕南人常食，若龟、鳖之类。又有小甲香，若螺子状，取其蒂而修成也。〔衍义曰〕甲香，善管香烟，与沉、檀、龙、麝用之，甚佳。

时 〔生〕无时。〔采〕无时。

用 靥。

色 青黄。

味 咸。

性 平。

气 味厚于气，阴中之阳。

臭 腥。

制 〔雷公云〕凡使，须用生茅香、皂角二味煮半日，却，漉出，于石臼中捣，用马尾筛筛过用之。〔别录云〕甲香修制法：不限多少，先用黄土泥水煮一日，以温水浴过，次用米泔或灰汁煮一日，依前浴过，后用蜜酒煮一日，又浴过，焙干任用之。

---

① 蠡：原注“音螺”。

治〔疗〕〔别录云〕和气清神，主肠风痔瘘及甲疽，瘘疮，蛇、蝎、蜂螫，疥癣，头疮，𪒠疮等。

○ 蠃虫

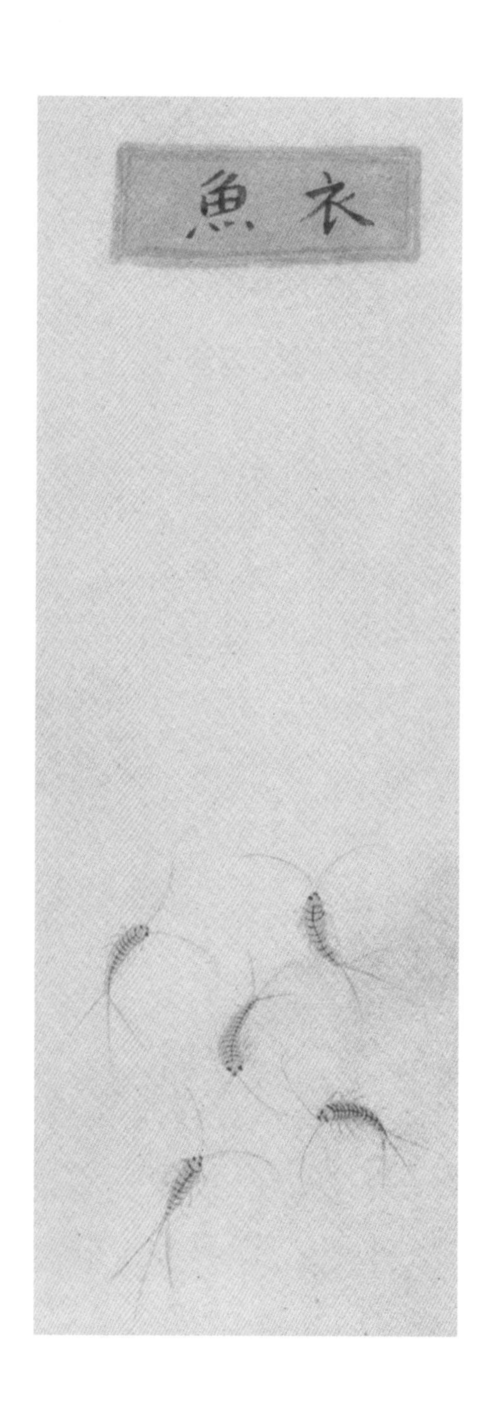

衣鱼

无毒　化生

衣鱼出神农本经。主妇人疝瘕，小便不利，小儿中风，项强背起，磨之。以上朱字神农本经。又疗淋，堕胎，涂疮，灭瘢。以上黑字名医所录。

名 白鱼、壁鱼、蟫[1]。

地 〔图经曰〕生咸阳平泽，今处处有之。衣中乃少，而多在书卷中。《尔雅》所谓蟫，白鱼。郭璞云：衣、书中虫，一名蛃[2]鱼是也。〔别录云〕补阙张周封[3]见壁上瓜子化为白鱼，因知《列子》朽瓜为鱼之言不虚也。今人谓之壁鱼。〔衍义曰〕衣鱼，多在故书中，久不动，帛中或有之，不若故纸中多也。身有厚粉，手搐之则落，亦齿毳衣，用处亦少。其形稍似鱼，其尾又分二歧，世人以灭瘢痕用之。

时 〔生〕无时。〔采〕无时。

色 青白。

味 咸。

性 温，软。

气 气薄味厚，阴中之阳。

治 〔疗〕〔图经曰〕主小儿淋闭，取以磨脐及小腹，即通。〔药性论云〕利小便。〔孙真人云〕卒患偏风口㖞，语涩，取数枚磨耳下，㖞向左磨右，向右磨左，正即止。〔别录云〕小儿中客忤，取十枚傅乳头，饮之瘥。又眼翳，为末，注少许于翳上。又妇人无故遗血溺，取三十个内阴中。

合治 合鹰屎、僵蚕，傅疮瘢即灭。○合乳汁注目中，治沙石草落目中，眯不出者。

禁 妊娠不可服。

① 蟫：原注“潭、寻二音”。
② 蛃：原注“音丙”。
③ 封：原脱，据《证类本草》补。

三十六种陈藏器余

海螺《百一方》治目痛累年或三四十年，方取生螺一枚，洗之，内燥抹螺口开，以黄连一枚内螺口中，令其螺饮黄连汁，以绵注取汁，著眦中。孙真人云合菜食，治心痛。

海月味辛，平，无毒。主消渴，下气，令人能食，利五脏，调中。生姜、酱食之，消腹中宿物，令易饥，止小便。南海水沫所化，煮时犹变为水，似半月，故以名之。海蛤类也。别录云[①]平，主消痰，辟邪鬼毒。以生椒酱调和食之良。能消诸食，使人易饥。又其物是水沫化之，煮时犹是水，入腹中之后，便令人不小便，故知益人也。又有食之人，亦不见所损，此看之，将是有益耳。亦名以下鱼。

青蚨味辛，温，无毒。主补中，益阳道，去冷气，令人悦泽。生南海，状如蝉，其子著木，取以涂钱，皆归本处。一名𧍰蝸。《广雅》云：青蚨也。《搜神记》曰：南方有虫，名蝴𧕟，如蝉大，辛美可食。其子如蚕种，取其子归，则母飞来，虽潜取，必知处。杀其母涂钱，子涂贯，用钱则自还。《淮南子·万毕》云：青蚨，一名鱼伯，以母血涂八十一钱，以子血涂八十一钱，置

---

① 别录云：《证类本草》作“食疗云”。

子用母，置母用子，皆自还也。别录云[①]谨按，《异[②]志》云：生南海诸山，雄雌常处不相舍，主秘精，缩小便。青金色相似，人采得，以法末之，用涂钱以货易，昼用夜归，亦是人间难得之物也。

豉虫有毒。杀禽兽，蚀息肉，傅恶疮。别录云[③]豉虫，主射工，取一枚致口中便愈。已死者亦起虫有毒，应不可吞。云以白梅皮裹含之。

乌烂死蚕有小毒。蚀疮有根者，亦主外野鸡病，并傅疮上。在簇上乌臭者。白死蚕，主白游；赤死蚕，主赤游，并涂之。游，一名疹也。

茧卤汁主百虫入肉，䘌蚀瘙疥及牛、马虫疮，山蜍、山蛭入肉，蚊子诸虫咬毒。盐茧瓮下收之，以竹筒盛卤浸疮。山行亦可预带一筒。取一蛭置中，兼持一片干海苔，则辟诸蛭。苏恭注《本经》蛭条云：山人自有疗法，岂非此乎？亦可为汤浴小儿，去疮疥。此汁是茧中蛹汁，故能杀虫，非为卤咸也。

壁钱无毒。主鼻衄及金疮，下血不止。捺取虫汁点疮上及鼻中，亦疗外野鸡病，下血。其虫上钱幕，主小儿呕吐逆，取二七煮汁饮之。虫似蜘蛛，作白幕如钱，在暗壁间，此土人呼为壁茧。

① 别录云：《证类本草》作“海药”。
② 异：原作“毕”，据《证类本草》改。
③ 别录云：《证类本草》作“百一方”。

针线袋主妇人产后肠中痒不可忍，以袋安所卧褥下，无令知之。

故锦烧作灰主小儿口中热疮，研灰为末，傅口疮上。煮汁服，疗蛊毒。岭南有食锦虫，屈如指环，食故绯帛锦，如蚕之食叶。

故绯帛主恶疮，疔肿，毒肿，诸疮有根者，作膏用，帛如手大，取露蜂房、弯头棘刺、烂草节二七，乱发，烧为末，空腹服，饮下方寸匕，大主毒肿。绯帛亦入诸膏，主疗肿用为上。又主儿初生脐未落时肿痛水出，烧为末，细研傅之。又五色帛，主盗汗，拭讫弃五道头。

赦日线主人在牢狱日，经赦得出，候赦日，于所被囚枷上合取。将为囚缝衣，令犯罪经恩也。

荀印一名荀斗，取膏滴耳中，令左右耳彻。出潮州，似蛇，有四足，大主聋也。

溪鬼虫取其角带之，主溪毒，射工。出有溪毒处山林间。大如鸡子，似蛣蜣，头有一角，长寸余，角上有四歧，色黑，甲下有翅，能飞，六月、七月取之。别录云[①]射工虫，口边有角，人得带之辟溪毒。○江南有射工虫，甲虫类也。口边有弩，以气射人。○水孤，虫也，长四寸，其色黑，背上有甲，其口有角，向前如弩，以气射人，江淮间谓之短孤、射工，通为溪病。此既其虫，故能相压伏也。○《周礼》壶涿氏

① 别录云：《证类本草》作“百一方、张司空云、玄中论云”。

掌除水虫，以炮土之鼓驱[①]之，以焚[②]石投之。《注》云：投使惊去也。今人过诸山溪，先以石投水，虫当先去，不著人也。

赤翅蜂有小毒。主蜘蛛咬及疔肿，疽病疮，烧令黑，和油涂之。亦取蜂窠土，酢和为泥，傅蜘蛛咬处，当得丝。出岭南，如土蜂，翅赤头黑，穿土为窠，食蜘蛛。大如螃蟹，遥知蜂来，皆狼狈藏隐。蜂以预知其处，相食如此者，无遗也。

独脚蜂所用同前，似小蜂，黑色，一足。连树根不得去，不能动摇。五月采取，出岭南。又有独脚蚁，功用同蜂，亦连树根下，能动摇。出岭南。

蜡[③]味咸，无毒。主生气及妇人劳损，积血带下，小儿风疾，丹毒。汤火煠出，以姜酢进之。海人亦为常味，一名水母，一名樗蒲鱼，生东海。如血䘓，大者如床，小者如斗，无腹胃眼目，以虾为目，虾动蛇[④]沉，故曰水母。目虾如駏驉之与蛩蛩相假矣。

盘蝥虫[⑤]有小毒。主传尸，鬼疰。如夜行虫而小，亦未可轻用也。

① 驱：原作“欧”，据《证类本草》改。
② 焚：原作“禁”，据《证类本草》改。
③ 蜡：原注“音姹”。
④ 蛇：原注“除驾切”。
⑤ 盘蝥虫：原注“蝥、牟二音”。

蛭[①]**蟷**[②]有毒。主一切疔肿，附骨疽蚀等疮，宿肉，赘瘤，烧为末，和腊月猪脂傅之。亦可诸药为膏，主疔肿出根。似蜘蛛，穴土为窠。《尔雅》云：蛈[③]蝪[④]。郭璞云：蛭蟷也。穴上有盖覆穴口，今呼为颠蟷虫，河北人呼为蛈蟷，音姪螗，是处有之。崔知悌方云：主疔肿为上。

山蛩虫有大毒。主人嗜酒不已，取一节烧成灰，水下，服之讫，便不喜闻酒气。过一节则毒人，至死。此用疗嗜酒人也。亦主蚕白僵死。取虫烧作灰粉之，以烧令黑，傅恶疮，乌斑色，长三寸，生林间。如百足而大，更有大者如指，名马陆，能登木群吟，已见《本经》。

溪狗有小毒。主溪毒及游蛊，烧末，服一二钱匕。似虾蟆，生南方溪石间，尾三四寸。

水黾有毒。令人不渴。杀鸡犬。长寸许，四脚，群游水上，水涸即飞，亦名水马。非海中主产难之水马也。

飞生虫无毒。令人易产。取角，临时执之。亦得可烧末，服少许。虫如啮发，头上有角。

芦中虫无毒。主小儿饮乳后吐逆，不入腹亦出。破

① 蛭：原注“音窒”。
② 蟷：原注“音当”。
③ 蛈：原注“音迭”。“蛈”，原作“跌”，据《证类本草》改。
④ 蝪：原注“音荡”。

芦节中取虫二枚，煮汁饮之。虫如小蚕。小儿呕逆与吮乳不同，宜细详之。吮乳，乳饱后吮出者是。

蓼螺无毒。主飞尸，游蛊。生食，以姜、醋进之弥佳。生永嘉海中，味辛辣如蓼，故名蓼螺。

蛇婆味咸，平，无毒。主赤白毒痢，蛊毒，下血，五野鸡病，恶疮。生东海，一如蛇，常在水上浮游。炙食，亦烧末服一二钱匕。

朱鳖带之，主刀刃不伤。亦云：令人有媚。生南海山水中，大如钱，腹下赤如血。云在水中著水马脚，皆令仆倒耳，未知虚实。

担罗味甘，平，无毒。主热气，消食。杂昆布为羹，主结气。生新罗，蛤之类，罗人食之。

青腰虫有大毒。著皮肉肿起，杀癣虫，食恶疮、息肉。剥人面皮，除印字，印骨者亦尽。虫如中蚁大，赤色，腰中青黑，似狗獦，一尾尖，有短翅、能飞，春夏时有。

虱主脑裂，人大热，发头热者，令头缝裂开，取黑虱三五百，捣碎傅之。及主疗肿，以十枚置疮上，以荻箔绳作炷，炙虱上，即根出。反脚指间有肉刺小疮，以黑虱傅，根出也。《酉阳杂俎》云[①]：人将死，虱离身。或云：取病虱于床前，可以卜病之将死，虱行向病者，皆死。

① 《酉阳杂俎》云：《证类本草》作“太平广记，出《酉阳杂俎》”。

枸杞上虫味咸，温，无毒。主益阳道，令人悦泽有子。作茧子为蛹时取之，暴干，炙令黄，和干地黄为丸服之，大起阳，益精。其虫如蚕，食枸杞叶。

大红虾鲊味甘，平，小毒。主飞尸，蛔虫，口中甘䘌，风瘙身痒，头疮牙齿，去疥癣。涂山蜍蚊子入人肉初食疮，发后而愈。生临海、会稽。大者长一尺，须可为簪。虞啸父答晋帝云：时尚温未及以贡，即会稽所出也。盛密器及热饭作鲊，毒人至死。崔豹云：辽海间有蜚虫，如蜻蛉，名绀翻，七月群飞暗天。夷人食之，云是虾化为之。又杜台卿《淮赋》云：蝗化为雉，入水为蜃。

木蠹味辛，平，小毒。主血瘀，劳积，月闭不调，腰脊痛，有损血及心腹间痰。桃木中有者，杀鬼，去邪气。桂中者，辛美可啖，去冷气。一如蛴螬，节长足短，生腐木中，穿木如锥刀，至春羽化，一名蝎。《尔雅》云：蝎，结蝁[①]。注云：木蠹也。苏恭证云蛴螬，深误也。

留师蜜味甘，寒。主牙齿䘌痛，口中疮，含之。蜂如小指大，正黑色，啮竹为窠，蜜如稠糖，酸甜好食。《方言》云：留师，竹蜂也。

蓝蛇头大毒，尾良，当中有约，从约断之。用头合毒药，

---

① 蝁：《证类本草》作“蝠”。

药人至死。岭南人名为蓝药。解之法：以尾作脯，与食之即愈。蓝蛇如蝮，有约，出苍梧诸县。头毒尾良。

两头蛇见之令人不吉。大如指，一头无目无口，二头俱能行，出会稽。人云是越王弩弦。昔孙叔敖埋之，恐后人见之，将必死也。人见蛇足，亦云不佳。蛇以桑薪烧之，则足出见，无可怪也。

活师主火飚热疮及疥疮，并捣碎傅之。取青胡桃子上皮，和为泥，染髭发，一染不变。胡桃条中有法，即虾蟆儿，生水中，有尾如鮽[1]鱼，渐大脚生，尾脱。卵主明目。《山海经》云：活师，蝌蚪虫也。

本草品汇精要卷之三十一

① 鮽：原注“音余”。

本草品汇精要

·卷之三十二·

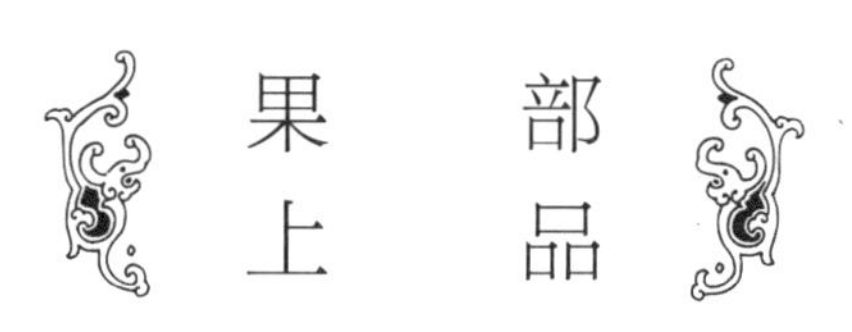

果部 上品

六种	神农本经 朱字
五种	名医别录 黑字
二种	宋本先附 注云宋附
二种	今分条
五种	陈藏器余

已上总二十种，内三种今增图

豆蔻花、山姜花附	藕实茎石莲、荷叶、花、鼻附[1]	
橘核、皮附	青皮原附橘下，今分条并增图	
柚子[2]原附橘下，今分条	大枣生枣及叶附	
仲思枣宋附，苦枣附	葡萄	栗子[3]
蓬虆[4]	覆盆子今增图	芰[5]实菱角也
橙子皮[6]宋附，今增图	樱桃	鸡头实

五种陈藏器余

灵床上果子	无漏子	都角子
文林郎[7]	木威子	

① 附：原脱，据总目补。
② 子：原无，据正文药名补。
③ 子：原无，据正文药名补。
④ 虆：原作“藟”，据正文改。原注“力轨切”。
⑤ 芰：原注“音技”。
⑥ 皮：原无，据正文药名补。
⑦ 文林郎：此后原衍“子”字，据正文药名删。

本草品汇精要卷之三十二

果部上品

○ 果之草

豆蔻

无毒　附花、山姜花

植生

豆蔻主温中，心腹痛，呕吐，去口臭气。名医所录。

名 草豆蔻。

苗〔图经曰〕豆蔻，即草豆蔻也。苗似芦，叶似山姜、杜若辈，根似高良姜，微有樟木气。花作穗，嫩叶卷之而生，初如芙蓉，穗头深红色，叶渐展，花渐出，而色渐淡，亦有黄白色者。其实若龙眼子而锐，皮无鳞甲，中子若石榴瓣。南人采当果，实尤贵。其嫩者并穗入盐同淹治，叠叠作朵不散落。又以木槿花同浸，欲其色红耳。闽中一种亦名草豆蔻，子白似缩砂子，壳如山栀，但味淡不香。东垣治胃口痛者，此也[1]。又有一种山姜花，味辛，性温，茎、叶皆姜，但根不堪食，亦与豆蔻花相似而微小耳，花生叶间，作穗如麦粒，嫩红色，南人取其未大开者，谓之含胎花。以盐水淹，藏入甜糟中，经冬如琥珀色，香辛可爱，用其脍。

---

① 闽中一种……此也：此段文字非《本草图经》文，为本书编者增补内容。

醋最相宜也。二种苗、叶小异，而治疗亦各有功，故并载之。

地〔图经曰〕生南海，今岭南皆有之。

时〔生〕春生苗。〔采〕十月取。

收暴干。

用实。

色苍褐。

味辛。

性温，散。

气气之厚者，阳也。

臭香。

主温中理气。

行足太阴经、阳明经。

制〔雷公云〕凡使，须去带并向里子后取皮，用茱萸同于鏊上缓炒，待茱萸微黄黑，去茱萸，取草豆蔻皮及子，杵用之。

治〔疗〕〔唐本注云〕下气，止霍乱。〔药性论云〕一切冷气。〔日华子云〕豆蔻花，下气，止呕逆，除霍乱，调中，补胃气，消酒毒。〇山姜花，调中下气，消食。〔陈藏器云〕山姜，去恶气，温中，中恶，霍乱，心腹冷痛。〇草豆蔻，煨熟，治风寒客邪在胃口之上，及脾胃客寒，心与胃痛。

○ 果之草

藕实

无毒　泥生

藕实茎主补中，养神，益气力，除百疾。久服轻身，耐老，不饥，延年。神农本经。

名 水芝丹、莲。〔蕊〕金缨草。

苗 〔图经曰〕《诗传》云：荷，芙蕖也。总名曰荷，其茎曰茄，未出水者曰银条，其叶曰蕸，叶中蒂谓之荷鼻，其本曰蔤。蔤，即茎下白蒻在泥中者也。荂曰芙蓉，秀而未发曰菡萏，已发畅茂曰华，其实曰莲，莲谓房也。其中的乃莲内青皮白实尔，中有青为薏，即所谓苦如薏也。其根曰藕。花有红、白二种，白者藕大实小，红者藕小实大，千叶者皆不实。然则生于水而水不能没，虽居于淤泥而泥不能污。其体中空，食之故能令人心悦也。

地 〔图经曰〕生汝南池泽、江南，今处处有之。

时 〔生〕三月、四月生苗，六月开花。〔采〕八月、九月取实。

收 日干。

用 藕、实、茎、叶、蒂、房、薏、节、花。

色 黄、白。

味 甘。〔荷鼻〕苦。〔藕〕甘。

性 平、寒，缓。〔藕〕温。〔花〕暖。

气 气之薄者，阳中之阴。

臭 香。

主 清心，止痢。

制 剥去黑壳，敲碎，去心用。

治 〔疗〕〔图经曰〕止痢，定腰痛及哕逆。○藕，主霍乱后虚渴，烦闷，不能食。○叶，止渴。○荷鼻，安胎，去恶血，留好血。〔日华子云〕止渴，助心，止痢，多食令人喜。○藕，止霍乱，开胃消食，除烦止闷，口干渴疾，止怒，破产后血闷，捣罯金疮并伤折，止暴痛，蒸食开胃。○薏，止霍乱。○叶，落胞并产后口干，心肺燥，烦闷。〔药性论云〕藕，消瘀血不散。○节，止口鼻吐衄血。〔补〕〔图经曰〕轻身益气，令人强健。○花，镇心，益颜色。〔药性论云〕主五脏不足，伤中气，利益十二经脉血气。〔陈藏器云〕令发变黑不白。〔日华子云〕止泄精，安心。○花，轻身驻颜。

合治 合蜡蜜为丸服，令人不饥。○叶及房，合酒煮服，治产后胎衣不下。○节合生地黄汁、热酒、童便，能解热毒，消瘀血，产后血闷。

禁 苦薏不可多食，令人霍乱及吐食，生食微动气。○实生食，胀人腹。

忌 花忌地黄、生蒜。

解 叶，杀蕈毒及食蟹中毒。○荷鼻，解食野菌毒，水煮服之。○藕，解酒毒。

○ 果之木

橘

无毒　附核、皮[1]　植生

橘出神农本经。主胸中瘕热逆气，利水谷。久服去臭，下气通神。以上朱字神农本经。下气，止呕咳，除膀胱留热，停水，五淋，利小便，主脾不能消谷，气冲胸中，吐逆，霍乱，止泄，去寸白，轻身长年。以上黑字名医所录。

① 附核、皮：原无，据目录补。

名 橘皮、朱橘，塌橘、山橘。

苗 〔图经曰〕木高丈余，叶与枳无辨，刺出茎间，夏开白花，六七月成实，至冬黄熟，啖之甚甘美。〔谨按〕青橘、黄橘青者，味苦而小，六七月未成熟时采之，以刀划开，暴干者，谓之莲花青皮。至十月霜降后已成熟者，味辛而黄大，谓之橘皮。医家所用陈皮，即经久者是也。盖二药功用虽殊，实出一种。旧本橘、柚同条，然橘与柚自是二种，功用既殊，性味亦异，其柚故析条于下[①]。

地 〔图经曰〕生南山川谷及江南，今江浙、荆襄、湖岭皆有之。〔道地〕广东。

时 〔生〕春生新叶。〔采〕十月取实。

收 暴干。

用 肉、核、皮，陈久者良。

质 类柚。

色 黄。

味 辛、苦。

性 温，散。

气 气厚于味，阳中之阴。

臭 香。

主 留白者和胃调中，去白者消痰下气。

行 手太阴经、足太阴经。

助 白檀为之使。

制 去穰，细剉用。

---

① 下：原作“左”，因横排，故改。

治〔疗〕〔药性论云〕皮，除胸膈间气，开胃及气痢，消痰涎，止上气咳嗽。〔日华子云〕橘，止消渴，开胃，去胸中膈气。○皮，消痰，止嗽，破癥瘕，痃癖。○橘囊上筋膜，止渴及吐酒。〔陈藏器云〕橘，止泄痢，下食开胃，膈痰，结气。

合治 合白术，补脾胃。○合甘草，补肺气。○合葛根、茯苓、甘草、生姜，治气逆上而不下。○核合酒服，治腰痛，膀胱、肾冷。

解〔皮〕食鱼中毒。

赝 柚皮、皱子皮为伪。

○ 果之木

青皮

无毒　植生

青皮主气滞，消食破积，结膈气。名医所录。

名 乳橘。

苗〔谨按〕《本经》二橘通云味辛，又云一名橘皮，又云十月采，都是今之黄橘也。后人由其味辛、苦，其形大、小，遂以为二种，今则各立其条，便于治用。盖青皮即青橘皮也，实与黄橘同种，由其所采时月、生熟及体色、性味不同，故攻疾有异。其霜后采，黄大已穰而味辛者，谓之黄橘，则入脾胃，走肺气。六七月未成熟时采，青小未穰而味苦者，谓之青皮，则入厥阴、少阳，疏肝气。正如枳壳、枳实同种，枳壳治高，以其性详而缓；枳实治低，以其性酷而烈之故也。

地〔图经曰〕生南山川谷及江南，今江浙、荆襄、湖岭皆有之。〔道地〕广东。

时〔生〕春生新叶。〔采〕六七月取实。

收 暴干。

用 实，刀划莲花瓣者佳。

色 青、黑。

味 苦、辛。

性 寒，泄。

气 气薄味厚，阴也。

臭 香。

主 消坚攻滞，下食安脾。

行 手少阳经，足厥阴经。

制 去穰，剉碎用。

合治 合葱白、童便煎服，治妇人产后气逆。合酒调末服，治吹乳，不痒不痛，肿硬如石。

禁 多服则损真气。

柚子

无毒　植生

柚子主妊孕人吃食少，并口淡，去胃中恶气，消食，去肠胃气，解酒毒，治饮酒人口气。

名医所录。

苗〔图经曰〕木高丈许，叶与枳无辨，刺生茎间，夏初开白花，六七月成实，至冬黄，熟时亦可啖。其实似橙，而酢大于橘，但皮厚，不堪入药。〔衍义曰〕橘、柚自是两种，一名橘皮，是元无柚字，岂有两物而治疗无一字别者，即知柚之一字为误，后人不深求其意，为柚字所惑，妄生分别，且青橘与黄橘治疗尚别，矧柚为别种也。郭璞云：柚似橙而大于橘，且柚皮极苦，乃不堪尝，皮甘者乃橙耳。人以柚为橘者，误矣。原本橘、柚同条，混淆欠明，今则分为二种矣。

地〔图经曰〕生南山山谷及江南，今江浙、荆襄、湖岭皆有之。

时〔生〕春生叶。〔采〕十月取实。

收 去肉，暴干。

用 皮。

质 类香橙而大。

色 黄。

味 甘、酢。

性 寒，缓。

气 味厚于气，阴中之阳。

臭 香。

主 消食和胃。

治〔疗〕〔陶隐居云〕下气。

解 酒毒。

○ 果之木

大枣

无毒　附生枣、叶[1]　植生

大枣出神农本经。主心腹邪气，安中养脾，助十二经，平胃气，通九窍，补少气、少津液，身中不足，大惊，四肢重，和百药。久服轻身长年。〇叶，温，无毒，覆麻黄，能令出汗。以上朱字神农本经。补中益气，强力，除烦闷，疗心下悬，肠澼，不饥，神仙。〇三岁陈核中仁，燔[2]之，味苦，主腹痛，邪气。以上黑字名医所录。

① 附生枣、叶：原无，据目录补。

② 燔：原注“音烦”。

名 御枣、良枣、遵[①]、鹿卢枣、美枣、牙枣、水菱枣、波斯枣、干枣、壶枣、洗[②]、羊矢枣、边腰枣、皙[③]、蹶泄[④]、櫅[⑤]、天蒸枣、扑落酥。

苗 〔图经曰〕大枣，乃干枣也。其木高三五丈，枝上多刺如针。四月发萌，渐生叶，至五月开花，黄白色，七八月结实，熟则紫赤。郭璞注《尔雅》云：壶枣者，由其大而锐上者为壶，壶，犹瓠也。边大而腰细者为边腰枣，亦谓之鹿卢枣。枣白熟者谓之櫅。实小而圆紫黑色者谓之遵，俗呼为羊矢枣是也，出河东猗氏县。如鸡卵最大者，谓之洗。味苦者谓之蹶泄。不著子者谓之皙。还味，稔枣，谓其味之短者也。南人蒸熟暴干，皮薄而皱，味更甘美于他者，谓之天蒸枣。然其种类，圃人亦不能别其名。入药以青州者最佳，虽晋、绛大实，亦不及青州者之肉厚也。又广州一种波斯枣，木无傍枝，直耸三四丈至巅，四向共生十余枝，叶如棕榈，彼土人呼为海棕木，三五年一著子，都类北枣，味极甘而差小，然其核两头不尖，双卷而圆为异也。又有水菱枣、御枣之类，其味甚美，但肌实轻虚，暴服之则枯败，及江南出者坚燥少脂，皆不堪入药也。

地 〔图经曰〕生河东平泽，今近北州郡及江南、广州皆有之。〔陶隐居云〕出郁州及江[⑥]东临沂金城。〔道地〕青州、晋州、绛州为佳。

---

① 遵：原注“羊枣”。
② 洗：原注“大枣”。
③ 皙：原注“无实枣”。
④ 蹶泄：原注“苦枣”。
⑤ 櫅：原注“白枣”。
⑥ 江：原脱，据《证类本草》补。

时〔生〕四月生叶。〔采〕八月取实。

收 暴干。

用 实、叶、仁。

色 红。

味 甘。

性 平。

气 气之厚者，阳也。

臭 香。

主 和中益气。

制 蒸熟，去皮、核用。

治〔疗〕〔唐本注云〕叶，揩热痱疮。〔日华子云〕干枣，润心肺，止嗽，除肠胃癖气。○叶，小儿壮热，煎汤浴。〔孟诜云〕干枣，洗心腹邪气，通九窍。○核中仁，祛恶气，卒疰忤。〔补〕〔日华子云〕干枣，补五脏虚劳损。〔孟诜云〕干枣，补虚强志，补不足气，助肠胃，肥中。〔别录云〕调中，益脾气，令人好颜色，美志气。

合治 合光粉烧，疗疳痢。○叶，合葛粉裛痱子及热瘤。

禁 中满，牙齿痛者勿食，亦不宜合生葱食。○叶，服之使人瘦，久即呕吐。○生枣，味甘、辛，多食令人多寒热。羸瘦者不可食。

解 和百药毒，杀乌头毒。

仲思枣

无毒　附苦枣[1]　植生[2]

仲思枣主补虚益气，润五脏，去痰嗽，冷气。久服令人肥健，好颜色，神仙不饥。名医所录。

苗〔图经曰〕形如大枣，长一二寸，正紫色，细纹，小核，味甘重。北齐时有仙人仲思得此枣，因以为名。隋大业中，信都郡尝献数颗，近世稀复有之。又有千年枣，生波斯国，亦稍温补，非此之俦也。

地〔图经曰〕出信都郡。

收 暴干。

用 实。

质 形如大枣。

色 紫。

味 甘。

性 温，缓。

---

① 附苦枣：原无，据目录补。

② 植生：原无，据罗马本补。

气 气之厚者，阳也。

臭 香。

主 补虚益气。

○ 果之走

葡萄

无毒　蔓生

葡萄出神农本经。主筋骨湿痹，益气倍力，强志，令人肥健，耐饥，忍风寒。久食轻身，不老延年。可作酒。以上朱字神农本经。逐水，利小便。以上黑字名医所录。

苗〔图经曰〕苗作藤蔓而极长大，盛者，一二本绵被山谷间。花极细而白色，其实有紫、白二色，然形之圆、锐亦有二种。其江东出者实细而味酸，谓之蘡薁子，是山葡萄也，皆七八月熟，取其汁可以酿酒。其根、苗中空相通，圃人将采实货之，欲得厚利，暮溉其根而晨则水溢子中矣，故俗亦呼其苗为木通也。汉张骞使西域，得其种而还，中国始有。盖北果之最珍者。魏文帝诏群臣云：醉酒宿醒，掩露而食，甘而不怡，酸而不酢，冷而不寒，味长汁多，除烦解悁，他方之果宁有匹之者乎？

地〔图经曰〕生陇西五原、敦煌山谷，今河东、近京州郡皆有之。

时〔生〕三月苗，四月花，随结实。〔采〕七月、八月取实。

收 暴干。

用 实、根。

质 类马乳。

色 紫、白。

味 甘。

性 平，缓。

气 气之薄者，阳中之阴。

臭 香。

主 除湿痹，利水道。

制 根煮汁。

治〔疗〕〔药性论云〕实，除肠间水气，调中，止淋，通小便。〔孟诜云〕根，止呕哕及霍乱后恶心。妊孕人，子上冲心，煮汁饮，胎即下安。

合治 实合酒饮，治时气发疮疹不出者。

禁 子不堪多食，令人卒烦闷，眼暗。

○ 果之木

栗子

无毒　植生

栗子主益气，厚肠胃，补肾气，令人耐饥。

名医所录。

名〔皮〕扶。

苗〔图经曰〕树高二三丈，极类栎，花青黄色，似胡桃花。实有房汇，其汇大若拳者，中子三五枚；小若桃李者，中子惟一二，将熟则罅折子出。栗之种类亦多，陆机《疏》云：栗，五方皆有之，周、秦、吴、杨特饶，吴越被城表里皆栗，惟濮阳及范阳栗甜美味长，他方者悉不及也。倭韩国诸岛上栗，大如鸡子，亦短味不美。桂阳有莘而丛生，实大如杏，子中仁、皮、子形色与栗无异也，但差小耳。又有奥栗，皆与栗同，子圆而细，或云即莘也。今此色惟江湖有之。又有茅栗、佳[①]栗，其实更小，而木与栗不殊，但春生夏花，秋实冬枯为异耳。栗房当心一子，谓之栗楔，治血尤效。〔陶隐居云〕今会稽最丰，诸暨[②]栗形大，皮厚不美，剡[③]及始[④]丰，皮薄而甜。相传有人患脚弱，往栗树下食数升，便能起行，此是补肾之义，然应生啖之。若饵服，则宜蒸暴也。

地〔图经曰〕旧本不著所出州土，今山阴处处有之。〔道地〕兖州、宣州者最胜。

时〔生〕春生叶，夏开花，秋结实。〔采〕九月取实。

收暴干。

用实。

色壳紫，肉黄白。

味咸。

性温，软。

---

① 佳：原注“音锥”。
② 暨：原注“音既”。
③ 剡：原注“时冉切”。
④ 始：原脱，据《证类本草》补。

气 气厚于味，阳中之阴。

臭 微香。

主 肾虚脚弱。

制 去壳。

治〔疗〕〔图经曰〕壳，止反胃及消渴。○木皮，消疮毒。〔唐本注云〕栗作粉，涂疮上及筋骨断碎，疼痛肿，瘀血。○毛壳，除火丹毒肿。○树白皮，疗溪毒。〔日华子云〕生栗，破冷痃癖，生嚼罯恶刺，箭头不出者，并傅瘰疬，肿毒痛。○壳，止泻血。〔补〕〔孟诜云〕栗，日中暴干食，下气补益。

合治 栗上薄皮，合蜜涂面，展皱。

禁 小儿不可多食，生者难化，熟即滞气，隔食生虫，往往致病。○实，饲孩儿，令齿不生。○患风水气不宜食。

○ 果之草

蓬藥

无毒　丛生

蓬藥出神农本经。主安五脏，益精气，长阴令坚，强志倍力，有子。久服轻身不老。以上朱字神农本经。疗暴中风，身热大惊。以上黑字名医所录。

名 陵藁、阴藁、西国草、毕楞草。〔子〕覆盆。

苗〔图经曰〕蓬藁，即覆盆子之苗茎也。蔓短不过尺，茎、叶皆有刺，花白，子黄赤色，形如半弹丸，而下有茎承之如柿带状，小儿多食其实。江南人谓之莓，然其地所生差晚，而功用则同。古方用叶汁滴目中，去肤赤，有虫出如丝线者是也。〔唐本注云〕蓬藁、覆盆，一物异名，亦如蜀漆与常山异条，芎䓖与蘼芜各用，今以附入果部者，盖其子是覆盆故也。

地〔图经曰〕生荆山平泽及冤句，今处处有之，秦、吴尤多。〔道地〕成州。

时〔生〕春生苗。〔采〕五月取苗，不拘时取叶。

收 暴干。

用 苗、叶。

色 青绿。

味 酸、咸。

性 平，收。

气 味厚于气，阴中之阳。

臭 香。

主 益精强志。

制 捣碎或挼汁用。

治〔补〕〔别录云〕耐寒湿，好颜色。

○ 果之草

覆盆子

无毒　丛生

覆盆子主益气，轻身，令发不白。名医所录。

名 悬钩子。

苗 〔衍义曰〕覆盆子，四五月红熟，山中人采来卖者，其味酸甘，外如荔枝，樱桃许大，红软可爱，失采则枝上就生蛆。益肾脏，缩小便，服之当覆其溺器，如此取名。食之多热，收时须乘五六分熟便可采，于烈日中暴，仍须薄绵蒙裹，着水则不堪用也。

地 〔图经曰〕生荆山平泽及冤句，今处处有之，秦、吴地尤多。

时 〔生〕三月生苗。〔采〕五月取实。

收 暴干。

用 实，于麦田中得者良。

色 红。

味 甘。

性 平，缓。

气 气厚于味，阳中之阴。

臭 朽。

主 补肝明目，滋阴驻颜。

制 〔雷公云〕凡使，用东流水，淘去黄叶并皮、蒂尽了，用酒蒸一宿，以东流水淘两遍，晒干用。

治 〔疗〕〔日华子云〕主中风身热及惊。〔别录云〕熬汤服，平肺虚寒。〔补〕〔唐本注云〕补虚续绝，强阴健阳，悦泽肌肤，安和脏腑，和中益力，疗劳损风虚，补肝明目。〔药性论云〕疗男子肾精虚竭，女人食之有子。〔日华子云〕益颜色，养精气，长发，强志。〔陈藏器云〕令人好颜色。

合治 子捣绵裹合人乳浸，点目中，治眼暗不见物，冷泪浸淫，青盲，天行目暗等疾。

赝 茅莓为伪。

○ 果之走

芰实

无毒　浮生

芰[1]实主安中，补五脏，不饥，轻身。名医所录。

① 芰：原注“音技”。

名 菱、浮菱、水菱、菱角。

苗〔图经曰〕芰，菱实也，叶似荇，浮在水面，花黄白色，昼合夜开，随月转移，犹葵之向日也。花落而实生，实有红、绿二种，潜向水中成熟，南人取茎，淹作菹食之。然种亦多，有四角者，有二角者，其皮嫩谓之浮菱，生食之味尤甘美。楚人谓之芰，秦谓之薢茩，今俗谓之菱。江淮及山东人暴其实，以为米，可以当粮。〔衍义曰〕芰，今世俗谓之菱角，煮食可以代粮，然不益脾。又有水菱，亦芰也，但大而脆，可生食。修合、治疗，未闻其用。

地〔图经曰〕生庐江、江南、山东，今处处有之。

时〔生〕三月生苗，五月开花。〔采〕夏秋取实。

收 暴干。

用 实。

色 壳青红，肉白。

味 甘。

性 平，冷。

气 气之薄者，阳中之阴。

臭 香。

主 补五脏。

合治 蒸作粉，合蜜渍，食之以断谷。

禁 多食，令人腹胀满，用暖酒和姜饮一两盏即消。性冷不可多食，令人阴不强。生者不宜多食，令人脏冷，损阳气。

解 丹石毒。

○ 果之木

橙子皮

无毒　植生

橙子皮作酱、醋香美。散肠胃恶气，消食，去胃中浮风气。○瓤，味酸，去恶心，不可多食，伤肝气。名医所录。

苗〔图经曰〕树似橘而叶大，实亦类橘，但皮厚皱而尤香耳。八月熟，采食之。〔衍义曰〕橙子皮，今人止以为果，或取皮合汤待宾，未见入药也。

地〔图经曰〕生南山川谷及江南，今江浙、荆襄、湖岭皆有之。

时〔生〕夏开花。〔采〕八九月取实。

收 暴干。

用 皮、瓤。

质 类橘，皮厚多皱。

色 黄。

味 苦、辛。

性 温，散。

气 气厚味薄，阳中之阴。

臭 香。

主 消食理气。

治〔疗〕〔别录云〕散瘿气及瘰病。

合治 合盐、蜜食，去恶气，恶心，胃风。

禁 多食发虚热及瘰疬，与猿肉同食，发旋，恶心。

解 杀鱼、蛊毒。

○ 果之木

樱桃

微毒　植生

樱桃主调中，益脾气，令人好颜色，美志。

名医所录。

名 朱果、腊樱、朱茱、荆桃、李桃、柰桃、含桃、紫桃、麦甘酣、山朱樱。

苗 〔图经曰〕其木多阴，最先百果而熟，故方多贵之。其实熟时深红色者，谓之朱樱。正黄明者，谓之腊樱。其大若弹丸，核细而肉厚者，尤难得也。〔衍义曰〕此即古谓之含桃，可荐宗庙。《礼记》云：先荐寝庙者是也。于四月初熟，得正阳之气，先诸果而熟，其性故热。今西洛一种紫樱，至熟时正紫色，皮里间有细碎紫黄点，此为最珍，药中不甚须也。

地 〔图经曰〕处处有之。〔道地〕洛中南都者最胜。

时 〔生〕春生叶。〔采〕四月取实。

用 实。

色 红、紫。

味 甘。

性 热，缓。

气 气厚味薄，阳中之阴。

臭 香。

主 调中益气。

治 〔疗〕〔图经曰〕美颜色。○东行根，杀寸白蛔虫。〔唐本注云〕叶，捣傅蛇咬。并绞汁服，防蛇毒内攻。〔别录云〕止水谷痢及泄精。

禁 暗风人不可啖，啖之立发。小儿多食，发热及呕吐。

○ 果之走

鸡头实

无毒　浮生

鸡头实主湿痹，腰脊膝痛，补中，除暴疾，益精气，强志，令耳目聪明。久服轻身，不饥耐老，神仙。神农本经。

名 雁啄实、芡、雁头、茷菜。

苗〔图经曰〕叶大如荷，皱而有刺，浮在水面，谓之鸡头盘，花下结实有汇，大如拳，形类鸡头，故以名之。芡即汇中子也。江南产者，其汇红紫，光润无刺；自扬而北产者，汇有刺而青绿为异。其茎蔌[①]之嫩者，名蔿[②]。蔌人，采以为菜茹。〔衍义曰〕鸡头实，今天下皆有之，河北沿溏泺居人采得，舂去皮，捣仁为粉，蒸渫作饼，可以代粮，多食不益脾胃气，盖难消化也。

地〔图经曰〕生雷池水泽中，今处处有之。

时〔生〕春生苗。〔采〕八月取实。

收 暴干。

用 实。

质 类鸡头。

色 壳青，肉白。

味 甘。

性 平，缓。

气 气厚于味，阳中之阴。

臭 微香。

主 补中益精。

制〔别录云〕蒸熟，于烈日晒之，其皮即开，亦可舂作粉。

治〔疗〕〔别录云〕根除小腹结气痛。○实，已瘘颈疾。〔补〕〔日华子云〕开胃助气。

合治 捣末，合金樱子煎为丸，补益下气。

禁 小儿多食，不能长大。生食，动风冷气。

---

① 蔌：原注“公宰切”。

② 蔿：原注“为诡切”。

五种陈藏器余

灵床上果子主人夜卧谵语，食之瘥也。

无漏子味甘，温，无毒。主温中益气，除痰嗽，补虚损，好颜色，令人肥健。生波斯国，如枣，一云波斯枣。《海药》云树若栗木，其实如橡子，有三角。消食，止咳嗽，虚羸，悦人。久服无损也。

都角子味酸、涩，平，无毒。久食益气，止泄。生南方，树高丈余，子如卵。徐表《南州[①]记》云：都角树，二月花，花连著实也。《海药》云谨按徐表《南州记》云：生广南山谷，二月开花，至夏末结实，如卵。主益气，安神，遗泄，痔，温肠。久服无所损也。

文林郎味甘，无毒。主水痢，去烦热。子如李，或如林檎，生渤海间，人食之。云：其树从河中浮来，拾得人身，是文林郎，因以此为名也。《海药》云又南山亦出，彼人呼榅桲是。味酸、香，微温，无毒。主水泻肠虚，烦热，并宜生食，散酒气也。

木威子味酸，平，无毒。主心中恶水，水气。生岭南山谷，树叶似楝，子如橄榄而坚，亦似枣也。

本草品汇精要卷之三十二

---

① 州：原作“方”，据下文“《海药》云”改。

本草品汇精要

·卷之三十三·

果部 中品

一种 神农本经 朱字

六种 名医别录 黑字

二种 唐本先附 注云唐附

三种 宋本先附 注云宋附

一种 今移

四种 陈藏器余

已上总一十七种，内四种今增图

梅实叶、根、核仁、乌梅、白梅附　木瓜榠楂附

柿蒂附　芋叶附　乌芋

茨菇剪刀草也，自外经今移　枇杷叶子附　荔枝子宋附

乳柑子宋附，今增图　甘蔗[①]

石蜜乳糖也，唐附，今增图　沙糖唐附，今增图　椑[②]柿宋附，今增图

四种陈藏器余

摩厨子　悬钩根皮[③]　钩栗

石都念子

---

① 蔗：原注“音柘”。

② 椑：原注“音卑”。

③ 根皮：原无，据正文药名补。

本草品汇精要卷之三十三

果部中品

果之木

梅实

无毒　附叶、根、核仁[1]、乌梅、白梅　植生

梅实出神农本经。主下气，除热烦满，安心，肢体痛，偏枯不仁，死肌，去青黑痣，恶疾。以上朱字神农本经。**止下痢，好唾，口干。**以上黑字名医所录。

---

① 叶、根、核仁：原无，据目录补。

苗〔谨按〕木似杏而枝杆劲脆，春初时开白花，甚清馥，花将谢而叶始生。二月结实如豆，味酸美，人皆啖之。五月采将熟，大于杏者，以百草烟熏至黑色，为乌梅；以盐淹，暴干者，为白梅也。

地〔图经曰〕生汉中川谷，今襄汉、川蜀、江湖、淮岭皆有之。〔道地〕郢州，今安吉为胜。

时〔生〕春初开花，二月结实。〔采〕五月取实。

收 火干。

用 实。

质 类杏实。

色 生青，熟黄。

味 酸。

性 平，收。

气 气之薄者，阳中阴也。

臭 香。

主 生津止渴，除冷热痢。

制 去核用。

治〔疗〕〔图经曰〕叶，煮汁，已休息痢。○根，除风痹。○乌梅，治伤寒烦热及霍乱燥渴，虚劳瘦羸，产妇气痢。〔陶隐居云〕白梅，点痣，蚀恶肉。〔唐本注云〕实，利筋脉，去痹。〔药性论云〕核，除烦热。〔日华子云〕实，止渴。○叶，止霍乱。○白梅，傅刀箭所伤及刺在肉中。○乌梅，除劳及骨蒸，去烦闷，涩肠，消酒毒并偏枯，皮肤麻痹，去黑点，令人得睡。〔陈藏器云〕乌梅，消痰，祛疟瘴，调中，止吐逆。〔孟诜云〕大便不通，气奔欲死，乌梅汤泡挼去核，杵丸如枣大，内下部即通。〔汤液本草云〕乌梅烧灰，傅一切疮肉出及蛔虫。

合治 乌梅合建茶、干姜为丸，止休息痢。○合蜜为丸，石榴皮根汤下，治伤寒，下部生䘌疮。

禁 服黄精，不宜食。○多啖，伤骨，蚀脾胃，发热，损齿。○梅根出土者不用。○生食，令人膈上热。

○ 果之木

木瓜

无毒　附榠樝　植生

木瓜实主湿痹邪气，霍乱大吐下，转筋不止。其枝亦可煮用。

名医所录。

名 楙。

苗〔图经曰〕其木状若柰，花生于春末而深红色，其实大者如瓜，小者如拳，味酢可食，《尔雅》谓之楙。宣州人种莳尤谨，遍满山谷。始实成，则镞纸花薄其上，夜露日暴，渐而变红，花纹如生。本州以充上贡焉。又有一种榠楂，一名蛮楂，木、叶、花、实酷类木瓜。陶云：欲辨之，看蒂间别有重蒂如乳者，为木瓜；无此者，为榠楂也。木瓜大枝可作杖策，利筋脉。又截其木，干之作桶以濯足，尤益。〔陶隐居云〕彼人以为果，最疗转筋，如转筋时，但默呼其名及书木瓜字于患处即愈。

地〔图经曰〕旧不著所出州土，今山阴、兰亭尤多，处处有之。〔道地〕宣城为佳。

时〔生〕春末开花。〔采〕秋取实。

收 暴干。

用 实。

质 类榠楂子而叶有别。

色 赤、黄。

味 酸。

性 温，收。

气 气厚于味，阳中之阴。

臭 香。

主 除脚气，去湿痹。

行 手、足太阴经。

制〔雷公云〕凡使，勿令犯铁，用铜刀削去硬皮并子，薄切，于日晒，却，用黄牛乳汁拌蒸，从巳至未，其木瓜如膏煎，却，于日薄摊，晒干用。

治〔疗〕〔图经曰〕实，侑[1]酒去痰。○根及叶煮汤，淋足胫，止蹶。〔陶隐居云〕凡转筋，呼木瓜及书二字于患处即愈。〔日华子云〕木瓜，止吐泻，奔豚及水肿，冷热痢，心腹痛，消渴，呕逆，心膈痰唾。○根及实，除脚气。○榠楂，消痰，解酒毒及咽酸。浸油梳头，治发赤并白。〔陈藏器云〕木瓜，下冷气，强筋骨，消食，止水痢后渴不止。○榠楂，去恶心，止心中酸水，水痢，止酒痰水。〔衍义曰〕木瓜，入肝，故益筋与血病，腰肾脚膝无力不可缺。

合治 合酒煮木瓜烂，研，裹膝筋急痛。

禁〔榠楂〕不可多食，损齿及骨。

解〔榠楂〕解酒毒。

赝 和圆子、蔓子、土伏子为伪。

① 侑：《证类本草》作“进”。

○ 果之木

柿

无毒　附蒂[1]　植生

柿主通鼻耳气，肠澼不足。名医所录。

① 附蒂：原无，据目录补。

名 牛奶柿、红柿、朱柿、牛心柿、蒸饼柿、乌柿、白柿、小柿、塔柿。

苗〔图经曰〕其木高二三丈，春敷青，叶类梨叶而圆大，夏开青白花，其实结于花心，至秋渐大而熟。柿之种类甚多，黄柿生近京州郡；红柿南北通有；朱柿出华山，似红柿而皮薄，更甘珍；椑[1]柿出宣、歙、荆、襄、闽、广诸州，但可生啖，不堪干也。诸柿食之，皆美而益人。其干柿火干者谓之乌柿，出宣州、越州，性甚温。日干者谓之白柿，入药微冷。又有一种小柿，谓之软枣，俚俗暴干货之，谓之牛奶柿，其枯叶至滑泽，古人取以临书。俗传柿有七绝：一寿，二多阴，三无鸟巢，四无虫蠹，五霜叶可玩，六嘉实，七落叶肥大。〔衍义曰〕柿，有著盖柿，于蒂下别生一重。又牛心柿，如牛之心。蒸饼柿，如今市卖之蒸饼。华州有一等朱柿，比诸品中最小，深红色。又一种塔柿，亦大于诸柿，性皆凉，不至大寒，食之引痰，极甘故也。去皮，挂大木株上，使风日中自干，食之动风火，干者味不佳，生则涩，以温水养之，需涩去可食，逮至自然红烂，涩亦自去，干则性平。

地〔图经曰〕旧不著所出州土，今近京州郡及华山、宣州、越州，南北皆有之。

时〔生〕春生叶。〔采〕秋熟取实。

收 暴干、火干。

用 实。

色 红、黄。

味 甘。

① 椑：原注“音卑”。

性 寒，缓。

气 气薄味厚，阴中之阳。

臭 香。

主 止吐血，厚肠胃。

制 火熏并暴干用。

治〔疗〕〔日华子云〕润心肺，止渴，涩肠，疗肺痿心热嗽，消痰，开胃。○干柿，润声喉，杀虫。〔陈藏器云〕多食去面皯，除腹中宿血。○蒂，止哕气。〔唐本注云〕火柿，金疮，火疮，生肉止痛。○软熟柿，止口干，压胃间热。〔孟诜云〕干柿，消宿血。〔补〕〔孟诜云〕干柿，虚劳不足，健脾胃气。○红柿，续经脉气。

合治 黄柿合米粉作糗食，小儿止痢。○干柿合酥蜜煎食，治脾胃[1]薄食。○木皮捣末，合米饮和服，治下血不止，亦止上冲下脱者。

禁 牛奶柿，性冷，不可多食。○凡食柿，不可与蟹同食，令人腹痛，大泻。

解 酒毒。

---

① 胃：《证类本草》作“虚”。

○ 果之草

芋

有毒 附叶[1] 丛生

芋主宽肠胃，充肌肤，滑中。名医所录。

① 附叶：原无，据目录补。

名 土芝、白芋、青芋、真芋、连禅芋、莒、紫芋。

苗〔图经曰〕叶如荷叶而长，根类山药而圆。其种类虽多，大抵性效相近。蜀川出者，形圆而大，状若蹲鸱，谓之芋魁。三年不采者谓之莒。彼人莳之最盛，可以当粮食而度饥年。左思《三都赋》所谓徇蹲鸱之沃，则以为济世阳丸是也。江西、闽中出者，形长而大，叶皆相类，其[①]细者如鸡卵，生于大魁傍，食之尤美，不可过多，乃有损也。凡食芋，并须园圃莳者为佳。其野芋生溪涧，非人所种者，根、叶亦相类，不堪食也。〔唐本注云〕此有六种，有青芋、紫芋、真芋、白芋、连禅芋、野芋。其青芋毒多，初煮要须灰汁，易水煮熟，乃堪食尔。白芋、真芋、连禅芋、紫芋毒少，蒸煮啖之，兼肉作羹亦佳。蹲鸱之饶，盖此谓也。野芋有大毒而不可啖。〔衍义曰〕江、浙、二川者最大而长，京洛者差，圆而小，惟东、西京者佳，他处味不及也。当心出苗者为芋头，四边附芋头而生者为芋子，八九月已后可食，至时掘出，置十数日，却，以好土匀埋，至春犹好。生则味辛而涎多，过食亦能滞气困脾也。

地〔图经曰〕钱塘最多，闽、蜀、淮、甸尤殖，今处处有之。〔衍义曰〕江、浙、川、广最佳。

时〔生〕春生苗。〔采〕八九月已后取根。

收 晒干。

用 根。

色 紫、青、白。

味 辛。

---

① 其：原作“甚”，据《证类本草》改。

性 平，散。

气 气之薄者，阳中之阴。

臭 朽。

主 烦热，止渴。

制 蒸煮熟烂，可食。

治〔疗〕〔日华子云〕芋，破宿血，去死肌。○叶，止泻及妊孕，心烦迷闷，胎动不安。〔陈藏器云〕小者，开胃及肠闭；产后煮食，破血及饮汁，止血渴。〔孟诜云〕紫色者破气，作汤浴，去身上浮风。〔补〕〔陈藏器云〕食之令人肥白。

合治 野芋合醋磨，傅虫疮、疥癣。○姜芋合生姜并鱼煮食，下气，调中，补虚。○芋叶合盐研，傅蛇虫咬并痈肿毒及罯傅箭毒。

禁 久食，令人虚劳无力，滞气困脾。冬月宜食，他时月不可食。○野芋有大毒，不可辄食，食则杀人。

解 中野芋毒，惟土浆及粪汁解之。

○ 果之草

乌芋

无毒　丛生

乌芋主消渴，瘅[①]热，温中益气。名医所录。

① 瘅：《证类本草》作“痹”。

名 藉姑、水萍、凫茨、芍[①]。

苗〔图经曰〕乌芋，今凫茨也。苗似龙须而细，正青色，根黑，如指大，皮厚有毛。又有一种，皮薄无毛者亦同。田中生，人并食之，亦以作粉食之，厚人肠胃，不饥，《尔雅》所谓之芍是也。〔衍义曰〕今人谓之葧脐，皮厚，色黑，肉硬白者，谓之猪葧脐；皮薄，色泽淡紫，肉软者，谓之羊葧脐。此二种药中罕用。荒岁，人多采以充粮也。

地〔图经曰〕处处水田中皆有之。

时〔生〕二月生苗。〔采〕三月三日、十月取。

收 暴干。

用 根。

色 紫、黑。

味 甘、苦。

性 微寒。

气 气薄味厚，阴中之阳。

臭 香。

主 清胃热，止消渴。

制 生用或捣作粉。

治〔疗〕〔孟诜云〕消风毒，除胸中实热气。可作粉食，明耳目。〔日华子云〕治黄疸，开胃下食。服金石药人食之，良。〔丹溪云〕下石淋。

禁 患冷气人不可生食，食之令腹胀气满。小儿秋食，脐下当痛。

解 丹石毒。

---

① 芍：原注“下了切”。

茨菰

有毒，一云无毒　泥生

茨菰主百毒，产后血闷，攻心欲死，产难，胎衣不出，捣汁一升服之。○茎、叶捣烂如泥，涂傅诸恶疮肿及小儿游瘤丹毒，以冷水调此草膏化如糊，以鸡羽扫上，肿便消退，甚效。名医所录。

名 白地栗、河凫茨、槎芽、剪刀草、燕尾草。

苗〔图经曰〕叶如剪刀形，茎干如嫩蒲，又似三棱。苗甚软，其色深青绿，每丛十余茎，内抽一两茎，茎上分枝，开小白花，四瓣，蕊深黄色，根大者如杏，小者如杏核，色白而莹滑，人采煮食之，味甘美而无毒也。福州别有一种小异，三月生花，四时采，根、叶亦治痈肿。

地〔图经曰〕生江湖及京东近水河沟田中，今处处皆有之。

时〔生〕春生苗。〔采〕正二月取根，五、六、七月取叶。

收 暴干。

用 根及茎、叶。

质 类芋而小。

色 黄、白。

味 甘、微苦。

性 寒。

气 气薄味厚，阴中之阳。

臭 香。

治〔疗〕〔日华子云〕叶，研傅蛇虫咬。

禁 不可多食，发虚热及肠风痔瘘，崩中带下，疮疖，煮生姜以御之。常食之，令人患脚，又发脚气，瘫缓风，损齿，令人失颜色，皮肉干燥。卒食之，令人呕水，孕妇亦不宜服。

果之木

枇杷叶

无毒　附子[1]　植生

枇杷叶主卒啘不止，下气。名医所录。

① 附子：原无，据目录补。

苗〔图经曰〕木高丈余，叶作驴耳形，背有毛。其木阴密，婆娑可爱，四时不凋，盛冬开白花，至四五月而成实。故谢瞻《枇杷赋》云：禀金秋之青条，抱东阳之和气，肇寒葩之结霜，成炎果乎纤露，是也。其实作梂，如弹丸，黄色，微有毛，皮肉甚薄，中核如小栗，其性味与叶不同也。

地〔图经曰〕襄、汉、吴、蜀、闽、岭南北、二川皆有之。〔道地〕眉州、江南、西湖。

时〔生〕春生新叶。〔采〕不拘时取叶。

收 暴干。

用 叶、子、木上白皮。

质 类莽草，叶背有毛。

色 青黄。

味 苦。

性 平，泄。

气 气薄味厚，阴也。

臭 香。

主 肺气，渴疾。

制〔雷公云〕凡使，采得后秤，湿者一叶重一两，干者三叶重一两。是气足堪用，使粗布拭令毛尽，用甘草汤洗一遍，却，用绵再拭，令干。每一两以酥一分炙之，酥尽为度。剉碎或煮汁用。

治〔疗〕〔药性论云〕叶，和胃气冷，呕哕不止。〔日华子云〕叶，止产妇口干。〇实，润五脏。〔别录云〕叶，消肺风疮，胸面上疮。〔图经曰〕木白皮，止呕逆，不下食。

合治 叶合木通、款冬花、紫菀、杏仁、桑白皮等分，大黄减半为末，蜜丸，含化，疗肺热久嗽，身如炙，肌瘦，将成肺劳。

禁 去毛不净，射人肺，令咳不已。○实，久食发痰热。○子，和热炙肉及热面食，患热毒黄病。

○ 果之木

荔枝子

无毒　植生

荔枝子主止渴，益人颜色。名医所录。

苗〔图经曰〕木高二三丈，自径尺至于合抱，颇类桂木、冬青之属。叶蓬蓬然，四时荣茂不凋，二三月开青白花，状若冠之蕤缨，三四月结实，如松花之初生者，壳若罗纹，初青渐红，肉淡白如肪玉，味甘而多汁，五六月成熟。其木大者，子至百斛。白暴荔枝，并蜜煎荔枝肉，俱为上方之珍果。白暴者不失真味。其市者多用杂色荔枝，入盐、梅暴之，而皮深红，味亦少酸，殊失本真。又有焦核荔枝，味更甜美，或云是木生背阳，结实不完就者，白暴之尤佳。又有绿色、蜡色，皆其品之奇者，本土亦自难得。其蜀岭荔枝，初生亦小酢，肉薄不堪暴，花及根亦入药，此木以荔枝为名者，以其结实时枝弱而蒂牢，不可摘取，以刀斧劙[①]其枝，故以为名耳。蔡君谟《荔枝谱》，其说甚详。

地〔图经曰〕生岭南及巴中，今蜀、渝、涪州、兴化军及二广州郡皆有之。〔道地〕闽中者佳。

时〔生〕冬。〔采〕五月、六月取。

收暴干。

用实、核、花、根。

色赤。

味甘。

性平，缓。

气气厚于味，阳中之阴。

臭香。

主生津止渴，益气驻颜。

---

① 劙：原注“音利”。

治〔疗〕〔别录云〕消烦渴，头重，心躁，背膊劳闷。〔图经曰〕花并根，喉痹肿痛，水煮，含，瘥。〔补〕〔别录云〕通神益智，健气，悦颜色。

合治 核，火煅末，合酒服，止心痛及小肠气。

禁 多食，发热疮。

解 食过多发热者，以蜜浆解之。

○ 果之木

乳柑子

无毒　植生

乳柑子主利肠胃中热毒，止暴渴，利小便。

名医所录。

苗〔图经曰〕树若橘树，其实亦类橘而圆大，皮色生青熟黄赤，未经霜时尤酸，霜后甚甜，故名柑子。又有沙柑、青柑、山柑，体性相类，惟山柑皮疗咽痛，余者不堪用。〔衍义曰〕乳柑子，今人多作橘皮售于人，不可不择也。柑皮不甚苦，橘皮极苦，至熟亦苦。若以皮紧慢分别橘与柑，又缘方宜各不同，亦互有紧慢者也。

地〔图经曰〕生岭南及江南有之，出西戎者佳。

时〔生〕四月叶脱复生。〔采〕十月取实。

收 暴干。

用 皮。

质 类橘而圆大。

色 生青，熟黄赤。

味 甘。

性 大寒，缓。

气 气之薄者，阳中之阴。

臭 香。

主 清胃热，止烦渴。

治〔疗〕〔图经曰〕核，作涂面药。〔日华子云〕皮，作汤，消酒渴。

合治 皮末合酒服，疗产后肌浮。○皮末合盐水煎服，治酒毒或醉昏闷、烦渴。

禁 多食，令人脾冷，发痼癖，大肠泄。多食，令人肺燥，冷中，发痃癖。脾肾冷人食其肉，多致脏寒或泄利，发阴汗。

解 丹石毒。

甘蔗

无毒　丛生

甘蔗主下气和中，助脾气，利大肠。名医所录。

名 昆仑蔗、荻蔗、竹蔗。

苗〔图经曰〕此有二种，一种似荻，节疏而细短者，谓荻蔗；一种似竹粗长者，谓之竹蔗。又广州出一种，数年生，皆如大竹，长丈余。今江浙、闽广、蜀川所生，大者亦高丈许，人取榨汁以为沙糖是也。〔陶隐居云〕蔗有两种，赤色名昆仑蔗，白色名荻蔗，出蜀及岭南为胜，并煎为沙糖。今江东甚多，而劣于蜀者，味亦甘美。

地〔图经曰〕出江东为胜，庐陵亦有好者，今江浙、闽广、蜀川皆有之。

时〔生〕春生苗。〔采〕八月、九月取茎。

用 茎。

色 赤、白。

味 甘。

性 平，缓。

气 气厚于味，阳中之阴。

臭 香。

主 除热，止渴。

治〔疗〕〔日华子云〕利大小肠，下气痢，消痰，除心烦热。〔别录云〕捣汁服，主发热口干，小便涩。〔补〕〔日华子云〕补脾益气。

合治 捣汁七升，合生姜汁一升，相和，分三服，主胃反，朝食暮吐，暮食朝吐，或旋食旋吐者。

禁 不可共酒食，令人发痰。

解 酒毒。

石蜜[①]

无毒　煎炼成

石蜜主心腹热胀，口干渴，性冷利。名医所录。

① 石蜜：本条“石蜜”与卷二十九虫鱼部“石蜜”同名异物，前者为沙糖和牛乳炼制之糖，后者为蜂蜜炼制之蜜。

名 捻糖、乳糖。

地 〔图经曰〕此即乳糖也。炼沙糖和牛乳为之，可作饼块。〔唐本注云〕用水牛乳、米粉和煎[①]乃得成块。西戎来者佳，江左亦有，殆胜蜀。人云：用牛乳汁和沙糖煎之，作饼坚重。此与虫部石蜜同名而异类也。〔孟诜云〕波斯国来者良，东吴亦有此，皆煎甘蔗汁及牛乳汁，则易细白耳。〔衍义曰〕川、浙最佳，其味厚，其他次之，煎炼成，以铏象物，达远[②]，至夏月及久阴雨，多自消化。土人先以竹叶及纸裹，外用石灰埋之，仍不得见风，遂免。今人谓乳糖，其作饼黄白色者，谓之捻糖，易消化，入药至少。

收 包裹，勿令见风。

色 黄、白。

味 甘。

性 寒，缓。

气 气之薄者，阳中之阴。

臭 香。

主 生津，止渴。

治 〔疗〕〔孟诜云〕目中热膜，明目。〔陶隐居云〕去热，止渴。

合治 合枣肉、巨胜子末为丸含之，润肺气，助五脏津液。

---

① 和煎：原脱，据《证类本草》补。

② 远：《证类本草》作“京都”。

沙糖

无毒

沙糖主心腹热胀，口干渴，功、体与石蜜同，而冷利过之。名医所录。

地〔图经曰〕出蜀地、西戎，江东并有之。蔗有荻蔗、竹蔗。于经霜后，人取竹蔗，榨其汁以为沙糖。今泉、福、吉、广州多作之。荻蔗，惟蜀川。煎作稀糖亦堪啖，商人所货者，其糖多以荻蔗为之，而竹蔗者少也。〔衍义曰〕沙糖次于石蜜，蔗汁清，故费煎炼，致紫黑色。今医家治暴热，多以此物为先导，小儿多食则损齿，土制水也。及生蛲虫。裸虫属土，故因甘遂生。

收 以瓷器贮之。

色 紫黑。

味 甘。

性 寒，缓。

气 气之薄者，阳中之阴。

臭 香。

主 心热，口渴。

制 去叶用，榨取汁，煎炼成糖，去滓用。

治〔疗〕〔日华子云〕润心肺，杀虫。〔衍义曰〕退心肺大肠热及暴热。

合治 白糖合酒煮服，治腹紧。

禁 多食令人心痛，生长虫，消肌肉，损齿，发疳䘌。不宜与鲫鱼同食，成疳虫。与葵同食，生流澼。与笋同食，使笋不消，成癥，身重不能行履。

解 酒毒。

椑柿

无毒　植生

椑[1]柿主压石药发热，利水，解酒热，久食令人寒中，去胃中热。名医所录。

① 椑：原注“音卑”。

苗〔图经曰〕似柿而青黑，《闲居赋》云：梁侯乌椑之柿是也。但可生啖，不堪干用。诸柿食之，皆美而益人，惟椑柿更压丹石毒尔。然其性冷，复甚于柿，故散石家热啖之，亦无嫌，不入药用，惟可作漆，甚妙。

地〔图经曰〕生江淮南及宣、歙、荆、襄、闽、广诸州。

时〔生〕春生叶。〔采〕十月取实。

用实。

色青黑。

味甘。

性寒，缓。

气气之薄者，阳中之阴。

臭朽。

主清胃热，消酒毒。

治〔疗〕〔日华子云〕止渴，润心肺，除腹脏冷热。

忌不宜与蟹同食，令人腹痛，并大泻。

解压丹石毒。

四种陈藏器余

摩厨子味甘，香，平，无毒。主益气，润五脏，久服令人肥健。生西域及南海。子如瓜，可为茹。《异物志》云：木有摩厨，生自斯调。厥汁肥润，其泽如膏。馨香稍射，可以煎熬。彼州之人，仰以为储。斯调，国名也。《海药》云谨按《异物志》云：生西域，三月开花，四月、五月结实如瓜许。益气安神，养血生肌，久服健人也。

悬钩根皮味苦，平，无毒。主子死腹中不下，破血，杀虫毒，卒下血，妇人赤带下，久患痢，不问赤白，脓血，腹痛，并浓煮服之。子如梅酸美，人食之醒酒，止渴，除痰唾，去酒毒。茎上有刺如钩，生江淮林泽。取茎烧为末服之，亦主喉中塞也。

钩栗味甘，平。主不饥，厚肠胃，令人肥健。子似栗而圆小，生江南山谷。树大数围，冬月不凋，一名巢钩子。又有雀子，小圆，黑，味甘，久食不饥，生高山，子小圆，黑。又有槠[1]子，小于橡子，味苦、涩，止泻痢，破血，食之不饥，令健行。木皮、叶煮取汁，与产妇饮之，止血。皮树如栗，冬月不凋，生江南，子能除恶血，止渴也。

---

① 槠：原注“音诸”。

石都念子味酸，小温，无毒。主痰嗽，哕气。生岭南，树高丈余，叶如白杨，花如蜀葵，正赤，子如小枣，蜜渍为粉，甘美益人。隋朝植于西苑也。

本草品汇精要卷之三十三

本草品汇精要

·卷之三十四·

果部 下品

三种	神农本经 朱字
五种	名医别录 黑字
一十种	宋本先附 注云宋附
七种	今补
一种	今移
四种	陈藏器余

已上总三十种，内七种今增图

桃核仁花、枭[①]、毛、蠹、皮、叶、胶、实等附 杏核仁花附
安石榴根、壳附 梨鹿梨、鹅梨、消梨附 林檎宋附
李核仁根皮附 杨梅宋附，今增图 胡桃宋附，树皮附
猕猴桃宋附，今增图 海松子宋附，今增图 柰今增图
菴罗果宋附，今增图 橄榄[②]宋附，核中仁附 榅桲宋附
榛子宋附，今增图 龙眼自木部今移
椰子皮宋附，浆等附，自木部今移 榧实自木部今移并增图
香圆今补 马槟榔今补 平波今补
八檐仁今补 银杏今补 株子今补
必思答今补 棠毬子自外经今移

四种陈藏器余

君迁子 韶子 棎[③]子

诸果有毒

① 枭：原作“皃”，据《证类本草》改。
② 榄：原注“音览”。
③ 棎：原作“探”，据《证类本草》改。

本草品汇精要卷之三十四

果部下品

果之木

桃核仁

无毒　植生

桃核仁出神农本经。主瘀血，血闭，癥瘕，邪气，杀小虫。〇桃花，杀疰恶鬼，令人好颜色。〇桃枭[①]，微温，主杀百鬼精物。〇桃毛，主下血瘕，寒热，积聚，无子。〇桃蠹，杀鬼邪恶，不祥。以上朱字神农本经。

桃核仁，止咳逆上气，

① 枭：原作“凫”，据《证类本草》改。下同。

消心下坚，除卒暴击血，破癥瘕，通月水，止痛。○桃花，味苦，平，无毒，主除水气，破石淋，利大小便，下三虫，悦泽人面。○桃枭，味苦，疗中恶腹痛，杀精魅五毒，不祥。○桃毛，平，带下诸疾，破坚闭，刮取毛用之。○桃蠹，食桃树虫也。○茎白皮，味苦、辛，无毒，除邪鬼中恶，腹痛，去胃中热。○叶，味苦、辛，平，无毒，主除尸虫，出疮中虫。○胶，炼之，主保中不饥，忍风寒。以上黑字名医所录。

名 昆仑桃、油桃、山桃、金桃、饼子桃。〔桃枭〕桃奴、枭景。

苗 〔图经曰〕木高丈余，三月开红花，有深、浅二色，渐敷青，叶如柳叶而大，花谢始结实，渐大如杏，六七月成熟。圃人欲其肥美诡异，多以他木接之，殊失本性，此种不宜用也。入药当以自然生成而不经接者，则不失本性而治疗有功也。其实已干，着木上经冬不落，此名桃枭，又名桃奴。正月采之，以中实者良。〔衍义曰〕桃核仁，桃品亦多，京畿有油桃，光，小于众桃，不益脾。有小点斑而光如涂油。山中一种，正是《月令》中桃始华者，但花多子少，不堪啖，惟堪取仁。唐《文选》谓山桃发红萼者是矣。又太原有金桃，色深黄；西京有昆仑桃，深紫红色，此二种尤甘。又饼子桃，如今之香饼子。如此数种，入药惟以山中自生者为正，盖取走泄为用，不取肥好者。〔雷公云〕用鬼髑髅，勿用干桃子。其鬼髑髅只是千叶桃花结子在树上干不落者，于十一月内采得，可为神妙。〔东京赋云〕上古有神荼与郁垒兄弟二人，桃树下阅百鬼无道理者，缚以苇索而饲虎，今人作桃符板，云左神荼，右郁垒者是也。

地〔图经曰〕生泰山川谷，今处处有之。〔道地〕京东及陕西出者佳。

时〔生〕三月开花。〔采〕正月取枭，三月三日取花，秋取仁。

收 阴干。

用 仁、花、枭、毛、蠹、茎、叶、胶、实及白皮。

质 类杏仁而大。

色 皮黄，肉白。

味 苦、甘。

性 平，泄、缓。

气 味厚于气，阴中之阳。

臭 微香。

主 破血，杀虫。

行 手厥阴经，足厥阴经。

制〔雷公云〕凡使，须择去皮，浑用白术、乌豆二味，和桃仁于埚埚子中煮一伏时后，漉出，用手擘作两片，其心黄如金色，任用。

治〔疗〕〔图经曰〕桃花，贴面上疮，黄水出，并眼疮。○桃枭，除中恶，毒气，蛊疰。○实上毛，刮取之，治女子崩中。〔唐本注云〕桃胶，主下石淋，破血，中恶，疰忤。○花，主下恶气，消肿满，利大小肠。〔药性论云〕桃符，主中恶。〔孟诜云〕桃仁，杀三虫，止心痛。○叶，治女人阴中生疮，如虫咬疼痛者，可生捣，绵裹内阴中，日三四易，瘥。○花，晒干，杵末，以水服二钱匕，小儿半钱，治心腹痛。○白毛及胶，主恶鬼邪气。○桃符及奴，主精魅邪气。〔日华子云〕树上自干桃实，治肺气，腰痛，除鬼精邪气，破血。〇叶，治恶气，小儿寒热，客忤。〔别录云〕桃胶，如弹丸含之，治虚热渴。〇桃叶，治肠痔，大肠常下血，杵取一斛，蒸之，内小口器中，以下部拓上坐，虫自出。〇桃枝上干不落桃子，烧灰，水服，疗胎下血不出。〇桃叶，治诸虫入耳，熟挼，塞两耳即出。〇桃白皮，治狂狗咬人，以一握水煎服。〇桃树虫屎，治瘟病令不相染，为末，水服方寸匕。〇东行桃枝，煮汤浴，治天行时疫疠者。〇东引桃枝白皮一握，水煮服半升，主鬼疰，心腹痛不可忍。〇烧桃仁，傅，治产后阴肿痛。〔补〕〔日华子云〕桃，益色。〇桃蠹，食之肥，悦人颜色。〔别录云〕戊子日取东引桃枝二寸枕之，补心虚，治健忘，令耳目聪明。

合治 桃花渍酒饮之，除百病，益颜色。〇桃仁去皮尖，合粳米煮粥食之，主上气咳嗽，胸膈痞满，气喘。〇桃仁去皮尖，杵碎，煮汁、煮粥，空心食之，主尸疰，鬼气，咳嗽，痃癖，注气，血气不通，日渐消瘦。〇桃仁一升，去皮尖，炒令烟出，热研如脂膏，合酒三升，搅令相和，一服取汗，疗风劳毒肿痛挛痛，或牵引小腹及腰痛，不过三瘥。〇桃仁三十枚，别研，合虻虫三十枚，去翅，水蛭二十枚，各炒，以大黄一两，同为末，再与桃仁同捣令匀，炼蜜丸如小豆大，桃仁汤下，疗伤寒八九日间，发热如狂不解，小腹满痛，有瘀血者，利下瘀血恶物，便愈，未利再服。〇收未开花阴干，与桑椹紫者等分作末，以猪脂和，先取灰汁，洗去疮痂，即涂药。治秃疮。

禁 实味酸，多食令人有热。

杏核仁

有毒　植生

杏核仁出神农本经。主咳逆上气，雷鸣，喉痹，下气，产乳，金疮，寒心，奔豚。以上朱字神农本经。惊痫，心下烦热，风气去来，时行头痛，解肌，消心下急。〇花，味苦，无毒，主补不足，女子伤中，寒热痹，厥逆。以上黑字名医所录。

名 金杏、汉帝杏、木杏、白杏。

苗〔图经曰〕其木高丈余，二月敷青，叶如梅叶，圆而尖，三月开红花，四月结实，五六月熟，大如黄梅。其实有数种，黄而圆者名金杏，相传云出济南郡之分流山，彼人谓之汉帝杏，今近都多种之，熟最早；其扁而青黄者名木杏，味酢，不及金杏。其仁入药，今以东来者为胜。〔衍义曰〕杏仁，晒蓄为果，其深赭色，核大而扁者为金杏。此等须接，食之味美，其他皆不逮也。如山杏辈，用仁入药，当以不接者为佳。又有白杏，至熟色青白或微黄，其味甘淡而不酸耳。

地〔图经曰〕生济南及晋州山谷，今处处有之。

时〔生〕二月开花。〔采〕五月取核。

收 焙干。

用 实、仁、花。

质 类桃核仁而圆小。

色 皮黄，肉白。

味 甘、苦。

性 温。

气 气味俱厚，阳中之阴。

臭 香。

主 散结润燥，定喘宁嗽。

行 手太阴经。

助 得火良。

反 恶黄芩、黄芪、葛根，畏蘘草。

制〔雷公云〕凡使，须以沸汤浸少时，去皮膜及尖，擘作两片，用白火石并乌豆、杏仁三件，于锅子中下东流水煮，从巳至午，其杏仁色褐黄，后用。每修一斤，用白火石一斤，乌豆三[1]合，水旋添，勿令阙。

治〔疗〕〔药性论云〕除腹痹不通，发汗，及瘟病与心下急满痛，并心腹烦闷及肺气，咳嗽上气，喘促。〔陈藏器云〕杀虫，烧令烟未尽，细研如脂，物裹内䘌齿孔中。亦主产门中虫疮痒不可忍者。○杏酪浓煎如膏服之，润五脏，去痰嗽。

合治 合天门冬煎，润心肺。○合酪作汤，益润声气，宿即动冷气。○去皮捣，和鸡子白，夜卧涂面，明早以暖清酒洗之，疗面皯。○以三分去皮尖熬，合桂末一分，和如泥，取李核大，绵裹含，细细咽之，日五夜三，疗卒痖及利咽喉，去喉痹，痰唾，咳嗽，喉中热结生疮。○合橘皮、桂心、诃梨勒皮为丸，疗心腹中结伏气。○汤浸，研一升，以水一升半，翻复绞取稠汁，入生蜜四两，甘草一茎约一钱，银、石器中慢火熬成稀膏，瓷器盛，食后夜卧，入酥，沸汤点一匙匕服，治肺燥喘热，大肠秘，润泽五脏。如无上证，更入盐为佳。

禁 生熟吃俱得，半生熟杀人。实味酸，不可多食，伤神，损筋骨。小儿尤不可食多，致疮痈，上膈热。双仁者杀人，狗食之亦死。

解 锡毒、胡粉毒、食狗肉中毒。

---

① 三：原脱，据《证类本草》补。

○ 果之木

安石榴

无毒　植生

安石榴主咽燥渴。○酸实壳，疗下痢，止漏精。○东行根，疗蛔虫，寸白。名医所录。

名 丹若。

苗 〔图经曰〕木不甚高大，枝柯附干，自地便能作丛，种极易息，折其条盘土中遂生。花有黄、赤二色，实亦有甘、酢二种，甘者可食，酢者入药。陆机书云：张骞使西域，于涂林国所得者是也。又一种山石榴，形颇相类而绝小，不作房，生青、齐间甚多，不入药，但蜜渍以当果，或寄京下，甚美。〔衍义曰〕安石榴有酸、淡两种，旋开单叶花，旋结实，实中子红，秋后经雨则自坼裂，道家谓之三尸酒，云三尸得此果则醉。又有一种，子白，莹澈如水晶者，味亦甘，谓之水晶石榴。惟酸石榴皮合断下药，仍须老木所结及收之陈久者，佳。

地 〔图经曰〕本生西域，今处处有之。〔衍义曰〕河阴县最多。

时 〔生〕春生叶。〔采〕五月取花，七月、八月取实。

收 阴干，陈久者佳。

用 子、皮、花、根。

色 黄、赤。

味 甘、酸。

性 温，收。

气 气厚味薄，阳中之阴。

臭 香。

主 止病，解渴。

制 〔雷公云〕凡使石榴壳，不计干湿，先用浆水浸一宿，至明漉出，其水如黑汁方可用。

治 〔疗〕〔图经曰〕东行根并壳，入杀虫及染须发、口齿等药。〇花百叶者，主心热吐血及衄血等，干之作末，吹鼻中，立瘥。

〔药性论云〕皮，味酸，能除筋骨风，腰脚不遂，行步挛急疼痛，涩肠，止赤白下痢。○取汁，止目泪下，并漏精。○根青者，入染须方。〔陈藏器云〕石榴子，止渴。〔别录云〕酸石榴皮，烧赤为末服，治赤白痢，下水谷，宿食不消。

合治 酸石榴皮，炙令黄，杵末，合枣肉为丸，空腹三丸，日二服，治赤白痢，腹痛。○酸石榴皮末，合茄子枝，汤调服，疗粪前有血，令人面色黄。

禁 多食，损齿令黑及损人肺。

忌 犯铁器。

梨

无毒　植生

梨多食令人寒中，金疮，乳妇尤不可食。

名医所录。

名 乳梨、鹅梨、水梨、紫煤梨、茅梨、桑梨、鹿梨、紫花梨、消梨、青梨、甘棠御儿梨。

苗 〔图经曰〕梨之种类殊别，医家相承用乳梨、鹅梨。乳梨出宣城，皮厚而肉实，其味极长；鹅梨出近京州郡及北都，皮薄而浆多，味差短于乳梨，惟香则过之。其余水梨、消梨、紫煤梨、赤梨、甘棠御儿梨之类甚多，俱不闻入药也。又有青梨、茅梨，并不任用。又有桑梨，惟堪蜜煮食之，生食不益人，冷中，不可多食。又有紫花梨，疗心热。唐武宗有此疾，百医不效，青城山邢道人以此梨绞汁而进，帝疾遂愈，后复求之，苦无此梨。常山忽有一株，因缄实以进，帝多食之，解烦躁殊效，岁久木枯，不复有种者，今人不得而用之。又有江宁府信州出一种小梨，名鹿梨，叶如茶，根如小拇指。彼处人取其皮治疮癣及疥癞，甚效。近处亦有，但采其实作干，不闻入药也。

地 〔图经曰〕出宣城及近京州郡、北都，今处处有之。

时 〔生〕春生叶。〔采〕八月、九月取实。

用 实。

色 黄。

味 甘、微酸。

性 寒，缓。

气 气薄味厚，阴中之阳。

臭 香。

主 除热嗽，止烦渴。

制 去皮核，榨汁用。

治 〔疗〕〔图经曰〕鹅梨，除咳嗽，热风，痰实。○紫花梨，疗心热。○鹿梨根皮，治疮癣、疥癞，甚效。○梨叶，主霍乱吐下，煮汁服。亦可作煎，治风。〔唐本注云〕梨削贴汤火疮，不烂，止痛，妊妇临月食之，易产。○消梨，主客热中风不语，并伤寒发热，祛邪止惊，咳嗽消渴，亦利大小便。〔日华子云〕梨，消风，疗咳嗽，气喘，热狂，又除贼风，胸中热结。○作浆，吐风痰。〔孟诜云〕梨，止心烦，又胸中痞塞热结者，可多食生梨即通。卒暗风，失音不语者，生捣汁一合，顿服之，日再服止。〔衍义曰〕病酒烦渴，人食之甚佳。〔别录云〕小儿寒疝腹痛，大汗出，浓煮梨叶汁七合，顿服，以意消息，可作三四度饮之。○嚼梨汁，傅蠼螋尿疮，黄水出，干即易之。

合治 梨一颗，刺作五十孔，每孔内川椒一粒，以面裹，于热火灰中煨，令熟出，停冷，去椒食之，疗卒咳嗽。或去核内酥蜜面裹烧，令熟食之。○捣汁一升，合酥一两，蜜一两，地黄汁一升，缓火煎，细细含咽，凡治嗽皆须待冷，喘息定，然后方食。如热，食之反伤矣。○梨一颗，捣绞取汁，合黄连三枝，碎之，绵裹，渍令色变，仰卧注目中，疗卒患赤目，胬肉，坐卧痛。○梨三枚，用水二升，煮汁一升，去滓，合粳米一合，煮粥食之，疗小儿心脏风热，昏懵躁闷，不能食。

禁 多食，动脾气，金疮及产妇不可食。

解 丹石热气。

○ 果之木

林檎

无毒 植生

林檎不可多食，令人发热，涩气，令人好睡，发冷痰，生疮疖，脉闭不行。名医所录。

名 来禽、花红、沙果。

苗 〔图经曰〕其树似柰树，实比柰差圆，六七月成熟。亦有甘、酢二种，甘者早熟，而味肥美；酢者差晚，须熟烂乃堪啖。〔陈士良云〕此有三种，大长者为柰；圆而夏熟者为林檎；小而味涩、秋熟者为梣也。

地 〔图经曰〕旧不著所出州土，今在处有之。

收 〔生〕春生叶。〔采〕六月、七月取实。

用 实。

质 如柰而差圆。

色 淡黄。

味 酸、甘。

性 温，收。

气 气厚味薄，阳中之阴。

臭 香。

主 消渴，下气。

制 榨取汁用。

治 〔疗〕〔日华子云〕下气，除霍乱，肚痛，消痰。〔孟诜云〕止消渴。〔别录云〕止谷痢，泄精，并水痢，小儿痢。○东行根，治白虫、蛔虫，消渴，好睡。

合治 为末，合醋傅，疗小儿闪癖，头发坚黄，瘰疬，羸瘦。

禁 不可多食，令人心中生冷痰。

○ 果之木

李核仁

无毒 植生

李核仁主僵仆跻，瘀血，骨痛。○根皮，大寒，主消渴，止心烦，逆奔气。○实，除痼热，调中。名医所录。

名 青李、黄李、房陵李、驳赤李、赤李、绿李、马肝李、朱仲李、赵李、麦李、御李子、南居李、座接虑李。

苗 〔图经曰〕木高丈余，至春敷叶，如杏叶而尖，开白花，春末结实，五六月成熟。李之类甚多，《尔雅》云：休，李之无实者，一名赵李。痤[①]接虑李，即今之麦李也。细实，有沟道，与麦同熟，故名之。驳赤李，其子赤者是也。又有青李、绿李、赤李、房陵李、朱仲李、马肝李、黄李，散见书传。美其味之，可食。陶隐居云：皆不入药用，惟姑熟所出南居李，解核如杏子者为佳。今不复识此，医家但用核若杏子形者，根皮亦入药用。〔衍义曰〕北地所产窠大者高及丈，今畿内小窑镇一种最佳，堪入贡。又有御李，子如樱桃许，红黄色，先诸李熟。此李品甚多，然天下皆有之。

地 〔图经曰〕旧不著所出州土，今处处有之。〔道地〕蜀州。

时 〔生〕四月结实。〔采〕五六月取。

收 暴干。

用 仁、花、实及根皮。

质 类杏仁而小。

色 黄赤。

味 苦。

性 平，泄。

气 味厚于气，阴中之阳。

主 下水气，除肿满。

制 去壳取仁。

治 〔疗〕〔药性论云〕仁，除女子小腹肿满，并踒折，骨

---

① 痤：原注“祖禾切”。

疼肉伤，利小肠，下水气，除肿满。○根皮，治脚下气，主热毒，烦躁。○根，煮汁，止消渴。〔日华子云〕根，凉，无毒，主赤白痢，浓煎服。○叶[①]，平，无毒，治小儿壮热，痁疾，惊痫，作浴汤。〔孟诜云〕李实，主女人卒赤白带下，或李树东面皮，去皱皮，炙令黄香，水煮汁，去滓服，亦验。○生李实，去骨节间劳热。○牛李，煮浓汁含之，治䘌齿，脊骨有疳虫，可后灌此汁，更空腹服一盏。〔别录云〕肝病宜食。〔补〕〔日华子云〕李，益气。

合治 李核仁去皮细研，合鸡子白，和如稀饧，涂面上，至晓以淡浆水洗之，后涂胡粉，疗面皯黑子。○核仁和面作饼子，空腹食之，少顷当泻，疗鼓胀。

禁 不可合雀肉同食，及临水上啖之，令人发痰疟。多食，令人虚热。和蜜食之，损五脏。合浆水吃，令人霍乱，涩气。

① 叶：原作“花”，据《证类本草》、印本改。

杨梅

无毒　植生

杨梅主去痰，止呕哕，消食，下酒。干作屑，临饮酒时服方寸匕，止吐酒。名医所录。

名 圣僧梅、白蒂梅。

苗 〔图经曰〕树若荔枝树，叶细阴青，形似水杨。其实生青熟红紫，肉在核上而无皮壳，南人以蜜渍或淹藏，可以寄远。诚果品中之珍味也，今医方鲜用。

地 〔图经曰〕生江南及岭南山谷皆有之。

时 〔生〕四月生。〔采〕五月、六月取实。

用 实。

色 生青，熟紫。

味 酸、甘。

性 温，缓。

气 气厚味薄，阳中之阴。

臭 香。

主 止渴，消痰。

治 〔疗〕〔日华子云〕止呕逆，吐酒。○皮、根，煎汤，洗恶疮，疥癣。〔孟诜云〕和五脏，涤肠胃，除烦愦恶气。烧灰服，亦能止痢。〔陈藏器云〕止渴。〔别录云〕去痰实。

合治 合盐，核杵之如泥，成挺子，以竹筒中收之，治一切伤损不可者疮，止血生肌，无瘢痕，绝妙。遇破处，用少填之。此药之功神验。

禁 多食，令人发热，甚能损齿及筋。

忌 生葱。

胡桃

无毒　植生

胡桃食之令人肥健，润肌，黑发。取瓤烧令黑，末，断烟，和松脂研，傅瘰疬疮。又和胡粉为泥，拔白须发，以内孔中，其毛皆黑。多食利小便，能脱人眉，动风故也。去五痔，外青皮染髭及帛皆黑。○树皮，止水痢，可染褐。仙方取青皮压油，和詹糖香涂毛发，色如漆。其木，春斫皮，中出水，承取沐头，至黑。名医所录。

苗〔图经曰〕大株厚叶多阴。实亦有房，秋冬乃熟，外有青皮包之。胡桃乃核也，核中穰为胡桃肉。此果本出羌胡，汉张骞使西域还，始得其种。植之秦中，后渐生东土，故曰陈仓胡桃，薄皮多肌。阴平胡桃，大而皮脆，击之易碎，江表亦尝有之。梁《沈约集》有《谢赐乐游园胡桃启》，乃其事也。今京东亦有其种而实不佳，南方则无。

地〔图经曰〕生陕、洛及江表间亦多有之。〔道地〕北土者佳。

时〔生〕四五月生。〔采〕秋冬取实。

收 暴干。

用 肉、皮。

色 肉白，皮青。

味 甘。

性 平，缓。

气 气之薄者，阳中之阴。

臭 微香。

主 润肌，黑发。

制 凡使，去壳，汤浸，剥去肉上薄苦皮用。

治〔疗〕〔日华子云〕润肌肉，益发。〔孟诜云〕除风冷，令人能食，不得并，渐渐食之，通经脉，润血脉，黑鬓发。又服法：初一日一颗，五日加一颗，至二十颗止之。常服，骨肉细腻，光润，能疗一切痒。〔别录云〕穰，烧令黑，杵如脂，傅火烧疮。

合治 肉合破故纸，捣筛，蜜丸如梧桐子大，朝服三十丸，补下元。〇肉捣，和酒，温顿服，疗压扑损伤。〇肉和细米各等分煮粥，顿服，疗石淋，便中有石子。〇肉一个，合炒橘核为末一钱匕，温酒调服，以知为度，疗患酒查风，鼻上赤。

禁 多食，动痰饮及发风。过夏至，则不堪食。

解 食酸齿𪙁[1]，细嚼此解之。

① 𪙁：原注“初举切”。

〇 果之走

猕猴桃

无毒　蔓生

猕猴桃止暴渴，解烦热，冷脾胃，动泄澼，压丹石，下石淋。热壅反胃者，取汁和生姜汁服之。〇枝叶，杀虫。煮汁饲狗，疗瘑也。名医所录。

名 藤梨、木子、猕猴梨。

苗 〔图经曰〕藤生著树，叶圆有毛。实似鸡卵大，皮褐色，经霜始甘美可食。〔衍义曰〕十月烂熟，色淡绿，生则极酸，子繁细，其色如芥子，枝条柔弱，高二三丈，多附木而生。浅山傍道则有存者，深山则多为猴所食，皮亦堪作纸也。

地 〔图经曰〕生山谷。〔衍义曰〕出永兴军南山甚多。

时 〔生〕春生叶。〔采〕十月取实。

用 实。

质 类鸡卵。

色 褐。

味 酸、甘。

性 寒，收。

气 气薄味厚，阴中之阳。

臭 香。

主 止消渴，除烦热。

制 捣汁用。

治 〔疗〕〔陈藏器云〕除骨节风，瘫痪不随，长年变白，野鸡肉痔病，调中下气。○藤中汁，至滑，下石淋。

合治 取汁，合生姜汁服之，主胃开[1]。○候熟收之，取穰和蜜作煎，去烦热，亦能止消渴。

禁 多食，令人脏寒泄。

---

① 开：《证类本草》作“闭”。

海松子

无毒　植生

海松子主骨节风，头眩，去死肌，变白，散水气，润五脏，不饥。名医所录。

苗〔图经曰〕如小栗，三角，其中仁香美，东夷食之当果，与中土松子不同。〔海药云〕食之甚甘[①]美，味与卑占国偏桃仁相似，与云南松子不同。云南松子似巴豆，其味不厚，多食发热毒。

地〔图经曰〕生新罗。

时〔生〕春。〔采〕秋取。

收 暴干。

用 仁。

质 如小栗，三角。

色 白。

味 甘。

性 小温，缓。

气 气厚于味，阳也。

臭 香。

主 祛诸风，温肠胃。

制 去皮取仁。

治〔疗〕〔日华子云〕逐风痹寒气。〔补〕〔日华子云〕虚羸少气，补不足，润皮肤，肥五脏。〔海药云〕久服轻身，延年不老。

---

① 甘：《证类本草》作“香”。

○ 果之木

柰

无毒　植生

柰多食令人胪①胀，病人尤甚。名医所录。

---

① 胪：原注“音闾”。

苗〔谨按〕木高丈余，叶似梨叶，二三月开红白花，四月结实，渐大如林檎，六七月成熟。据陈士良云：此有三种，长大者为柰；圆而夏熟者为林檎；小而秋熟，味涩者为梣也。

地〔陶隐居云〕江南乃有，北国最丰。

时〔生〕春生叶。〔采〕六月、七月取实。

收 日干。

用 实。

质 类林檎而长。

色 红、黄。

味 苦。

性 寒，泄。

气 气薄味厚，阴也。

臭 香。

主 益心气，和脾胃。

治〔疗〕〔日华子云〕治饱食多肺壅气胀。〔孟诜云〕卒患食后气不通，生捣汁服之。〔补〕〔孟诜云〕补中焦，诸不足气。〔别录云〕耐饥。

禁 多食，令人胀。

○ 果之木

菴罗果

无毒　植生

菴罗果食之止渴，动风气。名医所录。

苗〔图经曰〕树若林檎而极大，叶似茶叶。〔衍义曰〕西洛甚多，亦梨之类也。其状亦梨，先诸梨熟，七夕前后已堪啖，色黄如鹅梨，才熟便松软，入药绝稀用。

地〔衍义曰〕西洛甚多。

时〔生〕春生叶。〔采〕七夕前后取实。

用 实、叶。

质 类鹅梨。

色 黄。

味 甘。

性 温，缓。

气 气之厚者，阳也。

臭 香。

主 止渴，生津。

治〔疗〕〔别录云〕调妇人经脉不通，丈夫营卫中血脉不行。○叶，可作汤饮，疗渴疾。〔补〕〔别录云〕久服令人不饥。

禁 天行病后及饱食后，俱不可食之。又不可同大蒜辛物食，令人患黄病。

○ 果之木

橄榄

无毒 植生

橄[①]榄[②]主消酒，疗鯸[③]鲐[④]毒人。误食此鱼肝迷闷者，可煮汁服之，必解。其木作楫拨，著鱼皆浮出，故知物有相畏如此也。○核中仁，研，傅唇吻燥痛。名医所录。

① 橄：原注“音敢”。
② 榄：原注“音览”。
③ 鯸：原注“音侯”。
④ 鲐：原注“音怡”。

苗〔图经曰〕其树似木槵子树而高，且端直可爱，春敷叶，二月开花，秋晚结实，其实长寸许，形似生诃子，无棱瓣，南人尤重之，咀嚼则满口香，久不歇。山野中生者，子繁而木峻，不可梯缘，但刻其木[①]下方寸许，内盐于中一夕，子皆落，木亦无损。苏东坡诗云：纷纷青子落红盐，是也。其枝节间有脂膏如桃胶，南人采得，并其皮、叶煎之，如黑饧，谓之榄糖，用胶船，著水益干，牢于胶漆。邕州又有一种波斯橄榄，色类相似，但其核作三瓣，可以蜜渍食之。

地〔图经曰〕生岭南、交趾及邕州、闽广诸郡皆有之。〔道地〕泉州。

时〔生〕春生叶。〔采〕八月、九月取实。

收 暴干。

用 实、核中仁。

质 类生诃子而无棱瓣。

色 青。

味 酸、甘。

性 温，收。

气 气厚味薄，阳中之阴。

臭 香。

主 止渴，消酒。

制 去核用。

治〔疗〕〔日华子云〕开胃下气，止泻。〔衍义曰〕嚼汁咽，治鱼鲠。

---

① 木：《证类本草》作“根”。

解 诸毒及主鲵鱼毒，以汁服之，此鱼肝、子毒人立死，惟此木能解。及误食鯸鲐肝，至迷闷者，饮其汁，立瘥。

榅桲

无毒　植生

榅桲主温中，下气，消食，除心间醋水，去臭，辟衣鱼。名医所录。

苗〔图经曰〕树若林檎，花白绿色，有香。其实似楂子而小，但肤慢而多毛，初熟时其气氛馥，人将致衣笥中亦香。诸果中惟此多生虫，少有不蚛者[①]。

地〔图经曰〕生关、陕，今孟州皆有之。〔道地〕沙苑出者更佳。

时〔生〕春生叶。〔采〕秋取实。

收 暴干。

用 实。

质 类楂子而小。

色 淡黄。

味 酸、甘。

性 微温，缓。

气 气厚味薄，阳中之阴。

臭 香。

主 下气，消食。

制 拭去上浮毛用。

治〔疗〕〔图经曰〕消胸膈中积食，去醋水，下气，止渴，及主霍乱转筋，并煮汁饮之。常食，亦能去心间醋痰。〇皮，捣末，傅疮上黄水。〔日华子云〕除烦渴，治气。

禁 食之不去毛，损人肺。多食，涩血脉。

① 诸果……不蚛者：此十三字，据《证类本草》为《本草衍义》文。

榛子

无毒　丛生

榛子主益气力，宽肠胃，令人不饥，健行。

名医所录。

苗〔图经曰〕树高丈许，子如小栗。军行食之当粮，中土亦有。郑注《礼》云：榛，似栗而小，关中、鄜坊甚多。桂阳一种莘[1]，丛生，实大如杏子中仁，皮、子形色与栗无异也，但差小耳。

地〔图经曰〕生辽东山谷及桂阳，新罗、关中、鄜坊皆有之。

时〔生〕春。〔采〕秋取实。

收 暴干。

用 仁。

色 壳褐，肉白。

味 甘。

性 平，缓。

气 气厚于味，阳中之阴。

臭 香。

主 和胃宽中。

制 去皮壳。

治〔疗〕〔日华子云〕止饥，调中开胃。

① 莘：原注“音榛”。

龙眼

无毒　植生

龙眼出神农本经。主五脏邪气，安志，厌食。久服强魂，聪明，轻身不老，通神明。以上朱字神农本经。除虫，去毒。以上黑字名医所录。

名 益智。

苗 〔图经曰〕木高二丈许，似荔枝而叶微小，凌冬不凋，春末夏初生细白花。七月而实成，壳青黄色，形圆如弹丸，核若无患子而不坚，肉白有浆，甚甘美。其实极繁，每枝常二三十枚，荔枝才过，龙眼即熟，故南人目为荔枝奴，一名益智，以其味甘归脾而能益智耳。草部自有益智子，非此物也。

地 〔图经曰〕生南海山谷，今闽、广、蜀道皆有之。

时 〔生〕春末夏初开花。〔采〕八月取实。

收 暴干。

用 实。

质 形圆如弹丸。

色 壳青黄，肉白。

味 甘。

性 平，缓。

气 气厚于味，阳也。

臭 香。

主 益脾，安志。

治 〔疗〕〔蜀本云〕除蛊毒，去三虫。

椰子皮

无毒　植生

椰子皮止血，疗鼻衄，吐逆，霍乱，煮汁服之。○壳中肉，益气，去风。○浆，主消渴，涂头益发令黑，饮之得醉。名医所录。

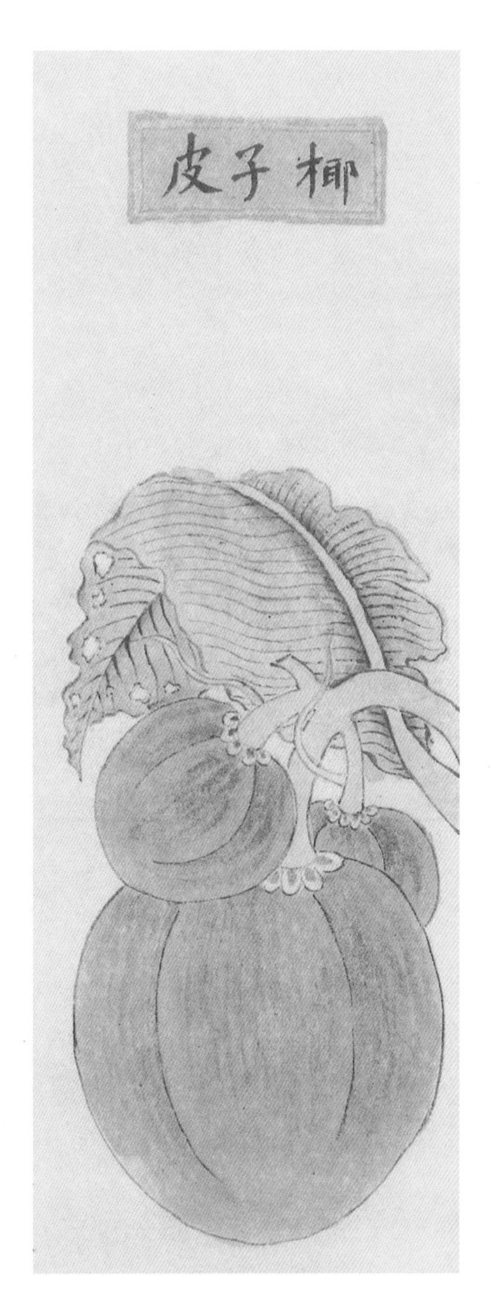

苗〔图经曰〕木如棕榈。亦似桄榔，无枝条，高数丈，叶在木末如束蒲。实大如瓠，垂于枝间如挂物，实外有粗皮如棕包，次有壳，圆而且坚，里有肤至白如猪肪，厚半寸许，味似胡桃。肤里有浆四五合，如乳，饮之冷而氛醺。人多取壳为器，南人取肉糖蜜渍之，作果寄远，甚佳。〔衍义曰〕椰子，开之有汁如乳，极甘香，别是一种气味。中又有一块瓤，形如瓜蒌，上有细垅起，亦白色，但微虚。纹若妇人裙褶，其味亦如汁。又着壳一重白肉，削取之，皆可与瓤、糖煎为果汁，色如白酒，其味如瓤。然谓之酒者，好事者当日强名之。取其壳为酒器，如酒中有毒，则酒沸起。今人皆漆其里，则全失用椰子之意也。

地〔图经曰〕生安南，今岭南州郡亦有之。〔海药云〕南海、云南。

时〔生〕春生。〔采〕九月、十月取。

收阴干。

用皮、根、肉、浆。

质类大腹皮而极大。

色黄、白。

味苦。

性平，泄。

气味厚于气，阴中之阳。

臭朽。

主止血，吐逆。

制〔日华子云〕炙，剉碎用。

治〔疗〕〔海药云〕椰子浆，止消渴，吐血，消水肿，去风。

禁汁多食，动气。

○ 果之木

榧实

无毒　植生

榧[1]实主五痔，去三虫，蛊毒，鬼疰。名医所录。

① 榧：原注“音匪”。

苗〔唐本注云〕其树大连抱，高数仞，叶似杉，其木如柏，作松理，肌细软，堪为器用，即《尔雅》所谓柀，杉也。〔衍义曰〕榧实，大如橄榄，壳色紫褐而脆，其中子有一重粗黑衣，其仁黄白色，嚼久味渐甘美也。

地〔图经曰〕生永昌。〔陶隐居云〕东阳诸郡亦有之。

时〔生〕春。〔采〕秋取实。

收 暴干。

用 仁。

质 类橄榄。

色 壳紫褐，仁黄白。

味 甘。

性 平，缓。

气 气厚于味，阳中之阴。

臭 香。

主 消宿食，行荣卫。

制 去壳用。

治〔疗〕〔陶隐居云〕除寸白虫。〔孟诜云〕多食，令人不发病，能食消谷。〔补〕〔孟诜云〕助筋骨，明目，轻身。

禁〔衍义曰〕食之过多则滑肠。

〇 果之木

香圆

无毒　植生

香圆主下气，开胸膈。〇皮，去气，除心头痰水。今补[1]。

① 今补：原作“名医所录”，据目录改。

名 枸橼、香橼子。

苗 〔图经曰〕树似橘而叶大，其实状如小瓜，皮若橙而光泽可爱，肉甚厚，味虽短而香氛，大胜于柑、橘之类。置衣笥中，则数日香不歇。今南方有之，谓之香橼子。或将至都下，人亦贵之。

地 〔图经曰〕生闽、广、江西，今南方多有之。

时 〔生〕四月开花。〔采〕九月、十月取实。

收 阴干。

用 实。

色 皮黄，肉白。

味 辛、酸。

性 温。

气 气厚味薄，阳中之阴。

臭 香。

○ 果之木

马槟榔

无毒　植生

马槟榔主催生，若难产临死者，用仁细嚼，井花水送下，须臾立出。或产母两手各握二枚，而恶水自下。

今补[1]。

① 今补：原作“名医所录”，据目录改。

苗〔谨按[①]〕树高一二丈，叶似楝叶，两两相对，三月蕊生枝端，开淡红白花，五出。随结实，如连皮核桃，而有三五棱瓣，至秋渐大如梨，熟则皮黑。析之，每瓣有子三四枚，如龙眼核，其仁甘美，故北人当果食之。

地 生北地。〔道地〕云南。

时〔生〕春生叶。〔采〕八月、九月取实。

收 暴干。

用 实。

质 状如梨而有棱。

色 皮黑，仁白。

味 苦、甘。

性 寒，泄。

气 气薄味厚，阴中之阳。

臭 香。

制 去皮壳，取仁用。

治〔疗〕〔别录云〕生产繁者，用二枚细嚼，以井花水吞下，其水味甜如蜜，久服则子宫冷，自然绝矣。常食之，亦不伤人。

---

① 谨按：原无，据义例补。

○ 果之木

平波

无毒　植生

平波止渴生津。今补[1]。

① 今补：原作“出饮膳正要”，据目录改。

苗〔谨按[①]〕树高一二丈，叶如林檎叶而微圆，三月开淡红花，六七月成实，亦似林檎而大，生青白，熟淡红色，食之甚甘美。及置箧笥中，香气可爱。

地 出北地。

时〔生〕四月。〔采〕六月、七月取实。

收 暴干。

用 实。

色 白、红。

味 甘。

性 缓。

气 气之薄者，阳中之阴。

臭 香。

---

① 谨按：原无，据义例补。

果之木

八檐仁

无毒　植生

八檐仁止咳下气，消心腹逆闷。今补[1]。

① 今补：原作“出饮膳正要”，据目录改。

苗〔谨按[1]〕树高丈许，枝、叶、花、实与杏无异，但实差小，亦可啖之。核中仁，食之味甘美，与榛子仁相似，非若杏仁苦而有毒也。

地 出回回田地，今北地亦有之。

时〔生〕四月生。〔采〕五月、六月取实。

收 暴干。

用 仁。

质 类杏仁而圆小。

色 皮褐，仁白。

味 甘。

性 缓。

气 气之薄者，阳中之阴。

臭 香。

制 敲去壳，汤泡，去皮用。

① 谨按：原无，据义例补。

○ 果之木

银杏

无毒　植生

银杏炒食、煮食皆可，生食发病。今补[1]。

---

① 今补：原作“出饮膳正要”，据目录改。

名 鸭脚、白果。

苗 〔谨按〕树高五六丈，径三四尺，叶似鸭脚，五六月结实如李，八九月熟则青黄色。采之，浸烂去皮，取核为果，亦名鸭脚。梅圣俞《诗》云：鸭脚类绿李，其名因叶高，是也。

地 出宣城郡及江南皆有之。

时 〔生〕五六月生。〔采〕八月、九月取实。

收 暴干。

用 核中肉。

色 壳白，肉青黄。

味 甘、苦。

性 缓，泄。

气 味厚于气，阴中之阳。

臭 腥。

制 火煨，去壳用。

治 〔疗〕煨熟食之，止小便频数。

合治 叶为末，和面作饼，煨熟食之，止泻痢。

禁 生食有小毒，发病。

株子

无毒 植生

株子不可多食。今补[1]。

① 今补：原作“出饮膳正要”，据目录改。

苗〔谨按〕株子树，高三五尺，枝、叶类橘而小，冬月不凋，春复繁茂，四月开小白花。其实有三种，小而圆者谓之金豆；大如弹丸者谓之金橘；锐而长者谓之牛奶金柑，即株子也。生青熟黄，人家庭院多植而玩之。九月采食，其清香经日不歇，或蜜渍作汤果寄远，人贵重之，稀入药用。

地 生南山川谷及江浙、荆襄、湖岭皆有之。

时〔生〕四月开花。〔采〕九月、十月取实。

用 实。

色 生青，熟黄。

味 酸、甘。

性 平、微寒。

气 气薄味厚，阴中之阳。

臭 香。

必思答

无毒　植生

必思答主调中顺气。

今补[1]。

① 今补：原作“出饮膳正要”，据目录改。

苗〔谨按〕必思答，即必思忒也，出回回田中。树高一二丈，叶如杏，其实如桃、李，去肉取核仁，作果食之，今亦入贡焉。

收 日干。

味 甘。

性 缓。

气 气之薄者，阳中之阴。

臭 香。

○ 果之木

棠毬子

无毒　植生

棠毬子治痢疾及腰疼，皆效。又能消食，行结气，健胃，催疮痛。名医所录。

名 山查子、海红、山里果。

苗 〔图经曰〕树高三五尺，叶似杏叶而长。三月开白花，随便结实，如酸枣而差扁，至八九月色赤，山人采之以当果食。今药中多用之，以其能消食而健脾也。

地 〔图经曰〕生滁州，今处处有之。

时 〔生〕春生。〔采〕八九月取。

收 日干。

用 实。

色 红。

味 甘。

主 消食健胃。

四种陈藏器余

君迁子味甘，平，无毒。主止渴，去烦热，令人润泽。生海南，树高丈余，子中有汁如乳汁。《吴都赋》云：平，仲君迁。《海药》云谨按刘斯《交州记》云：其实中有乳汁，甜美香好，微寒，无毒，主消渴烦热，镇心。久服耐老，轻身，亦得悦人颜色也。

韶子味甘，温，无毒。主暴痢，心腹冷。生岭南，子如栗，皮、肉、核如荔枝。《广志》云：韶叶似栗，有刺，斫皮，内白脂如猪，味甘、酸。亦云核如荔枝也。

棎[①]子味甘、涩，平，无毒。生食主水痢，熟者和蜜食之去嗽。子似梨，生江南。《吴都赋》云：棎，榴御霜是也。

诸果有毒桃、杏仁双有毒。五月食未成核果，令人发痈疖[②]及寒热。又秋夏果落地为恶虫缘，食之令人患九漏。桃花食之，令人患淋。李仁不可和鸡子食之，患内结不消。

本草品汇精要卷之三十四

---

① 棎：原作“探”，据《证类本草》改。

② 疖：原作“节”，据医理改。